狂神

贰

隋古落天使

唐家三少◎著

百花洲文艺出版社

狂神 贰

堕落天使

目录

第二十七章 珍贵的爱

我转身对这八个速记高手说道："待会儿你们先跟管家去休息，下午我会找你们的。记住，没有我的命令，不许随便出房门一步，明白吗？"

"臣等明白。"这几个家伙的表情都很平淡，看得出，心理素质都不错，看来兽皇为了培养他们确实没少下工夫。

我看到周围仆人们和女眷都愣愣地盯着我，顿时怒道："都在这里看什么，该干什么干什么去。"

所有人突然同时跪倒在地，高声齐呼："恭喜三少爷高升。"

我不禁又好气又好笑。这群兽人，全是些势利小人，看到我得势了，就立刻拍起我的马屁来。

"行了，都起来吧，散了。"我不耐烦地挥挥手，转身离开了正院。

我随便吃了点东西，一刻都没有休息，来到管家安排的大房间中，兽皇派来的八人一看我进来，立刻起身施礼。

这个房间真的很大，有七十平方米左右，两旁是供他们休息的床，每张床前都有一张大桌子，上面摆放着纸、笔，不知道是他们自己要求的，还是管家给准备的。

我扫视了他们一眼，道："由于时间紧迫，所以，今天给大家的任务会重一些。既然你们都是速记高手，我待会儿说话会非常快，你们轮流记录。记录下的东西，绝对不许外传，否则，别怪我不客气。如果你们问过府里的仆人，就应该知道我是个什么样的人。今天的任务，就是要你们一人完成一本。按顺序来，你，第一个，记录完以后，自己整理。"我叫出一个狼人。

狼人冷静地跑到自己桌子前，道："殿下，您可以开始说了。"

我拉过一把椅子坐下，想了一下说道："记清楚了，书名为'大陆军事启示录'，内容分十卷，六十六章，第一卷第一章……"

我开始让这些速记高手记录我背诵的内容。我惊讶地发现，他们的手都非常快，使得我一次又一次地提升了背诵的速度。

整整一个下午，我就在这所大房子里度过。

傍晚。

我伸了一个懒腰，说道："该吃饭了，今天就到这里吧，你们表现得都非常好，大大出乎我的意料。原本想弄出八本也就行了，可没想到你们速记功夫居然如此了得，超额完成了任务，我会在陛下面前为你们美言的。"

完成了十六本书的记录，让我非常兴奋，竟然破天荒地称赞起人来。

八名速记高手并没有因为我的兴奋而兴奋，只是平静地站起身，向我施礼："谢殿下提拔。"

一阵疲倦袭来，毕竟用了一天的脑子，实在太累了。

"你们早点休息吧，想吃什么尽管吩咐下人。"出了速记屋，我直奔母亲的寝室。

刚到门口，正好遇见从里面出来的丫鬟。

看到我，丫鬟连忙行礼："三少爷。"

"我母亲吃过饭了吗？"

"刚刚吃过。"

"下去吧。"我一推门，走进了母亲的房间。

母亲正坐在椅子上看着我给她的两颗宝石发呆。

"母亲，我来了。"

母亲抬头看了我一眼，脸色比昨天要好了许多，微微透出一丝红润。

"您今天感觉怎么样？"

母亲有些陶醉地看着两块宝石："和以前比好很多了。这两块石头真是神奇，尤其是绿松石，以前只是听说过它可以吸收自然的精华，将自然力转换成生命力，源源不绝地提供给贴近它且需要它的人，可没想到，竟然如此神奇。配合这块鸡血石，只一天工夫，我竟然感觉身体比以前好了很多。"

母亲第一次和我说这么多话，看来她的心真有复活的希望了。

我微笑道："这都是公爵对您的心意，当然管用了。"

母亲的目光从宝石转移到我的脸上，眼神相当奇怪，冷漠竟然占据了大部分。

她冲我冷笑一声，道："如果我没有猜错的话，你是想拿我当筹码改投龙神帝国，是吗？如果你这么想，可就大错特错了。"

强烈的怒意从我身上涌出，我重重一掌拍在桌子上。坚硬的紫檀木桌在我这巨灵之掌下化为了粉末。原本有些昏暗的灯光被气流所扰，闪烁不定。

母亲一点都没被我的威势吓倒，昂起头说道："怎么，被我说到你的痛处了吗？你们这些兽人，没有一个好东西。"

我深吸一口气，试图平复自己激动的心情，我怕再这样下去，会引起我的狂化。

"母亲，您侮辱我的人格不要紧，但您不能侮辱我对您的感情。不错，公爵对我很好，还准备把女儿许配给我，但是，我从来没有忘记，自己出生在兽人家庭。虽然我是个混血儿，也是大多数人口中的'杂种'，可是，我不在乎。我要用自己的行动证明，我是最强的。"

我抹了一把不知不觉中流下的泪水，接着说道："不错，我承认，我非常喜欢龙神帝国那边的生活，那边有淳朴的民风、贤明的统治以及我所爱的人，他们都在向我招手，如果我想留在那边，根本不用您来做我的垫脚石。您知道吗？我根本就没有告诉公爵，我是您的儿子。因为，我不知道，在您眼中我算不算是您的骨肉。但是，我要告诉您的是，强暴您的是比蒙王雷奥，迫害您的是他和他的那些姬妾。这些，和我有什么关系，为什么自始至终您都要恨我呢？"

母亲听了这句话，全身颤抖起来，激动地冲我吼道："虽然你不是那畜生，但你毕竟是他的儿子，你的出生，带给我的全是耻辱。"

我的神色平静下来。哀莫大于心死。对于母亲，我已经再不抱有任何幻想了。

我淡淡地说道："既然您这么想，那我就不多说了，这次我重返兽人，最大的目的，就是帮助兽皇一统全族，让整个兽人族逐渐强大起来。也许您还不知道，兽皇已经认我为义子。如果我为了讨好龙神的公爵，我会这么做吗？过不了几天，我会离开这里去干我该干的事。您在家里多保重，如果您还想再见到林风，那么就请您自己保重身体，当我认为可以的时候，自然会送您回去。最后，我要说的是，我和您一样，我也恨雷奥，因为，正是由于他的原因，最爱我的奶奶走了。送您回龙神帝国，只是为了圆您和公爵这对有情人的梦，我并没有其他任何目的。您早点休息，我走了。"

带着压抑无比的心情我返回了自己房间，没有任何休息，我立刻开始修炼天魔诀，也只有暗黑魔力才能让我平静下来。

清晨，我携带着昨天记录完毕的十六本书前往皇宫。一到宫门口，还没等我开口，侍卫们立刻闪开身形，恭敬道："殿下请。"

我惊讶地问道："怎么，不用通报一下吗？"

侍卫首领谦卑道："不用了，陛下吩咐，以后只要殿下前来觐见，一律放行，陛下正在御书房等您呢。"

"哦？知道了。"兽皇真的对我没有一点怀疑吗？带着疑惑，我走进了皇宫。

"儿臣雷翔求见。"

"进来。"

我踏进御书房，房内只有兽皇一人，他好像正在批阅奏章。

"父皇，您找我来，不知道所为何事？"

兽皇笑道："没有事咱们父子也应该经常见面多沟通啊，昨天我派去的人你还满意吗？"

我点了点头，道："非常满意，都是一流的速记高手。您看，这是昨天我们的成果。"说着，我把记录好的书递了上去。

兽皇高兴地说道："不用那么着急，你刚刚回国，怎么不多休息休息？"

我挠了挠头，道："等着我去做的事情太多了，还是尽快完成的好。"

兽皇随手翻阅起那些记录，脸上神色连变。良久，他合上卷宗，长吁一口气，道："怪不得龙神会如此强大，这些卷宗中的理论确是寡人闻所未闻。雷翔啊，你这回当真是立下了大功，好，待会儿我就叫人开始用这些东西当教材培训。"

还说我急，他一点也不比我差嘛。

"对了，还有，你在家里办公太不方便了，我找你还要叫人去宣，这样吧，你搬到宫里来吧，有什么事咱们也好商量。"兽皇一顿后，又说道。

让我搬进皇宫，这不是鸟入牢笼吗？我委婉地说道："父皇，还是算了吧，我野惯了，搬进来容易坏了宫里的规矩。"

兽皇微微一笑，道："不怕，我准你可以不用遵守那么多规矩，这样总行了吧。对了，你既然和你父亲的姬妾有矛盾，那就把你母亲也一并接进来吧。我这里有的是好东西，绝对让你们母子满意，这样也可以避免你以后不必要的矛盾。"

听他这么说，我顿时怦然心动。

确实，一旦前线的战争结束了，雷虎一回来发现他母亲死在我手里，还不和我拼命吗？

有父亲护着他，我也不能把他怎么样。虽然我不怕，但是，如果他暗算母亲那就得不偿失了。反正我也在都城待不了几天就要去剿匪，这里是关不住我的，而母亲在这里就可以得到更好的调养，何乐而不为呢？

想到这里，我沉吟道："既然如此，那儿臣就先谢过父皇了。"

兽皇哈哈一笑，道："咱们父子还说什么谢不谢的？待会儿我叫人跟你回去，需要什么你全都搬过来。还有，别忘记带你那群速记高手回来，昨天我怎么没想到，还让你再折腾一回。"

我躬身道："父皇别这么说，折杀儿臣了。"

兽皇说道："没什么别的事了，今天你先搬家，明天继续记录那些东西吧。"

"是，儿臣告退。"

我带着一群宫中的侍卫返回了王府。其实，我也没什么好搬的，日常用品宫里都有，而且比原来的更好，只要带着黑龙收拾几件衣服就行了。

我来到母亲的寝室外，先深吸了一口气，决定不论待会儿她怎么骂我，也要说服她和我一起进宫，实在不行就只有强迫她跟我走了，毕竟那里才是相对安全的地方。

"母亲，我来了。"

出乎意料的是，母亲竟然有所回应："嗯，坐吧。"

我平淡地说道："我这次来是为了让您搬家的。"

母亲凄然一笑，道："我本没有家，怎么谈得上搬？说吧，你想让我去哪里？"

看到母亲痛苦，我心里也不好受："是这样的，兽皇为了让我更方便办公，决定让我住进皇宫去，同时也要求您和我一起去。毕竟我刚刚杀了雷虎的母亲，这样可以避免一些不必要的麻烦。"

母亲抬起头，看我的眼神竟然不再那么冰冷，她微笑道："傻小子，你上当了。"

我完全没有听到她说什么，眼中只有她刚才的笑容。

母亲虽然头发花白，脸上也有了皱纹，显得很苍老，但从刚才的笑容中仍然能够依稀看到她当年的风采。

"啊！您说什么？"

母亲再次微微一笑，道："我刚才说，傻小子，你上当了。"

她叫我"傻小子"，她竟然这么亲切地称呼我。我偷偷掐了一下自己的大腿，剧烈的疼痛告诉我，这并不是在做梦。

我傻傻地问道："您为什么说我上当了？"

母亲淡然道："这还不明摆着吗？人家怕你不卖力气干活，特意把我请过去，如果一旦你有什么异动，那么……你是聪明人，不用我说了吧？"

母亲一席话顿时把我从梦中点醒，是啊，毕竟我不是兽皇的亲儿子，人家为什么要这么信任我，还让我把母亲接入皇宫？原来是这个目的。

我挠了挠头，道："原来是这样，我怎么没想到，那您还是别去了，我这就跟兽皇说去。"

母亲冷哼一声，道："不，我跟你一起进皇宫，如果我不跟你去，即使你说得天花乱坠，人家也未必会相信，也许，立刻就会对你有所行动。"

"那您进宫不是不安全吗？"

母亲苦笑道："没有什么安全不安全的，在这里我就安全吗？你总不能二十四小时守在我身旁吧。进宫最起码暂时是安全的。儿子啊，姜还是老的辣，以后有什么不明白的，你要多问问我，毕竟我当年在天都学院也是一名才女。"

"儿子"，她竟然叫我"儿子"。我眼泪忍不住夺眶而出，"扑通"一声跪倒在地，失声痛哭道："母亲，您，您终于肯认我了吗？"

母亲的眼圈也红了，她把手放在我的头上，第一次慈祥地说道："孩子，昨天晚上我想通了，你说得对，你有什么错？错的只是他而已，我不应该迁怒于你。这么多年，娘让你受委屈了。今后，娘一定补偿你。"

听了母亲的话，我趴在她的膝盖上像个孩子一样放声痛哭，心里的积郁在哭声中充分地发泄着。

母亲的泪水不断地滴在我的头上，她的手好温暖。

母爱，我最想得到的东西，竟然就在我本以为没有任何希望的时候降临了。

良久，哭声收歇，我猛然抬起头，把母亲脸上的泪水擦干，坚定地说道："母亲，我向您发誓，即使拼了我的性命，也要帮您完成心愿，我永远永远都不要再看到您流下痛苦、屈辱的泪水，我要让您成为世界上最幸福的母亲。"

母亲托着我的双臂，泪水再一次流了下来："好孩子，快起来吧，帮娘收拾收拾，咱们这就进宫吧。一入宫门深似海，不知道我还有没有机会再出来？"

我站起身形，搀扶着母亲，道："您放心吧。皇宫是困不住咱们的，我计划用三年的时间让兽人国强大起来。三年后的今天，就是咱们离去的时候，谁也无法阻止。"

"好了，不多说了，你自己的东西收拾好了吗？"

我点头道："收拾完了。我想，您应该和我一样吧，在这个家里，咱们能有什么东西需要带走呢？说实话，如果不是不想光着身子出去，我真不想带走任何东西。"

母亲没有说话，将我给她的两颗宝石小心翼翼地收到怀中，道："好了，咱们走吧。"

看到她什么都没拿，我不禁一愣，道："您不带点换洗的衣服吗？"

母亲微笑着摇头道："现在兽皇用得着你，他还能亏待得了我？咱们走吧。"虽然这只是小事，但仍然可以看出恢复希望的母亲，头脑还在我之上啊。

出了母亲的房间，我叫来管家，吩咐道："暂时我不会回来住了，等父亲回来以后，你把我杀丑妇的事如实禀告。"

"是，三少爷。"

"母亲，咱们走吧。"

我小心地把母亲送上车，自己骑上黑龙，走出比蒙王府。我回首看向这个我生活了十多年的地方，竟然有一种再也不想进去的感觉。

也许从这里出来，是对我和母亲的一种解脱吧。

皇宫里，兽皇早就命人给我们安排好了住处，是一个单独的大院落，环境清静幽雅，居然还种了许多各式各样的植物。只有四名侍女伺候，守卫都在外围。

母亲冲我微微一笑，低声道："看来你在兽皇眼里的利用价值真是不小啊。在兽人族里，即使是真正的王子，也未必有你这种待遇。"

"还不是让我更好地给他卖命吗？不过这样也好，在这种环境下，更适合您休养。对了，母亲，我一直没问过您，以前在天都学院，您有没有学过魔法或者武技？"

母亲一边看着周围的环境，一边摇头说道："没有，我在天都学院学的主要是文史和礼仪。林风应该告诉过你，我是当时的帝国公主，学习那些打打杀杀的东西，对我有什么用？如果我有高强的功夫，还怎么会……唉……"

我喜道："您没学过，那太好了。"

母亲惊讶地说道："这有什么好的？只不过让你多了个累赘而已。"

"您别这么说，我所说的好是因为您没有学过任何武技或者魔法的话，我再用魔法给您治疗就不怕有冲突了。"

"魔法治疗？你还会光明魔法吗？我怎么看都不像啊。"

我神秘一笑，道："待会儿您就知道了。好了，这里不用你们服侍，都下去吧。"

周围站着侍女，我总觉得别扭，何况，谁知道她们是不是来监视我们的？

看着侍女都下去了，我默运天魔诀，确定周围没有任何人以后，悄声说道："母亲，我会的并不是光明魔法，而是黑暗魔法。"

其实是暗黑魔法，但我还不想让母亲知道我会变堕落天使的事，所以故意说是黑暗魔法。

母亲惊奇地看着我，道："黑暗魔法？"

"是的，黑暗魔法同样有许多恢复术，以您的现状来说，也许会更有用，我也是无意中学到的。不论是否有效果，我都会再教您一些斗气的修炼方法，您每天修炼，有助于运行气血。我一定会用最短的时间，让您身体恢复的。"

母亲慈祥地一笑，道："一切随缘吧，我听你安排就是了。"

"时间紧迫，过一段时间我就不能在这里陪您了，咱们现在就开始吧。"我拉着母亲到房间里，让她盘腿坐好，叮嘱道："不论待会儿有什么不适，您都一定要忍耐住。我会控制分寸的。"

母亲合上双目，道："来吧。让我看看我儿子的黑暗魔法有多厉害。"

由于紧张，我额头上微微出汗，用魔法和斗气杀人那是我最擅长的，而用来治疗却是破天荒的第一次，而且这回治的还是我的母亲，这让我不能不谨慎。

我深吸一口气，平复一下情绪，吟唱道："以我的生命为代价，以我的灵魂为祭礼，伟大的黑暗之神，作为您的仆人，我请求您，赐予我您拯救的黑暗力量吧。"

这是暗黑四级恢复魔法——暗之修。天魔诀上说这个魔法可以恢复一切异常状态，并调整身体状况。我也是第一次用，所以特别小心。

一个紫黑色的能量球集中到我手上，我分出一小部分，缓缓输入母亲体内，观察着她的情况。

母亲全身一阵颤抖，脸色变得苍白，我赶忙用另一只手放在她的头顶，查看着她体内的状况。

母亲的经脉非常脆弱，即使是如此少量的魔法能量，在她体内运行也非常艰难。

暗之修这个魔法还真不错，虽然运行缓慢，但我发现，每当它运行过一段经脉，都会把这段经脉修补得如同常人，使经脉扩张并且增加经脉的弹性，使其不容易断折。

　　我收回其他暗黑魔力，双手抵住母亲背心，推动着输入母亲身体的这一小部分能量缓慢地运行着。当功行百脉后，我小心地将这部分能量收回体内。

　　收功后我才发现，天已经黑了。

　　就像我当初修炼狂神诀时一样，母亲的身体里渗出大量的黑色汁液，那味道……

　　我收功后时间不长，母亲长出一口气：“啊，好舒服！”

　　我赶忙问道：“您感觉怎么样？”

　　母亲睁开眼睛活动了一下双手，惊叫道：“哎呀，难受死了。”

　　她这一声惊呼着实吓了我一跳，我赶忙问道：“您怎么了？哪里不舒服吗？”

　　母亲说道：“别着急，我身体没什么不舒服，可你看这脏的，这是怎么回事啊？”

　　听她这么说我才安下心来，解释道：“这没什么，是正常情况，您体内堆积的一些毒素都让我用魔法给逼出来了，洗个澡就会好的。”

　　“哦。”

　　我大声喝道：“来人。”

　　随着脚步声，跑进来两名侍女，虽然屋子里异味冲天，但她们却没有任何反应，恭敬地说道：“殿下有何吩咐？”

　　我看了看母亲狼狈的样子，“扑哧”笑道：“你们快服侍我母亲去洗个澡，然后准备点吃的，要补一点的。”

　　一名侍女上前两步，道：“热水是现成的，夫人，我们搀您吧。”

　　母亲自己下了床，道：“不用搀我，好久没有这么舒服的感觉了，原来我胸口老觉得堵得慌，现在好多了。”

　　我微笑道：“这只是刚开始，我还要再给您治疗几次才行。不过，您现在的经脉还比较脆弱，我怕您受不了，过些日子再说吧。”

　　“都这么多年了，我不着急，快带我去洗澡吧，黏糊糊的难受死了。”可能是因为接连解开了公爵和我这两个结，母亲开朗了很多。

　　当母亲洗完澡后，她原本苍白的脸色不见了，取而代之的是红润，连皱纹似乎也少了很多，瘦弱的身体也好像结实了一些。

这一晚，我睡得格外香甜。

第二天，我又开始了忙碌的生活，每天都要和那些速记高手完成一定数量的书。同时，在兽皇的配合下，挑选和我一起出发的人选和兽神使的人选，并协助兽皇对他们进行训练。

半个月后……

"禀告父皇，儿臣已经把从龙神帝国背下来的东西完全记录下来了，时间紧张，我想尽快出发剿匪。"站在御书房，我向兽皇汇报着。

"好，你背出的那些东西我基本上扫了一遍，都非常有用。你这次出去准备带多少人？"

我微微一笑，道："就带我挑选的那二十个人就可以了，您不是已经把他们赏给我做近卫了吗？"

兽皇惊讶地说道："就带那么几个人去，太少了吧。盗匪的数量你也是知道的。"

我胸有成竹地回答道："虽然盗匪数量众多，但大多是乌合之众。况且，很少有大群盗匪，他们都是分散的、小股的，我们只要各个击破就可以了。如果遇到无法对付的大群盗匪，我还可以向您求援嘛。"

兽皇想了想，道："那好吧，不过，你一定要小心。你要知道，你这次行动是不可能动用地方人手的，一切都要靠自己。如果出现危险，即使我派兵过去，恐怕也是远水解不了近渴，所以你要格外小心。你准备一下，三天后出发吧。"

我跪下叩头道："儿臣遵旨。"

终于要开始我的杀戮之旅了，无论如何，我都要将所有的盗匪消灭掉，为兽人百姓剔除这些毒瘤。

母亲正在院子里修炼我教她的素轮斗气。这种斗气的威力不是很大，但却非常利于调养生息，对于母亲来说是最有用的，是我好不容易才从众多斗气中挑选出来的。

这些天以来，母亲的身体状况和以前相比有了质的飞跃，脸色红润而有光泽，皮肤也恢复了一定的弹性，看上去年轻了不少。

十多天的相处，我和母亲的距离是在一日千里地不断拉近。她对我无微不至的关怀让我感动至极，我终于体会到了什么是真正的母爱。

有什么事情我都会先和母亲商量后再做决定，母亲的聪明睿智让我十分钦佩。

母亲听到脚步声，缓缓收功，闭着眼睛说道："翔儿，你回来了。"

"是啊，母亲，您怎么不修炼了?"

母亲睁开眼睛，微笑道："修炼不是朝夕之功，循序渐进是最好的办法，操之过急反而容易走火入魔。这句话你要牢记。"

我点了点头，道："是，我会谨记的。"

母亲站起身形，道："咱们回房间去谈吧。"可能是因为我就要离去的原因，母亲脸上始终带着一缕愁容。

进了房间，母亲示意我坐下："定下日子了吗?"

"是的，兽皇命令我三天后出发。我决定带那二十名近卫走。"

母亲点头道："这样也好，人少更方便办事。不过，你要注意安全，一切谨慎，即使面对很弱小的对手也要全力以赴。"

"狮子搏兔的道理我明白，您放心吧。我先去准备了，明天我再给您运功。"

"去吧。我自己挺好的。这些天，我仿佛又恢复了活力，看来你说让我恢复原来的容貌还是很有希望的。"

"母亲，那我走了。"

第二十八章 开始行动

三天后，我带着二十名近卫离开了皇都，这二十个人都是当初我从兽皇那里精挑细选而来的。全如兽皇所说，他们都是有人类血统的混血儿，自小在兽皇的培养下学习斗气、武技，经过多年的修炼，只论斗气威力的话，他们也比我差不了多少。

离开前，我曾经去觐见兽皇……

"父皇，明天我就要离开了，您还有什么吩咐吗？"

"雷翔啊，咱们前线的形势不妙，恐怕要撤军了。"

我皱眉道："形势不妙？损失很大吗？"

兽皇沉重地说道："损失非常大，但也并不是没有好处。你父亲的比蒙军团损失了三百多人，这是近百年来交战中损失最大的一次，当然，对方也付出了四名龙骑士的代价。而除了狂狮军团和比蒙军团以外，其他各族部队加起来损失超过三十万，你说这损失大不大？各族的损失惨重也让咱们的计划更容易进行，你要不要等你父亲回来再走？"

我摇了摇头，道："父皇，不用了，等他们回来要等到什么时候？还是按照原定计划，我明天就走。"

我并不想见父亲，在我心里他只是间接杀害奶奶的凶手。

兽皇点头道："那好吧，我明天会颁布法令，让地方各族势力自行清剿周围的盗匪，不论他们是甘心奉命也好，还是阳奉阴违也罢，都会对你的行动有好处。皇都周围的盗匪你就别管了，我会派遣近卫军秘密行动，清剿他们。另外，那些第一批学习农业知识的人也可以开始行动了，我会命令他们以兽神教的名义先在皇都周围开辟农场，发展耕种和各种工业。孩子啊，父皇就是你的大后方，如果行动受阻或者有什么困难，就立刻回来。"

"谢父皇，儿臣遵旨。"

就这样我离开了皇都。

今天的天气很不好，风沙扑面，阴沉沉的。斗笠上的面纱为我遮挡了不少尘土。今天会不会下雨呢？

我命令二十名近卫化装成平民的模样分散着走，所有人的距离保持在五百米范围内，这样，才有可能吸引更多的盗匪。

我则独自一人骑着黑龙上路，我一边让黑龙缓慢地前进着，一边摊开地图。

兽人国内共有十七个领地，大小等同于龙神的行省，围绕着皇都。皇都其实也相当于一个领地，面积并不比其他任何一个小。每一个领地都以一个种族为主。

而我们的第一个目的地就是西方的狼人聚居地云那领，它距离皇都虽不算最近的领地，但完全是平原，最适合于耕种各种农作物。

同时，云那领还出产一种非常稀有的铁矿。这种铁矿用来冶炼盔甲、兵器再合适不过了，不但钢性好，延展性也非常出色。即使是龙神最厉害的重骑兵军团也配备不上这种名叫褐铁制作的盔甲。

如此重要的资源在兽人的领地内竟然荒废大半。多年以来，兽人已经习惯了靠吃魔族补给生活的日子，而我的任务，就是要改变这种现状。如果被魔族始终控制着经济命脉，兽人无论如何也是无法强大的。

两天后。

"报告，殿下，前方有情况。"距离我最近的狐人蹿到我身边说道。

我皱眉道："告诉大家，以后都不要叫我殿下，要叫少爷或者副教主，明白吗？"

"是。"

"有什么情况？"

"最前面的兄弟发现，有一伙强盗正在打劫前面的一个小村落。"

我心中一动，打劫村落？虽然兽人国的盗匪横行，但很少有盗匪会聚集起来打劫村落，因为他们知道这样会激怒统治者，估计这和兽皇颁布的法令有关吧。他们也许是想抢一次大的就暂时收手躲避清剿也说不定。

既然如此，我就让你们有来无回。

这里是皇都势力范围的最边缘，盗匪们恐怕正是看准这一点才敢胡来的。

我厉声道："传我命令，众人集合加速前进。"

"遵命。"

由于风沙蔽日，直到靠近村庄我才发现盗匪的情况，村子里已经有多处房屋被烧，一片哭爹喊娘的悲惨景象。盗匪有多少人，一时间看不清楚，但大多数都由几个比较强悍的种族组成。他们见人就杀，见东西就抢，当然，女性村民也避免不了……

我暗暗叹了口气，一挥手，道："动手，留一个活口。"

我的二十名手下齐声喝道："是。"

我举着墨冥缓慢地向村子里走去，这些强盗也不过就是一群乌合之众，遇到这些修炼过武技的近卫，他们根本没有任何还手之力。

一蓬蓬血雨在空中飘散，带走了一个又一个兽人的灵魂。

正向前走着，我突然听到旁边的民房中传来一声惊叫："不要——"

我顺剑横划，发出一道黄色斗气，"轰"的一声，炸开了民房的门，一个光着下身的熊人盗匪正在撕扯着一个女兽人的衣服。

被打搅了好事，熊人怒吼一声，两眼血红地提起裤子就向我冲来。真是蠢啊，他也不想想，既然我可以如此轻易地毁掉民房的门，会是那么容易对付的吗？

懒得和他废话，墨冥带起强大的狂神斗气横扫而出。当熊人下半身冲到我跟前的时候，他的上半身早就离体而去了。

我斗气外发，将飞溅而来的鲜血阻截在身体前三尺，没有让它弄脏我的衣服。

走进民房，一个全身长有白色皮毛的女性兽人正蜷缩在那里瑟瑟发抖，我尽量将声音放得柔和："你没事吧，别怕，我是来救你们村子的。"

那女子遮住脸的手掌露出一道缝隙，看到我充满善意的笑容，好像放松了些，她颤声问道："你，你真的不是强盗吗？"

我微微一笑，道："当然不是了，我是来杀强盗的。我们是兽神的使者，专门为咱们兽人一族排忧解难的。相信我，好吗？"

听了我的话，兽人女子胆子大了起来，放下挡住脸的手，用大眼睛盯着我看。

原来她是个很少见的年轻白熊人，看样子，个头一点都不比我小，容貌秀丽，怪不得那个熊人盗匪会动心呢。

"不要怕，快穿好衣服，我还要去解救其他村民。"

白熊人点了点头，道："谢谢你救了我。"

我转身正准备离开，听到她的话，转头道："不要谢我，要谢谢兽神，我们是奉了他的旨意才能及时拯救你们的。"

"兽神？"

…… ……

刚出民房，我突然听到一声尖锐的哨音。

不好，这些盗匪还真有些头脑，看来要集合和我们对抗了。

果然，我的一个狮人手下快步跑到我身前，道："报告副教主，敌人正在村子的另一头集结，我们怎么办？"

这个狮人叫猛克，长得高大威猛。他也有着人类的血统，容貌上有着明显的人类特征，如果没有身上的鬃毛，简直就是一个人类。在这些护卫当中，我最看重的也是他，不但勇猛，而且机智。

"兄弟们有什么损伤吗？"

狮人轻蔑一笑，说道："就凭这些鸡鸣狗盗之辈能有什么作为？"

我点头道："那好，立刻召集他们，咱们就正面去和强盗们干上一仗。"

这是从皇都出来后第一次遇到盗匪，而且是大规模盗匪，我心中难免有些兴奋。杀了盗匪既解除了村子的危机，又可以宣扬我那所谓的兽神，何乐而不为呢。

村子里的喊杀声已经低了下来，我派了两个手下组织村民们救火，带着其余十八人来到村子另一侧。

果然如猛克所说，大量的盗匪聚集在这里，穿什么的都有，基本上都是由虎人、狼人、熊人、豹人组成的，看上去大约有一百多人的样子，大部分人手里还拿着自己的战利品，个个瞪着凶眼看着正在逐渐靠近的我们。

当发现我们只有十九个人的时候，他们的表情放松了许多。

我低声道："猛克，待会儿你带两个兄弟负责捕杀漏网之鱼，一个都不能放过，知道吗？"

猛克眼中闪过一道凶光，嘿嘿笑道："放心吧，少爷，这些坏种，今天一个都跑不了。"敢在我面前随意说话也是我欣赏他的一个原因。

我举着墨冥大步上前，对面的盗匪们立刻举起了兵器，谨慎地看着我。

一个首领模样的虎人顺过手中的大砍刀，喝道："你们是哪部分的，为什么随便杀我们的兄弟，活得不耐烦了吗？"

我平淡地说道："大家都是兽神的子民，为什么要互相残杀呢？"

虎人身旁的一个狼人骂道："废话，你他妈的管得着吗？老子们就是靠这个生活的，不抢劫，你送小妞来让老子乐乐啊！"

虎人哈哈大笑两声，狠狠地说道："少废话，赶快跪地求饶，说不定爷们能放你一条生路，否则的话，嘿嘿。"

我无奈地摇了摇头，回答的只有一个字："杀！"

我第一个冲了出去，迎向刚才和我对话的虎、狼两名兽人。虎人怒吼一声，大砍刀劈头盖脸直劈而下，冲到他身前的我突然猛地停在他身前两米处，一动一静显得异常诡异。

当他砍刀劈过之后，我一抖手腕，墨冥带着一缕黄芒上挑，虎人的身体就这样从中央被我分成了两半。

我连眼都没眨，身体迅速闪左，躲开了狼人的偷袭。墨冥顺手一带，搭在了他的脖子上。他既然是统领，就应该知道更多的事，我决定暂时先留他一命。

我的气机牢牢地锁在他身上，冰冷的杀机让他不敢移动分毫。他脸色苍白地颤声道："饶命，大爷您饶命。"

我冷笑一声，道："饶命，你饶过被你抢劫的兽人的命吗？告诉你，我们是兽神派来的使者，专门收拾你们这群扰乱兽人族的败类。兄弟们，活口已有，其余的，都给我杀干净了。"

我偷眼察看身后的村子，村民们逐渐都聚集在村口观看着这场屠杀。

早在我刚才击杀虎人的时候，我手下的近卫就已经动手了，各色斗气在他们身上纷纷出现。这场战斗根本就没什么悬念，虽然盗匪人数占据绝对优势，可他们没有任何抵挡的能力，纷纷在斗气中被肢解或是粉碎，能留下全尸的几乎没有。

杀得最痛快的就要数猛克了，在刚交战几分钟的时候，盗匪们就开始溃逃，猛克这家伙凭借着手中那一对大斧子左砍右劈，死在他手上的盗匪绝对要超过二十个。

我手中狼人的眼神越来越绝望，这个盗匪团伙在我手下十八名护卫的强大攻势下，顷刻间被消灭殆尽。

狼人再也控制不住自己颤抖的双腿，"扑通"一声跪倒在地，屎尿齐流，强烈的异味扑鼻而来。

我一脚将他踢飞，喊道："猛克，过来。"

猛克晃动着他那两柄大板斧，兴高采烈地跑了过来："少爷，您有什么吩咐？"

我指着十米外的狼人说道："这家伙是唯一的活口，你找个地方把他洗洗，然后带来见我。"

猛克一愣，道："洗洗，您不是要吃了他吧，狼肉的味道可不怎么好。"

我一巴掌打得猛克摔了个筋斗，喝道："哪儿那么多废话，让你干什么就赶快去。"

猛克先是脸上闪过一片怒容，紧接着神色一凛，叹了口气，转身朝狼人方向走去。

"集合。"在我的喊声中，所有护卫，除猛克外，立刻集中到我身前，排成了整齐的队列。

我扫视他们一圈，发现有几个受轻伤的，怒斥道："你们是饭桶吗？对付这几个跳梁小丑居然还有人受伤，真不知道你们平常是怎么练的功夫。去，都给我清理战场去，如果还有有气的盗匪，一律……"我比画了个砍头的动作："都处理完后在村口集合。"

训完他们，我转身朝村子方向走去，村口集中的村民不断后退，站在最前面的人突然跪了下来；紧接着，像海浪一样，整个村子剩余的几百号人跪了一片。

最前面的一个老年熊人颤声道："大，大爷，您别杀我们，给我们村子留条活路吧。"

还没等我说话，一个白色的身影从众人后面跑了出来："爷爷，您老糊涂啦，人家不是来杀咱们的。"

我定睛观看，原来是我刚进村子时救的那个白熊少女。她已经穿好了衣服，果然有我这么高，身体在熊人里面算是比较纤细的了，脸上还带着一丝微笑。

那老年熊人听到她的话大惊失色，颤声道："阿妮，你赶快给我跪下，在大人面前不得胡言乱语。"

我微笑道："不，她没有胡言乱语，她说得很对。我们来，就是为了拯救你们村子的。大家快请起来吧，我们绝对不会做出什么对你们不利的事，有哪些家庭刚才被抢了东西的，现在可以自己过去认领了。我的手下在那边清理战场，如果那些死去的盗匪身上有什么你们需要的东西也都归你们村子所有，就算是他们对你们的补偿吧。"

跪着的村民中顿时骚乱起来，老年熊人第一个站了起来，惊疑不定地看着我。

"爷爷，他说的都是真的。他们是兽神的使者，是兽神派他们来拯救咱们的。刚才要不是他救了我，您恐怕就再也见不到孙女了。"关键时刻，白熊少女再次帮了我一个大忙。

老年熊人试探着问道："您，您真是兽神使者吗？"

我摘下斗笠微笑着点头，道："是的，兽神知道咱们兽人族的疾苦，所以特意派了我们前来帮助你们，兽神大人是不会忘记他的子民的。"

看到我人类的相貌，老年熊人又向后退了几步："你，你是人类？"

我摇了摇头，道："不，我不是人类，我是人、兽混血儿，我的父亲是比蒙。老人家，如果我们想伤害你们，或者劫掠你们村子的话，我有必要跟您说这么多吗？刚才的情况您也看到了，上百个盗匪在我们的手下坚持不过一刻钟。您认为，我有必要欺骗您吗？反过来说，你们有什么可值得我欺骗的呢？我可以告诉你们，由于兽人族的族人常年在盗匪横行的乱世中生活，兽神体察咱们兽人的疾苦，特派遣我们来消灭盗匪，并协助你们能够安定地生存下去。因此，我们组织了兽神教。"

我顿了一顿，高喊道："兽人兄弟们，难道你们不想要回自己的损失吗？盗匪的东西可是有限的，手快有，手慢无啊。"

这里最信任我的就要数白熊少女了，老年熊人一把没拉住她，白熊少女就朝着盗匪被歼灭的地方跑去。

经过我身边时，她还向我露出一个她自认为妩媚的笑容，看得我有些不寒而栗。

毕竟我不是熊人，也许在熊人眼里，她会是个绝色美女吧。

所有村民都看着白熊少女，只见她迅速跑到死尸堆里开始捡起东西来，而我的护卫们甚至还从尸体上搜出东西扔给白熊少女。

见到这种情况，又有几个胆子大的村民跑了过去。

当剩余村民们发现他们没有任何危险时，再也忍不住内心的贪念，蜂拥而上。只有老年熊人愣在原地，不可思议地看着我。

正在这个时候，猛克一脸苦相地扯着狼人回来了，重重地把狼人往地上一摔，对我说道："少爷，我把这家伙洗干净了。他妈的，这家伙简直是脏死了。刚才都怪我多嘴，您别生气啊！"

我没好气地一笑，道："行了，你就在这里看着他吧，我和这位村民说点事，待会儿再来问他。"

"是，少爷。"

"我爷爷可不是什么村民，他是村长呢。"白熊少女捧着一大堆战利品跑了回来。看她高兴的样子，显然是收获颇丰。

其实，我早就猜到了老年熊人的身份，只是没有点破而已。我对老年熊人说道："失敬了，原来是村长，不知道能不能和您谈一下？"

老年熊人"扑通"一声跪倒在地，老泪纵横："恩人，请您宽恕刚才小人的无理吧。"说完，竟然"砰砰"地向我磕起头来。白熊少女也赶快陪着她爷爷跪倒在地。

我踏前一步，双手搀扶起老年熊人，微笑说道："您可别这样，折杀我了。这都是兽神的旨意，我们只是奉命行事而已。"

"恩人，咱们村子里谈吧。"

"好。"我指着地上的狼人说道："猛克，你在这里指挥大家，都清理完了以后把那些尸体烧掉，然后在这里等我，看好这家伙，别让他跑了。"

"放心吧，少爷，如果他敢跑的话，我就卸他两条腿。"

地上躺着的狼人全身一阵颤抖，连声说道："不敢，小的绝对不敢跑。"

我满意地点点头，和白熊少女一起搀扶着老年熊人走向村内。

由于我们的及时出现，村子的损失并不是非常大。老年熊人将我领到我刚才救白熊少女的民房。

看到门口那具被我杀掉的尸体，白熊少女还跑上去踹了两脚。

老年熊人责备道："阿妮，人死灯灭，不要再毁坏他的尸体了，你跟我一起进屋。"

走进民房，老年熊人将我让到主位上，我一再推让却经不住他的执著，只得坐了主位。

"老人家，你们村子平常的情况如何？"

"哎，使者大人，我们村子的壮丁都上前线了，还不知道有多少人能回来呢，平常都靠普通的耕作生活，还算过得去吧。"

我点了点头，道："经常会有盗匪前来骚扰吗？"

村长摇头道："像这样直接袭击村子，这还是第一回。骚扰倒是常有，也无非就是在半路上拦截我们的村民抢劫东西，只要把东西给他们，杀人的情况倒不多见。前几天，兽皇陛下刚刚颁布法令要清剿盗匪，本来我们都挺高兴的，以为能不再被盗匪骚扰了，可谁想到，这才刚刚下达法令，就来了这么多强盗。如果不是使者大人及时赶到，我们的村子就完了。"

我恨声说道："就是因为有这些祸害，才使得咱们兽人国如此衰败。您放心吧，兽神已经下达了旨意，命令我们去消灭盗匪，我们这些人只是前站而已，再过些时候，会有专门帮助你们耕作生产的兽神使者前来。你们只要按照兽神的旨意去做，就一定能过上好的生活。"

村长惊喜地说道："这是真的吗？我等这一天已经等了很久了，伟大的兽神啊，原来您并没有忘记您的子孙，还记得我们。"

看他如此激动，我知道自己的目的已经达到了，安慰他道："您别太激动，对身体不好。兽神是永远不会抛下他的子民的，你们只要坚信兽神的存在，就会得到幸福的生活。"

说着，我从怀中掏出一袋金币，递给村长道："这些钱您分发给村民，用来重建家园吧。"

村长赶忙推却道："这不行，你们已经帮了很大忙了，我怎么能再要您的钱呢！"

我正色说道："这钱不是我给你们的，是兽神给他子民的。拿着吧，等我们负责帮助你们生产、生活的同伴来的时候，你们只要尽力配合他们就行了。放心吧，兽神会眷顾你们的。"

村长颤巍巍地接过金币，激动地跪在地上，大喊道："兽神啊，我们的神，谢谢您给我们带来了希望。"

见目的已达到，我站了起来，说道："这里的事完成了，我还要继续帮助其他兽人脱离疾苦，先向您告辞了。"

村长一把拉住我的手，道："那怎么行，总要吃顿饭再走吧，要不兽神会怪罪我们怠慢了他的使者的。"

白熊少女也帮腔道："是啊，是啊，留下吃饭吧。"

我微笑道："兽神是慈祥宽容的，他绝不会为了这个而生气。我们作为他的使者，都必须要尽心尽力地为兽神办事，真的无法在此耽搁，请您原谅。"

村长这老头不论我怎么说，就是不肯放我走，说什么也要留我们在此吃饭。

正在我们互相推让中，猛克突然匆匆忙忙地跑了进来。

我皱眉道："不是让你看着那个狼人吗？你怎么进来了？"

猛克躬身道："对不起，少爷，那狼人盗匪有其他兄弟看着呢。您出去看看吧，村民们都等着见您呢。"

等着见我？我和村长对视一眼，转身出了村长家。

场面真是壮观，所有村民已将村长家团团围住，都跪在地上。我手下的近卫们试图让他们站起来，可村民们都坚定地跪着，就是不肯起来，近卫们又不能动用武力，尴尬得不知该怎么办才好。

我刚一走出村长家，所有村民齐声高呼："谢谢恩人拯救了我们村子。"

面对如此场面，虽然我是有目的的，但仍然为自己的行为感到骄傲。我有些激动地高喊道："兄弟姐妹们，大家快起来吧。如果你们再不起来，我也要陪你们跪了。"

说完，我一撩衣服下摆，就要下跪，跟着我出来的老村长赶忙扶住我。看到如此情景，村民们才陆陆续续地站了起来。

"大家不用感谢我，正如刚才我在村口所说，我是兽神派遣来拯救咱们兽人的使者。我们代表的是兽神，兽神并没有忘记咱们，他始终眷顾着咱们兽人子民。只要大家能幸福地生活下去，就是对他老人家最大的感谢。我们还有其他事情，麻烦你们让出一条路来，好吗？"

就在村民刚刚被我说动的刹那，老村长突然喊道："村民们，兽神使者将我们从死亡的边缘救了回来，我们是不是应该好好感谢他们，款待他们啊？咱们能就让他们这样走了吗？"

刚要让出道路的村民们顿时又激动起来，齐声高呼道："不能。"

村长继续鼓动道："如果咱们就让兽神的使者们这样离去，那就是对兽神的不敬重。所以我决定，各家各户都拿出最好的东西来款待使者大人们，你们说好不好？"

"好!"

我苦笑道："老村长，您这不是难为我吗？兽神的旨意是让我们不能拿你们一丝一毫的。兽神的命令，我们可不敢违背。"

老村长爽朗地一笑，说道："这是我们心甘情愿的，兽神是不会怪罪你们的，大家行动起来吧。"

这时的天空已经不再阴郁，一缕明媚的阳光穿透厚实的云层，洒遍大地，阳光越来越强烈，天空中的乌云不断地被驱散，所有在场的人都被这一幕奇景所震撼。

我心中一动，大声喊道："同胞们，苦日子就要过去了，你们看到了吗？希望的曙光正照向我们。让我们一起努力，在兽神的率领下，向着美好的生活发展吧。"

所有村民在我的号召下，同时欢呼起来。几刻钟以前，这里还曾经是一片愁云惨雾，而现在却成为了欢乐的海洋。

第二十九章　盗匪之谜

实在推脱不过，最后我们只得留在这里接受了村民们热情的款待。

我悄悄命令所有近卫，不论吃了哪家的东西，事后一定要悄悄留下金币。我们刚刚开始对兽神的宣传，一定要把自己的形象做到最好才行。

在离开的时候，我告诉了村长，所有兽神使者都属于兽神教，而我们的图腾就是兽神。

他表示一定坚信兽神，做兽神教忠实的信徒。

我和我的近卫们，一个个吃得饱饱地出了村子。刚走出不远，猛克跑到我身边说道："少爷，帮助人的感觉真是好，刚才他们都叫我使者呢，恭敬得不得了。"

这家伙，刚过了这么一会儿就忘了痛。

"你呀，给我老实点，尤其是说话的时候，一定要注意分寸，在平民面前绝对不能摆出那种高高在上的姿态，听到没有？"

猛克拍了拍肚子，笑道："知道了，少爷，咱们接下来去哪里啊？"

我瞪了他一眼，道："少打听，记住，以后不该问的少问。对了，那个狼人呢，带过来，咱们到前面的山坡上休息一下，我要审问他。还有，你立刻放出信鸽，向陛下汇报这边的情况，请他赶快派负责耕种、生产的兽神使者过来，协助村庄。我相信，这个村落的村民以后都会是咱们兽神教的忠实信奉者。"

护卫们围住山坡原地休息。在山坡的顶端，我负手而立，冷冷地看着那个刚刚被解开经脉，重新恢复视觉和听觉的狼人盗匪统领。

狼人在我阴冷目光的注视下，身体瑟瑟发抖，哀声道："大人，大人，

您饶了小的这条贱命吧。您问什么，小的都知无不言，言无不尽。"

我冷哼一声，道："这就要看你是不是合作了。"

狼人连忙道："合作，小人一定合作。"

我点头道："那好，你先告诉我，为什么一贯散乱的盗匪居然会有组织地袭击村庄呢？"

狼人毫不犹豫地回答道："是因为我们得到消息说，兽皇陛下颁布法令要清剿我们，为了不被消灭，各地的盗匪们基本上都组织了起来。像我们这样的还只是小规模，由于我们只有不到二百人，所以决定多抢些东西，然后找个无人的山谷躲避些时日，避过这个风头再出来……"狼人说到这里，支吾着说不下去了。

我冷笑道："继续作恶，对吗？"

狼人惶恐地说道："不敢，小的不敢，以后小的再也不敢做盗匪了，一定奉公守法好好做人。"

"你少和我说这些，你有没有以后，要看你自己的表现。我问你，在皇都附近，还有哪些盗匪团伙，都在哪一带活动？你知道吗？"

狼人脸上有些为难，突然，好像下定决心似的，猛一咬牙，说道："小的愿说，小的全说了。由于我在皇都周围也算是个小有名气的盗匪，所以人面混得比较熟，您问的这个我基本上都知道。"

我嘲弄地一笑，道："这么说你还算是个名人了。"

狼人脸上流露出一股骄傲的神色，挺了挺胸说道："那可不，在这一片提起我白眼狼就没有盗匪不知道的。"

听了他的话我差点笑出声来，叫白眼狼还自我陶醉呢。

"少说废话，这是地图，把你知道的都说出来，要他们准确的聚集地点。猛克——"我转身招呼自己的得力手下。

"少爷，我在这儿。"猛克捧着信鸽从侧面跑了上来，"您吩咐吧，我正准备放信鸽呢。"

我说道："正好，你先别放呢，这家伙知道皇都周围所有盗匪的聚集地，你看着他都写出来，然后和刚才我让你寄回去的东西一起发。他如果敢玩什么花样的话，你知道怎么做了？"

猛克露出满脸狞笑，用力拍了拍狼人的肩膀，冲我说道："放心吧，少爷。小子，你给我放聪明点，乖乖地写出来……"

我摇了摇头，找了个清静点的地方坐下。这个开头很顺利，剿灭皇都周围的盗匪，交给兽皇去做就行了。

我从怀里小心地拿出紫嫣给我的那缕秀发，轻轻地闻着她残留的清香，心已经飞到了紫嫣姐妹身边。

不知道紫嫣是否已经回到龙神首都将我的事情告诉紫雪了呢，紫雪会不会接受这样的我？

想着，想着，我完全沉浸在回忆当中。

不知道过了多久，猛克的声音将我从美梦中惊醒："少爷，少爷。"

"啊！怎么，弄完了吗？"

猛克点头道："已经完了，信鸽我也放回去了，您还有什么要问那家伙的吗？如果没有的话，我把他处理了吧。"

他所说的处理，无非就是左一斧右一斧地把狼人"喀嚓"掉。

这家伙，简直比我还嗜杀。

"不用你管了，找地方休息去吧，我还有话要问他，有事我会叫你。"

走回坡顶，狼人仍然跪在那里，看他的样子，确实被我们吓得不轻。一见到我，他立刻一副卑恭的样子，哀求道："大人，我已经把能说的都说了，您就放了我吧。"

我神色比刚才柔和了许多，淡淡说道："放了你可以，你还要回答我最后一个问题。"

狼人一愣："什么问题？我已经都说了啊。"

我问道："你是哪里人？"

狼人回答道："我是云那人，几乎所有的狼人都出自云那。"看他的样子，好像我的问题很白痴似的。

"我听说，你们云那领的盗匪在所有领地中是最有组织的，也是最强大的，有这回事吗？"

狼人脸上有些惭愧，道："是的，我们云那领的盗匪是素质最高的。他们不但做盗匪，而且也做雇佣兵，为其他领地办事。人数在三千左右，必须是有一定实力的狼人才能加入其中。"

"那你为什么没有加入自己领地内的盗匪群呢？"

狼人脸上惭愧之色更浓了，羞愧地说道："我的水平还不够进入这个兽人第一大盗匪集团的。"

"哦？你不是很有名气的吗？"我讽刺道。

"那只是在这一片而言。"

"好，那你就说说你们那个云那盗匪团的情况吧，我想知道这个号称兽人国的最大盗匪团究竟有多厉害！"

狼人眼中闪过一丝迷茫，又带着点渴望和妒忌："那个盗匪团伙绝对是所有盗匪都希望能达到的境界，他们有着军事化的管理，比军队的狼人长枪兵团都要强得太多。他们中高手如云，随便一个普通团员都要比我强。曾经有人说过，只有伟大的比蒙王率领着比蒙军团前来，才有可能剿灭这个盗匪团。"

我问道："在云那领有这么一群算是强大的力量，当地的领主竟然不管吗？就任他们这样发展下去，难道不怕被夺权？"

狼人不屑地说道："云那的领主算什么东西，他都要看着那个盗匪团伙的脸色行事。有一次，云那得罪了邻居风眼领——风眼领您知道吧？那是豹人聚居地，他们的族人都非常蛮横，不去欺负人就已经是别人的幸运了，更何况云那去得罪他们。风眼的领主发动全族的将士要讨伐云那，云那领主在没有办法的情况下，亲自带着重礼去求那个盗匪团伙的团长，结果团长因为是同族的关系，替他们出了面。风眼如此强悍的民风，居然就撤退了，风眼领主从此闭口不谈那件事，谁也不知道当初发生了什么。这个秘密，我曾经在无意中听到我们狼族的族人提到过……"

说到这里，他好像说漏嘴了似的，突然用双手捂住自己的嘴，眼中充满了恐惧。

"怎么不接着说下去了？"

狼人突然连连向我磕头："大人，您别问了，这些是我绝对不能说的，即使是死也不能说啊。"

他越不说就越勾起了我的兴趣："不说是吗？那我让手下立刻送你回刚才的村庄怎么样，你说那些村民会怎么招呼你呢？如果想活命，就把你知道的那个盗匪团伙的情况说出来。"

狼人抬起已经磕破的额头，眼中充满了绝望，定定地看着我。

突然，他仰天发出一声凄厉的狼嚎，右手迅速插进了自己的胸膛。

他的举动着实吓了我一跳，再想救他已经来不及了。

其实，刚才我说要送他回村庄，只不过是一句戏言而已，没想到贪生怕死的他会如此执著，宁死不说。

狼人的嘴中不断涌出鲜血，他嘶哑着对我说道："如果我猜得不错，你们应该是国家负责剿灭盗匪的人吧，劝你不要去云那，否则，你会死无全尸的。哇——"

喷出一口鲜血后，狼人咽下了最后一口气。

直到最后，他仍然想保护那个盗匪团伙。

难道那个什么盗匪团伙真有他说的这么厉害吗？那个团长会是什么人，居然可以让一个贪生怕死的狼人盗匪用自己的生命来保守这个秘密？这个谜团让我始终充满了疑惑。

"少爷，少爷，发生了什么事？"猛克带着几名近卫跑了上来。

我摇了摇头，道："没什么，把这个狼人埋了吧，毕竟他告诉了我不少事。"

三千人的盗匪就能吓得住我吗？绝对不能，我倒要见识一下云那领的盗匪团伙头目究竟是谁。兽人中能和我抗衡的对手，恐怕还真不多。

猛克和几名近卫埋葬了狼人后来到我身旁，问道："少爷，咱们现在出发吗？朝哪个方向走？"

我看着蔚蓝的天空，坚定地说道："云那。"

我眼中闪过一丝杀气，心中暗想：云那的神秘人，我来了。到时候看看，是你厉害些，还是我强横些？

只有迎难而上才能增加我的阅历和经验，同时这也是一种最好的修炼方式。

要想到达云那领，我们还必须穿过撒司领。

撒司领是蛇人领地，聚集着大量的蛇人，蛇人军队虽然在战场上起不到什么重要的作用，但在日常生活中，却没有任何一个种族愿意招惹他们。

因为，蛇人非常团结，也非常记仇，睚眦必报。为了一点小事，就可以招来一大群蛇人向对手攻击。

同时，蛇人可怕的地方还在他们的毒牙上，身上鳞甲越鲜艳的蛇人毒性越大。他们的牙齿和爪子如果划破敌人的皮肤，毒液就会立刻顺血液进入体循环，最厉害的蛇人毒液可以顷刻致命。

这个优势之所以说在战场上无用，主要是因为战争中大多数军队都身着甲胄，牙齿和爪子如何能有用呢？

就这样，我们顶着烈日再次上路。

猛克走在队伍的最前面，我只能依稀看到他一个模糊的身影，一个半人马护卫跟在黑龙左右，负责保护我的安全。其他人仍旧分散前进着。

我打开地图看了看，问半人马护卫道："现在应该已经进入蛇人领地了吧？"

"是的，少爷。蛇人领地本身的盗匪并不算多，他们都流窜到各地去劫掠别的领地了。"

我冷笑一声，道："这些家伙倒会维护自己的族人。"

半人马护卫说道："是啊，蛇人的凝聚力非常强，他们信奉的图腾是九头圣，其实就是一种九头蛇。他们的图腾和别人是不一样的。"

我问道："哦？怎么个不一样？"

"他们的图腾是真实存在的，而不像别的种族的图腾只是传说而已。"

我惊讶地说道："你是说，大陆上真的有九头蛇这种东西存在吗？"

半人马护卫郑重点头，说道："确实是有，不过数量非常稀少。听说之所以蛇人空前团结，就是因为在他们族长那里养有一条九头蛇。这种蛇非常凶残，会吃其他兽人，但出奇的是，只有蛇人他不吃。这就更让蛇人们相信，九头蛇是他们的保护神了。九头蛇的饭量非常大，如果是成年九头蛇的话，一天可以吃掉两个成年熊人那么多。"

我想了想，道："那这么说，如果咱们想成功收服撒司领就必须要先杀了这条九头蛇了。"

半人马没想到我会这么想，慌忙四下看了看，低声说道："少爷，这已经在撒司领了，您千万别再说这种话，否则，让这里的蛇人听见，一定会倾全族之力拼命的。您不是说要先收拾云那的盗匪吗？撒司还是以后再说吧，他们这里基本上都是山地，也没什么有用的资源，只要咱们一切按照他们的规矩办，他们是不会随便找麻烦的。"

看这半人马护卫的样子，显然是对蛇人有所惧怕，我心里暗想："九头蛇真的不能杀吗？如果是暗杀呢？他们找不到凶手会怎么样？总不会去屠杀所有的兽人吧。不过，半人马说的也对，当前要务是先平了云那的盗匪，那里的广阔平原和矿产是非常重要的。本以为诛灭盗匪是一件非常容易的事，可没曾想到，我们兽人中也有这么多难啃的骨头。"

想到这里，我对半人马护卫说道："去叫沃夫过来，你代替他的位子。"沃夫是我手下这二十名护卫中唯一一个狼人。

"少爷，您找我？"

沃夫的身材比普通狼人要高大一些，不像普通狼人的嘴那么突出，脸上的鬃毛比较少。他和我一样，是人、魔、兽三族混血儿，但他比我更加不幸，由于四不像，很小的时候就被族人抛弃了，后来被正好经过的兽皇发现，收养了他。

"嗯，沃夫，我想问你点事，那天那个狼人盗匪竟然为了不说出云那盗匪团的秘密自杀而亡。那个秘密如果不是关系到比他生命还重要的东西，以他的贪生怕死，怎么会自杀呢？我想问你的就是，你们狼族有没有什么图腾？"

沃夫想了想，苦笑道："少爷，对于这些我实在是不太清楚，因为我从小并没有生活在狼人族群里，不过，我倒是从接触到的狼人那里听说过，我们的图腾应该是双头狼吧。"

我笑了起来："双头狼，人家蛇族信奉的可是九头蛇，你们的狼神才两个头，怎么和人家斗啊？"

沃夫有点不服气地说道："两个头怎么了，照样可以咬掉它九个头。"

"大胆，什么人敢如此放肆！"一个陌生而尖锐的声音在空中响起。

我心里一紧，本不想在这里惹事的，可还是碰到了麻烦。我低声吩咐沃夫道："快，告诉大家戒备。"

沃夫刚要走，"嗖、嗖、嗖"几声，从树上跳下十多个蛇人。最前面的三个，身上鳞片颜色异常鲜艳，一看就知道在蛇族中有些地位。

十余名蛇人将我们围了起来，沃夫谨慎地贴在黑龙身旁，伸手从身后摘下平常为三截的长枪，一边盯着对方，一边将长枪拧到一起。

为首的蛇人晃了晃大尾巴，指着沃夫道："刚才，是你小子在侮辱我们的九头圣吗？"

我一把拉住冲动的沃夫，从黑龙上跳了下来，双手抱拳一揖，客气地说道："实在对不起，刚才我的朋友口无遮拦，请各位蛇人首领原谅。我们都是非常尊重九头圣的，你们千万不要误会。"

看我谦卑的样子，蛇人首领脸色稍微好看了点，点了点头，说道："嗯，你说的还像人话。这样吧，我看你还比较顺眼，留下这小子，你自己走吧。侮辱了九头圣，不论是什么原因，都必须用鲜血来偿还，他将作为九头圣的食物来弥补自己所犯下的滔天大错。"

我心中暗骂，脸上却堆笑道："首领大人，您看能不能通融一下，我们愿意出金钱作为补偿。"

蛇人首领脸色一变，怒道："你当我们是盗匪吗？我们可是领主府的人，放你走已经是天大的恩惠了，还在这里废话！再废话，连你一起抓起来。快滚。"

我默运狂神斗气，不动声色地问道："你们领主府就来了这么几个人吗？"

蛇人满脸傲气地说道："怎么，凭我们几个还不够收拾你？你到底走是不走？"

我回头冲沃夫使了一个眼色，猛然转身，狂神斗气透体而出，双拳前冲，大喊道："狂战天下。"

狂神

堕落天使

随着我的喊声，一道黄色的斗气柱应拳而出，重重地砸在和我说话的那个蛇人首领的胸口上。

即使是堕落天使中我这么一下都不好受，何况只是个稍微懂些功夫的蛇人呢？

在巨大的轰响中，不但那个首领被打得面目全非，在狂暴的斗气下，他身后的蛇人也纷纷被震飞，一个个鲜血狂喷，眼看是不能活了。

别看他们鳞片漂亮，一点都不管用，比我的比蒙防御要差得多了。

沃夫也没有闲着，手中丈二红枪化作漫天枪影点向蛇人们。顿时，有三人被他的长枪挑飞。

我厉声喝道："集中扑杀，不留活口。"

其余护卫并没有扑上来，他们在听到我的声音后，分得更开了，谨慎地观察着四周。

沃夫刚才心里就憋着一口气，现在完全发泄出来了，根本不用我动手，剩余的蛇人在他手中的丈二红枪下，纷纷化为冤魂。

最后一个鳞片鲜艳的蛇人突然从后面扑向沃夫，而他的长枪却正插向另一个蛇人的胸膛。关键时刻显示出沃夫平常的刻苦，他身体骤然后仰，腰像折断了一样向后倒去，长枪顺势从刚才的蛇人身上抽出上撩，给最后一个鳞片鲜艳的高级蛇人，整体来了个开膛破肚，好漂亮的一式铁板桥。

我神色突然一变，闪电般地晃到沃夫身旁，墨冥骤然挥出，硬生生地切下了他厚实肩头上的一大片肉，然后用墨冥的剑柄在他肩膀上连点，封住了他的血脉，防止鲜血流失过多。

沃夫不解地看着我，强烈的疼痛使得他的脸色有些苍白。

我冲前方的护卫喊道："猛克，你快带几个兄弟把他们给埋了，动作一定要快。"

沃夫的声音有些艰涩："少爷，我犯了什么错吗？"

我点头沉声道："你的错误就是太麻痹大意，你自己看看。"说着，我指了指地上。

沃夫低头一看，顿时神色大变，肩头之肉现在已经变成了一摊黑水。

就算他再傻，也知道我救了他，立刻"扑通"一声跪倒在地："谢谢少爷救命之恩。"

我从怀中掏出金疮药仔细检查着他的伤口，淡淡地说道："还好，毒素还没有内侵，否则，你这条胳膊恐怕都保不住了。既然知道对方是蛇人，还给他们近身的机会，如果让他的爪子碰到你的头怎么办？"

一边说着，我从自己衣服上扯下一块布，将沃夫敷好药的伤口小心地包扎上："行了，待会儿，你在最后面走吧。如果有什么不舒服赶快找我。"

沃夫眼圈红红地看着我，激动地说道："少爷，我……"

我冷喝道："你什么你？你给我记住，你的命不是你自己的，而是我的。我没让你死，你就不能死，不论什么样的战斗，都必须全力以赴。今天晚上休息的时候你来找我，你的枪法非常不错，但斗气偏弱，无法发挥出全部威力，我这里正好有一套可以和你枪法相配合的斗气。"

沃夫伸手抹了抹眼睛："谢少爷成全。"

"嗯，先到后面去吧。猛克，完了没有？"

猛克抢着大斧子就跑了回来，脸色有些不好地说道："少爷，完了。"

我打他一个爆栗，怒道："你才完了？"

猛克吐了吐舌头，站直身体说道："报告少爷，是我们打扫完了，连血迹也没有放过。没能及时发现敌人，让少爷受惊，请您责罚我吧。"

我脸色平静地说道："这也不能怪你，这些蛇人太狡猾了，依靠自己鳞片的颜色躲藏在大树上。你留在我身边吧，让沃夫上后面休息休息。"

猛克这才发现沃夫受伤了，大惊小怪地喊道："哎呀，兄弟，你怎么样？伤得重不重？是哪个王八蛋将你砍成……哎哟，少爷你怎么又打我……"

沃夫赶快把这位一直对他不错的老哥拉到一边，将刚才的事解释了一遍。我骑着黑龙继续前进，并且传令，谁也不许惹事，不许随便开口说话，一切按照蛇人族的规矩办事。

我的目标既然不在这里，就不希望多找麻烦。

猛克屁颠屁颠地跑了上来，跟在我旁边，他有些不好意思地说道："少爷，我，我刚才真的不是有意骂你的，我……"

我不耐烦地瞪了他一眼，说道："行了，你安静点，我在想事情。"

猛克一脸无辜地跟在我身旁，却不敢再说话了。

一路上我们所有人都尽量少说话，到了关卡处再多奉上点金币，一路上顺顺利利地通过了撒司。

本来在一些蛇人村庄停留的时候，我也想过要用金币贿赂贿赂当地的蛇人，宣扬我们的兽神教，但他们对九头蛇的崇拜已经到了盲目的程度，根本无机可乘，弄得我实在没办法，这根难啃的骨头只能放在以后再说了。

为了避免麻烦，我特意让猛克用死去狮人盗匪的皮毛为我制作了一个假头套。别看他平常大大咧咧的，可手艺确实不错，带上他做的这个假头套，我居然感觉很舒服，而且如果不脱衣服的话，很难发现我是个假冒的

狂神

堕落天使

狮人。

突然，猛克兴奋地说道："少爷，再过了前面那个山脊，咱们就到云那领了。"

我点头道："好，你通知大家在山脊上休息一下。"

刚刚爬上山脊，我就被眼前的情形惊讶得完全呆住了。不光我如此，我的近卫们也是一样。

在我们面前，放眼望去，在蓝天白云下，满是一望无际的大平原，整个平原都绿油油的，栽种着各式各样的庄稼，无数狼人农民带着斗笠在田间为耕种而忙碌着。

为了证明不是在做梦，我转身看向身后的蛇人撒司领。

撒司这边虽然不是平原，但和云那接壤的这块土地也算得上平坦，只隔着这个山脊而已。但是，完全不同的是，这边的土地一片贫瘠，大部分地方都可以看到裸露的地皮。

我再一次转向云那领，那一望无际、绿油油的万顷良田仍然那么真实地摆在眼前。

没想到在兽人的国度里，竟然也有这种脸朝黄土背朝天的农民存在！

"沃夫，过来。"

沃夫虽然人在向我走来，但眼睛却始终无法从云那的平原上转移回来，一不小心，被坑洼不平的地面绊了一下，身体直朝我倒来。

我一把扶住他，说道："注意力集中点。"

沃夫眼中一片陶醉："太美了，我们狼人的领地竟然是这么美！"

我现在的心情一片沉重，兽皇可从来没有和我说过在兽人国还有这么一片耕种的土地；他只告诉我云那的土地算是肥沃，而且又是平原，仅此而已。

这就证明，他也不知道这里的情况，云那的保密工作也做得太好了。如此大的平原，一年出产的粮食，应该足够五十万军队发动一次几个月的战争了。

云那这么大力发展农业，到底想干什么？如果褐铁再被他们冶炼成功的话，这将是一支精锐之师。也许他们是忌惮父亲的比蒙军团才没有行动。

实在不行，也只有调大军来彻底消灭他们了。

我对旁边满脸痴迷的狼人说道："沃夫，你下去，找个正在耕种的狼人打听一下情况。"

沃夫高兴地说道："没问题，少爷，就交给我吧。"说完，立刻兴高采烈地跑了下去。

第三十章 知悉秘密

沃夫速度很快地跑到田地旁，他随便找了一个狼人农民询问起来。

说着，说着，不知道为什么，狼人农民突然发出一声尖号，附近的狼人农民迅速围了过来，各个手中拿着农具，大部分都是锄头和镰刀之类的东西。

一个狼人大喊道："杀了这个狼人的叛徒。"

他的声音非常大，连我们这里都能听得清楚。看到这种情况，我赶忙喊道："沃夫，不许伤人，快回来。"

我转头低声对猛克说道："你快带着黑龙下去，它的目标太明显，不论待会儿发生什么，没有我的命令都不许上来。如果待会儿我跟他们走了的话，你就在撒司这边等我，我一定会回来找你的。"

猛克应了一声，说道："少爷，您可别让我等太久啊。"说完拉着黑龙下去了。

黑龙的目标太明显了，在兽人族根本就没有人骑马，如果让云那的人看到黑龙，不怀疑才怪呢。

我和猛克都没想到，这一分别就是几个月的时间。

沃夫并没有拿兵器，听到我的呼喊，用斗气包裹住全身，硬生生地从狼人堆里挤了出来。当他跑回山脊的时候，只能用"狼狈不堪"来形容，衣服破了多处不说，脸上还青一块紫一块的。

我来不及问他怎么回事，那帮狼人农民高举着家伙已经冲了上来。

我冷喝道："没有我的命令，大家都不许动手。"说完，我脸上堆出笑容，朝着冲上来的农民们迎了上去。

"各位，各位大叔，有话好说，有话好说，别动手嘛。"

所谓伸手不打笑脸人，众狼人看到我"亲切"的表情，停了下来，但个个脸上都挂着警惕。

我回头冲沃夫怒喝道："沃夫，你怎么得罪众位大叔了，还不快来赔礼。"

一个老年狼人农民喝道："赔礼就不用了。你们到这里来要干什么，我们云那领不欢迎外来人，识相的就赶快走。"

我假装长叹一声，诚恳地说道："大叔，对不起。我们不知道这里的规矩，刚才看到你们种的庄稼长得如此之好，实在是太羡慕了，就让我这位朋友过去打听打听。不瞒您说，我们来自各个领地，实在是吃不上饭了，又不想做强盗，我们只想找个地方安顿下来。您看，我们都年轻力壮的，我们能吃苦，能干活，您能不能收留我们啊？"

老年农民不屑地说道："少跟我说这些，你们这些家伙如果想要花样就找错地方了。我们这里不欢迎外来人，赶快走，不许踏入我们的领地，到这里都要绕行，知道吗？警告你们，如果敢把今天看到的事情说出去，我们的狼神大人一定会降罪给你们的。"

我心中一动，云那虽然怕大面积耕种的消息走漏，可毕竟这是一个大领地，没有不透风的墙，他们是如何瞒过兽皇耳目的呢？

既然我想收拾那个狼族的神秘人，就必须进入云那才行，看这个情形，杀进去肯定不行，只有……

老年狼人怒道："怎么还不走，想死不成？等我们的巡逻队来了，想走你都走不了了。"

我"扑通"一声跪倒在地，勉强挤出两滴眼泪，说道："大叔，您就收留我们吧。我们实在是没有活路了，您只要让我们在这里干活，我们自然就不会把今天的事泄露出去了。"

我都跪下了，我的护卫们即使不愿意，也不得不跟着一起跪下。

老年狼人还是比较善良的，看到我们悲惨的样子，脸色缓和了许多："留下你们是不行的，不过，我倒是可以给你们点吃的。"

我苦苦哀求道："大叔，您给我们吃的只能解我们燃眉之急，可以后我们怎么办，总不能老管您老来要吃的呀？您就行行好，收留我们吧。让我们有个长期吃饭的地方，我们要求不高，只要能吃饱就行了。"

老年农民身边一个四十多岁的狼人说道："卡玛大叔，你可不能答应他们，这要是被巡逻队知道，咱们都要完蛋。"

卡玛大叔沉吟道："斯棵，你看他们的样子，确实是别的领地的难民，大家都是兽人，能帮一把就帮一把吧。我去找巡逻队商量商量，他们还是比较好说话的。"

斯棵想了想，又看了看我们，叹口气说道："除了咱们云那，兽人领地中就没有一个能让百姓吃饱饭的。那些领主真他妈的废物，还是咱们的狼神大人英明啊。好吧，您老岁数这么大就别去了，我跑一趟吧。"说完，转身朝云那的方向跑去。

卡玛大叔转头对我说道："小伙子，能不能收留你们我也做不了主。我们的人去找巡逻队了，如果他们说能收留你们的话，你们就可以跟我们回村庄，在这里等会儿吧。"

跟他们说话的感觉让我以为自己又回了龙神，兽人竟然也有这么好说话的，难以理解。

我千恩万谢地对这位卡玛大叔说着奉承话。他好像有些不耐烦，转身跟其他农民说道："大家都回去干活吧，今天要把虫子除完了才行，这里有我在就够了。"

其他农民在他的招呼下，都返回了自己的田地，继续干着他们今天的工作。

看其他农民都走了，我试探着问老农民道："大叔，为什么你们这里的庄稼能长得这么好啊？"

老农民刚才被我捧得已经有些飘飘欲仙，警惕性大减，见我询问，毫不犹豫地说道："那还不是我们的狼神显灵，再加上领主治理得好。其实你们那些领地也不是不能耕种，只是你们的领主太差劲而已。前些天，听说兽皇陛下颁布了法令，命令各领地推行耕种。光有法令有什么用？除了我们这里以外，别的领地还是我行我素。他们的领主都只顾着享乐，有几个真正为自己族人办事的!"

我疑惑地问道："那你们是接到法令才开始种地的吗？这种得也太快太好了吧。我有生以来从没见过如此漂亮的平原，大叔，我真是太钦佩您了。"

老农民哈哈一笑，得意地说道："我们这里开始耕种已经有十几年的历史了，那是从……"

说到这里，他突然停了下来，干咳几声掩饰自己的尴尬，不耐烦地道："你问这么多干什么，你还不是我们云那的人，少打听。"

我要知道的已经差不多都从他嘴里听到了，顺势说道："对不起，对不起，大叔，我只是好奇而已。"

这个狼人老农民不再理会我们，独自坐在一旁抽起了旱烟。

足足等了一顿饭工夫，刚才的那位斯棵才带着一小队狼人士兵转回。

这些士兵和我在要塞战场上见到过的完全不一样。虽然都是狼人士兵，但他们的精神面貌非常好，每人身上都穿着轻便的皮甲，手持长枪，枪尖隐现光芒，昂首挺胸大步前来。

这是兽人国度吗？他们的面貌比起龙神的士兵还要有过之。现在，我对这个云那领的神秘盗匪团更加感兴趣了。如果我猜得不错，云那如此繁荣，必然与他们有着密切的关系。

狼人小队已经到了坡顶，斯棵指着最前面的高大狼人介绍道："这是我们这片的巡逻队肖恩队长，你们就直接和他说吧。"

我赶忙上前两步，恭敬地说道："肖恩队长，能见到您真是太荣幸了。我们这些无家可归的人希望能得到云那的收留，我们能扛能背，干什么都行，只要能有口安稳饭吃就行。"

肖恩上下打量着我，突然上前一拳朝我打来。

他的速度在我眼里简直就如同蚂蚁在爬，我心中一惊，顿时明白他在试探我，将护体斗气完全收回，任由他打在我肩膀上，顺势痛叫一声，向后跌倒。

沃夫赶忙上前扶着我，指着那肖恩队长喊道："不收留就算了，你，你怎么打人？"

我心里暗暗喝彩，这家伙配合得还真不错。

肖恩队长上前一步，歉意地说道："对不起，对不起，我刚才只是试探一下你们是不是奸细。既然你们是难民，而且都还有劳动能力，我代表云那领可以暂时接纳你们。不过……"

我假装揉着被他打的肩膀，皱眉问道："不过什么？"

肖恩顿时换上一副严厉的面孔："不过，在我们这里，什么都要守规矩，如果你们触犯了我们的规矩，谁也保护不了你们。如果你们是来做奸细的，我们伟大的狼神必然会将你们粉身碎骨，而且，不允许随便离开领地，听到没有？"

我装作被他吓得身体一颤，倒在地上，说道："小人们只是普通百姓，我们一定会遵守贵领地的规矩的，好好干活。有这么好的地方，您就是赶我走，我也不走啊。"

肖恩满意地点点头，说道："这样最好，你们暂时留在卡玛大叔的村子里，由大叔帮你们安排工作。过一段时间，如果你们表现一直不错的话，我们会考虑提升你们为云那的正式公民。别跟我耍花样，知道吗？"他手中长枪一挥，长枪底部深深地插进岩石中。

我战战兢兢地说道："知道，知道，我们一定踏实干活，争取早日成为云那的一员。"

肖恩转头对老农民卡玛道："卡玛大叔，他们就由您安排了。如果有什么事，直接来找我。"

卡玛哈哈一笑，道："放心吧，肖恩队长，如果他们敢捣乱的话，我一定会尽快通知您的。"

肖恩又和卡玛说了几句话，转身带着自己的部下离开了。

卡玛这回可威风了，挺着胸脯说道："你们以后就听我安排。走吧，我先带你们到村子里，去给你们安排住的地方。"

我感激地说道："卡玛大叔，多谢您，以后我们一定好好干活。"

我们一行二十人跟随着卡玛来到他们的村子。这里的村子要比我们一路上见过的那些好得多了，房屋都是用石块砌成的，比较大一点的街道地面上也都铺有石砖。整个村子热闹非凡，村民组成的小商贩在道路上摆设着各种小摊，很明显可以看出他们都过着丰衣足食的生活。

卡玛将我们安排到他家隔壁的一个练武场里。这里的地方很大，足可以安顿下我们这二十人了，我们是六个人睡一个房间。

我不叫猛克来其实还有一个原因，那是因为他的兵器太显眼了。我们的还可以说是为了怕遇到强盗防身用的，而他的兵器是两柄大斧子，试问，有谁会带两柄巨斧来防身呢？

我吩咐沃夫告诉所有人，千万不可以有异动，一切等我吩咐。

就这样，我们过起了农夫的生活。刚开始的时候，还经常有人会来监视我们。过了五六天，可能是因为我们干活很卖力，而且又很老实，村民们对我们的警惕也就放松了许多。

我知道，该是我行动的时候了，时间不等人，我不能老在这里耗下去。

夜凉如水，我悄悄起床，嘱咐了沃夫两句，从枕头下拿出已经多日没有摸过的墨冥，换上夜行衣，摘下头套，恢复了本来面貌。

听了听外面没有动静，我小心翼翼地出了屋子。

轻轻一纵身，我像一片树叶，静悄悄地落在练武场的高墙上。

现在已经是深夜，月光很足，可以让我看到很远的地方。整个村子都笼罩在一片明媚的月光中，偶尔几声夜鸟的叫声传来，划破寂静的夜空。

村民们早已进入了梦乡，我谨慎地四处查看，确认没有人后，轻轻翻墙

狂神

堕落天使

而过，来到了卡玛大叔家的院子。

卡玛家里有四口人，卡玛和他的老婆，还有两个孩子。由于卡玛结婚比较晚，两个孩子才二十出头，睡在左侧的房间，而他和他老婆则在右侧的主屋里。我今天的目的，就是要从卡玛嘴里得到我想知道的信息。

院子里很宁静，卡玛一家人也和其他村民一样，早已进入了梦乡。

我轻轻蹿到主屋旁，把耳朵贴在窗户上。屋内传来均匀的呼吸声，我试探着推了推窗子，纹丝不动。

卡子在下面，我运气成刀，发出狂神斗气轻轻在下面划过，"喀"的一声轻响，我知道，自己成功了。

怕惊醒睡梦中的卡玛大叔夫妇，我不敢妄动，静静地蹲在窗下。过了一会儿，屋里没有任何反应，我四下看了看，伸手轻轻推开窗子，身体蜷缩成一团，像狸猫一样轻轻地落在屋里的地面上。

我低声吟唱道："黑暗凝聚灵魂，堕落方能自由，觉醒吧，沉睡在我血液中无尽的魔力。"

我悄无声息地变成了堕落天使，浓浓的黑雾不断从我身体冒出，笼罩了整个房间。我在黑雾中施加了隔音魔法，没有我的允许，不但声音无法透出，连光线也无法照到外边，这样，我就可以踏实地进行我的计划了。

我伸手连点，几缕黑气射出，使卡玛的妻子陷入了昏迷当中，即使我现在杀了她，她也醒不过来。

我身上发出冰冷的杀气罩向卡玛。卡玛打了一个冷战，从睡梦中醒了过来。他揉了揉蒙眬的睡眼，当发现我的存在时立刻惊叫一声，身体后缩，用被子挡住自己，颤声说道："你，你，你是堕落天使。我不是在做梦吧?"

我阴冷地一笑，眼中射出邪异的光芒，声音低沉地说道："卡玛，魔神大人让我来问你几个问题，如果你答得好，我就饶你一条性命，否则杀光你全家。"

卡玛发现我确实是堕落天使时，就知道自己根本不可能反抗，连声说道："不要，老婆，老婆，你快醒醒。"他一边紧紧地盯着我，一边不断地推着自己老婆。

我冷笑道："她早被我制住了，除非我愿意，否则，她永远也无法再醒过来。"

卡玛显然很爱自己的妻子，毅然护在妻子身前，声音虽然仍然颤抖，但已经比刚才镇定了许多："你，你问吧。请不要伤害我的家人。"

我上下扫视了他一眼，说道："好，如果你合作的话，我谁也不会杀，我要问的就是，你们云那领为什么会这么富足？还有，领地的那群厉害盗匪是怎么回事？"

听到我的两个问题，卡玛全身颤抖，脸色更加苍白了："不，我不能说。你杀了我吧，但求求你，放过我的家人。"说着，从床上滚到地面，不断地向我磕头。

早知道他会这样回答我，我声音低沉地说道："卡玛，你看着我的眼睛。"

卡玛茫然抬头，看到的是一双充满了冰冷、邪恶的黑色瞳孔。我一边吸引着他的目光，一边吟唱道："伟大的黑暗之神啊，以我的灵魂为祭礼，以我的生命为桥梁，赐予我控制精神的无上魔力吧。"

这是个暗黑三级魔法，叫做暗夜蚀魂，威力并不是很大，只对比自己弱小得多的人才有用。它可以在短时间内将人催眠，使得受法者可以完全按照施法者的要求去做。

当然，前提是必须要成功地控制对方才行。如果两者修为相差不多的话，施法者非常容易遭到魔法反噬，是非常危险的。

一般来说，即使拥有堕落天使实力的魔族也不愿轻易用这个魔法。

卡玛的心态已经完全被我控制了，眼神越来越迷茫，逐渐又从迷茫转为呆滞。

我声音柔和地说道："卡玛……"

卡玛愣道："卡玛是谁？"

我继续保持着刚才的声音："卡玛是你，你就是卡玛，而我，是你永恒的主人。"

卡玛茫然说道："我是卡玛，你是我的主人。"

"对，很对，非常对，记住，我是你的主人。现在，我要问你几个问题，你必须如实告诉我。"

卡玛点头道："主人请问。"

第一次用这个魔法，竟然如此成功，我心中暗喜："好，你告诉我，为什么你们云那领可以如此繁荣？"

卡玛沉吟了一下，道："那是十几年前开始的。原本，我们云那领也是非常贫瘠的，和其他领地一样，都是盗匪横行，民不聊生。可是，突然有一天，我们的神出现了，是它指引着我们开始消灭盗匪，驱逐其他族的族人，带领着我们狼人开始不断地开垦荒地，发展耕种和冶炼，一直持续到今天。正是因为如此，我们云那才能强盛起来，近五年以来，我们云那已经杜绝了贫困，家家都可以吃上饱饭，穿上棉衣。"

听了他的话，我感到很惊讶，神，狼人的神，双头狼吗？撒司领那边弄出个九头蛇，云那这边又出了个双头狼，一听就知道都不好对付。如果所有领地都这样，我要什么时候才能平定兽人族啊？

我继续问道："那你们的神在哪里？"

卡玛脸上闪烁着神圣的光辉，崇敬地说道："我们的神就在云那领的沃尔山上。"

我点了点头，继续问道："我听说你们云那有个盗匪团，他们在哪里？首领又是谁？"

卡玛神色出现一丝挣扎，双手抱头，很痛苦的样子，显然是想回避这个问题。

我心中一惊，这个狼神在这些狼人心目中的地位非常高，竟然有挣脱我魔法控制的力量。

一边想着，我一边加重暗黑魔力。卡玛在暗黑魔力不断的渗透下，逐渐平静下来，眼神更加空洞了。

我沉声道："卡玛，我的仆人，回答我刚才的问题。"

我的心现在也很紧张，如果还不能让他说出来的话，恐怕我就要收回这个魔法了，毕竟，反噬是非常可怕的。

卡玛没有让我的希望破灭，淡淡地说道："是这样的，我们云那根本就没有盗匪团。那个所谓的盗匪团只是对外界的说法而已，是为了躲避兵役的。"

我追问道："不是盗匪团，那他们聚集起来干什么？"

卡玛有些自豪地说道："他们是光荣的保卫者，他们的使命，就是保护我们最伟大的神。我们云那人都称他们为神之护卫军。他们的战斗力绝对不下于比蒙军团。"

果然如我所料，那所谓的盗匪团和云那的繁荣关系重大。但卡玛的最后一句话我不相信，他这完全是盲目崇拜，狼人毕竟是狼人，除非他们每个人都有沃夫的水平，否则，绝对不可能和身高四米以上、刀枪不入的比蒙巨兽相抗衡。

我疑惑地问道："那这么说你们狼族的族长也要听命于他了？"

卡玛点了点头，道："那是当然了，神才是我们狼族的最高统治者，只要是狼族的人就必须要以他为尊。"

"那他们就都在沃尔山上了。告诉我，沃尔山在哪里？"

卡玛眼中闪出向往的神色，道："沃尔山就在这里西边一百里外。那里是禁区，没有神的允许，谁也不能轻易踏上那块土地，即使是我们狼人也不行。"

我接着问道："那你见过狼神吗？"

卡玛惭愧地摇了摇头，道："我只是个普通的平民，如何能见到他老人家呢！我只知道，他老人家有两个神头。"

还神头，不就是两个破狼头吗！

要知道的我已经问完了，今天的目的已经达到，我阴阴地说道："卡玛，你困了，你已经很困了。"

卡玛的上下眼皮顿时有些打架，喃喃地说道："是的，主人，我困了，我已经很困了。"

我柔声道："既然困了就去睡吧。明早醒来的时候，你会忘记今晚的一切，忘记今晚的一切。"

卡玛重复着我的话："忘记今晚的一切，忘记今晚的一切……"他的声音越来越微弱。少顷，鼾声如雷地睡了过去。

确定他已经完全入睡，我从他身体内收回暗黑魔力，当明天他清醒过来时，就会不记得发生过的一切。

我抹了抹头上的汗水，翻身出屋，在屋外隔空解除了对卡玛夫人的禁制，悄悄地收回结界，将窗户弄成原样，翅膀一展，飘回了练武场。

我收回暗黑魔力，变回原来的样子，推门而入。所有的护卫都还没有睡，坐在屋子里等我回来。

见我进来，沃夫低声问道："少爷，进行得还顺利吗？"

我一边脱着夜行衣，一边说道："还算顺利，明天再最后观察一天，如果没什么动静的话，明晚就行动。"

沃夫有些为难地说道："少爷，咱们真的不用通知陛下，让他调大队人马过来吗？"

我叹了口气，道："这件事情必须要咱们自己完成。这里的情况你们大家也都看到了，人民一片富足的景象，而且那个所谓的盗匪团伙只是他们那所谓狼神的护卫队而已，并没有做什么坏事。如果我们贸然调军队来攻打云那的话，必然会逼得整个云那团结起来反抗。云那现在是兵精粮足，而我军在斯特鲁要塞新败，即使出动比蒙、狂狮两个军团，要想拿下云那也必然会付出惨重的代价。那时候，还如何能让咱们兽人国强大起来？对于云那，不能硬攻，只有智取。"

半人马护卫说道："智取？要如何才能智取呢？"

我挠了挠头，道："这也是我现在犯难的问题。我这些天一直在想，如果云那在一个强大的统治下，咱们如何才能兵不血刃地收服它？我想了很久，却一直没有合适的办法，我总不能高喊着'以德服人、以德服人'地上去找他们谈判吧。你们都回去休息吧，让我再想想。"

其他屋子的护卫都回房休息了，我屋子里的几个人也都钻回了被窝。

坐在床上，我修炼起天魔诀，希望那冰凉如水的感觉能够让我更清醒地想到一个好办法。

如果登门求见的话，恐怕到不了那个什么沃尔山就要被抓起来，毕竟我们才只有二十个人，这可是在人家的领地。如果我自己一个人去刺杀狼神呢？先不说是否能够成功，单是找到它就很不容易。

这些都不行，唉，说不定，只有冒险一试了。

清晨，我带着护卫们很早就起来干农活。过了一会儿，卡玛大叔也来了，他的眼神有些呆滞，脸色苍白。

看来，他还没从我的暗黑魔力中完全恢复过来。

我走过去关切地问道："大叔，您怎么了？精神不太好啊。"

卡玛叹了口气，道："可能是老了吧，昨天晚上没怎么睡好，今天就这样了。我老婆的精神也不是很好，我就没让她过来。"

我"哦"了一声，道："既然这样，您就休息会儿吧，您的活让我来干吧。"

卡玛说道："那怎么好意思呢。"

我微微一笑，道："这有什么，反正我年轻力壮的，照顾你们老人家是应该的，何况，要不是您老的帮忙，我说不定还在哪里漂泊呢。您就给我个报答您的机会吧。"

卡玛呵呵一笑，道："那好吧，就麻烦你了。你是个非常优秀的小伙子，窝在我们这里实在可惜了，以后有机会的话我把你推荐给巡逻队。"

我一边干着农活，一边暗想道：看来，他根本就没有发现昨天晚上的事情，这样最好，省得我杀他灭口了。

第三十一章 惊见狼神

一天的时间很快就过去了，又是深夜，所有护卫们都聚集到我房间。

我低声说道："今天晚上咱们要做的事情很危险，所以大家一定要按照我的吩咐去做。一旦有什么差错，那就有全军覆没的可能。"

众护卫坚定点头，沃夫说道："少爷，您就吩咐吧。"

我扫视了一圈，低声说道："好，今天咱们的目标是西边一百里处的沃尔山。那里有狼族的盗匪团，我们不是要去消灭他们，而是要收服他们。你们记住，没有我的命令，谁也不许杀人，出发。"

所有人迅速换好黑色夜行衣，抓起自己的兵器，虽然有二十个人，却没有发出一点声息，我们迅速地潜出了村子。

一阵阵浓雾飘过，浸得我们衣服已经有些湿润，但却丝毫没有影响我们的速度。

趁着夜色，我们飞速向西方前进。

在我们用斗气飞奔了两个时辰后，一片起伏的山脉出现在我们面前。

停下脚步，沃夫问我道："少爷，这里这么多山头，咱们应该往哪边走才对？"

我抬头望去，只见前面一个接着一个的山包连绵不绝，一时竟看不清山有多高。

沉吟了一下，我说道："咱们向里走，既然这里生活着你们狼族的神，那就应该有守卫，只要碰上守卫我就有办法。"

我们向着山内快速行进，在爬过一个小山包后，已经进入了深夜，我们已经无法辨别方向。

"大家原地休息一下。"正在这时，一阵"沙沙"的响声传入我耳中。这并不是风吹树叶的声音，而是人在行进时的摩擦声。虽然对方已经很小心了，但仍然没有逃过我敏锐的听觉。

为了让对方更好地发现我，我大声暴喝道："什么人？"

宁静的夜晚被我这一声怒吼打破了，山间不断传来回音："什么人？——什么人？——什么人？——什么人？——"

突然，黑暗的树林亮了起来，照得我们所处的空地如同白昼一般。由于光线的骤然变化，我们不约而同地都眯起了双眼。

逐渐适应了这光线，我发现，我们被四五十个狼人士兵包围了。

他们和我在云那边界见的那队狼人士兵完全不同，每人都身着褐色轻铠，一手持长刀，一手握着刚刚点燃的火把，露出凶光的双目在火把的照射下闪闪发亮，脖颈后的鬃毛竖起，警惕而凶狠地看着我们。

我挺胸昂首，负手而立，喝道："你们是什么人？盗匪吗？"

众护卫纷纷抽出兵器成弧形护在我身旁。

狼人士兵中蹿出一人。他和其他狼人不同的是，灰黑的头上有一道银线，看上去更加威风。

他阴沉地看着我们，一晃手中长刀，森然说道："你们又是什么人，竟然胆敢擅闯禁地，是不是活得不耐烦了？"

我冷哼一声，道："你又是什么东西，这里所有的地方都归兽皇所有，所有的兽人都是兽神的子民，你们又凭什么私自划分出禁地？"

狼人头目顿时被我噎得说不出话来，暴喝一声："把他们拿下。"

我伸出左手喝道："且慢。"

狼人头目不屑地说道："怕了吗？怕了就束手就擒，回去跟我交差。"

我哼了一声，说道："怕？在我的字典中从来就没有这个字眼。告诉你们，我是兽神的使者，特地来求见狼神的，有重要事和他商量。如果你们耽误了我见狼神，到时候他责怪起来，你们担当得起吗？"

一听我说是求见狼神的，狼人头目气焰顿时被压了下去。他疑惑地说道："你是怎么知道狼神在这里的，是哪个叛徒告诉你的？"

我装出崇敬的样子，说道："是伟大的兽神告诉我的，兽神吩咐我来找狼神商量些事情，识相的就快去通报。"

狼人头目问道："兽神？哪里来的兽神，那只是传说而已，兽神什么时候管过我们，只有我们的狼神大人才是兽人族的救星。"

我不屑地说道："这个我不和你争，快带我去见狼神，我有重要的事情和他商量。"

狼人头目想了想，说道："你们在这里等着。"说完，吩咐了手下两句，转身向后跑去，瞬间隐没在黑暗的密林之中。

看他的速度，斗气基础相当不错，虽然和沃夫相比还有一定距离，但在兽人中已经绝对算得上好手了。

就知道抬出狼神这个招牌他不敢怠慢，我计划的第一步成功了。

我盘腿坐在地上自顾自地调息起来，护卫们将我围在中央，警惕地看着周围的狼人士兵。

刚才一百多里的路程耗费了我少部分斗气，狼神虽然还没见到，但肯定不会好对付，我必须要以最佳状态面对他。

只过了一顿饭工夫，狼人头目就满头大汗地跑了回来。看得出，他在路上一点都没有耽搁，仅仅一个小头目就有如此素质，更增加了我的警惕性。

狼人头目喘了两口粗气，说道："你们跟我来吧。"说完，带着自己的士兵在前面带路。

我站起身形，带着护卫们紧随其后。

一路走来皆为蜿蜒小路，这要让我们自己找还真是困难。足足翻过了两座山头，我才看到了他们的基地。

这里处在几个山包的中央，是一小块盆地。里面的建设同村子相仿，只是建筑要大一些。在整个基地的中央有一座巨大的神庙，其规模竟然可以和兽皇的亲政殿相比。

神庙周围是一圈巨大的石柱，顶端都雕刻着一个巨大的双头狼形象，栩栩如生。

我想，那里，就应该是狼神生活的地方吧。

果然，狼人头目将我们带到神庙前，神庙大门前有十六名狼人护卫，不同的是，他们的头上都有一条金线，显然地位要高过狼人头目。

狼人头目快步上前，恭敬地对一名神庙护卫说道："他们是统领让我带来的。"

神庙护卫神色傲慢地点了点头，道："你们在这里等着，我进去通报。"

一个护卫都这么目中无人，在兽皇的皇宫内我也没遭到过这种待遇，这狼神的架子还真是不小。

狼人头目恭敬地站在一旁不敢出声，和他同来的卫兵从我们身后围住我们，但长刀都背到了背后。

一会儿工夫，神庙护卫走了出来，对狼人头目道："你带着你的人回去吧，这里交给我就可以了。"

狼人头目恭敬地应了一声，转身带着自己的手下离开了。

神庙护卫上下打量了我们几眼，淡淡地说道："你们跟我来吧。"说完，扭头朝里面走去。

我冲沃夫使了个眼色，跟了上去。

我们刚要踏进神庙，就被门口的几名神庙护卫拦住了。我皱眉道："干什么，这就是狼神的待客之道吗？"

带路的神庙护卫说道："你们只能进去一个人，其他人要在这里等着。"

我早就预料到不会那么容易让我见到狼神，便微微一笑，说道："好吧，我去就可以了。沃夫，你们在这里等我，在我没出来前，不许有任何异动。"

沃夫急道："少爷，我们要保护你啊。"

我拍拍他的肩膀，低声说道："放心，没事的，如果我解决不了，你们去了也没有用。在这里等我，别和他们冲突，明白吗？"

沃夫不甘愿地点了点头，带着其他护卫退了下去。

我转身对带路的神庙护卫说道："现在可以走了吗？"

他哼了一声，转头向里面走去。

神庙里面没有任何支撑建筑穹顶的柱子，光线很弱，每隔十米才有一根蜡烛。

借着淡淡的烛光，我发现整个神庙内部的墙壁上都刻有精美的壁画，上面的主角都是狼人，有的是在杀敌，有的是在耕作，有的是在欢庆胜利。

神庙护卫将我带到神庙的正中停了下来，说道："你在这里稍候。"说完，没等我说话，转身从原路退了出去。

虽然这里的光线很弱，但却没有丝毫阴森的感觉，反而有一种宁静、平和萦绕在心头。

既然已经来到这里，我并不着急，津津有味地看着周围的壁画，每幅壁画仿佛都有一个故事。

正当我渐渐入迷之际，一个温和的声音在我身后响起："就是你要见狼神大人吗？"

我猛然回头，一个穿着斗篷的黑影出现在我身后，以我耳目的灵敏居然没有发现他是什么时候出现的。

虽然我刚才的注意力在壁画上，但对手可以无声无息地摸到我背后，确实也让我吃了一惊。

但直觉告诉我，这家伙并不是狼神。

我微笑道："不错，就是我，你是狼神吗？"

黑影摇了摇头，上前几步，撩下了头上的帽子。

他是狼人，却是个与众不同的狼人。他竟然有一个银色的狼头，即使光线很弱，但他银色的毛发仍然闪闪发光，银狼人！

银狼人冲着惊讶的我微微一笑，道："很惊讶吗？我就是这里狼神守护团的统领，你可以称呼我为银箭。"

我没听错吧，"淫贱！"还有叫这名字的，真是不可理解。

我点了点头，道："银箭统领，我来这里是要求见狼神的，麻烦你帮我引见一下。"

银箭的表情很平和，淡淡地说道："狼神是不轻易见人的，即使是我，没有他的召见也不敢去打扰他。听说，你自称为兽神的使者，不知道来此有何贵干？"

我已经从刚才的惊讶中恢复过来，同样用平淡的语气说道："我是自称为兽神的使者，同时，这也确实是事实。我来这里的目的就是代表兽神来找狼神的。至于有何贵干，恐怕你还不配问。"

银箭听了我的话，眼中的怒色一闪而过，身上的袍子无风自动，仍然是淡淡地说道："这么说，不见到狼神你是不肯说了？"

我傲然点头，继续看着周围的壁画。

银箭说道："本来，你是到不了这里的，但我听手下说你自称为兽神的使者，又惊讶于你可以找到这里，才放你进来的。如果你不说出目的，我可就要无礼了，毕竟，这里的秘密是不能为外人所知的。"

我把目光移回，冲他微微一笑，道："怎么，想对我群起而攻之吗？"

银箭的脸上第一次出现了除平淡以外的其他表情，那是不屑："我们狼族是高傲的民族，既然你按照礼数来求见狼神，我们又怎么会以多欺少呢。这样吧，如果你能打赢我，你就可以带着你的手下离开；反之，我希望你们能留在山上为我做点事情。"

我冷哼道："想留下我做苦力吗？那就要看你有没有这个本事了。"

银箭一把扯下身上的斗篷，轻轻一挥抛向一边，露出里面的劲装。

他身上露出的毛发和头上一样，都是银色的，一股逼人的气势顿时从他身上蔓延过来。他抬起右手，肘部弯曲，在空中虚抓，左手在右手下，但手心冲上，左足向左跨出半步，膝盖微微弯曲。

看着他这个奇怪的姿势，我狐疑不定，这是什么功夫？以前可没见过。

我从身上解下连鞘的墨冥，轻轻一甩，无声无息地扔到一旁："既然你不用兵器，那咱们就空手相斗吧。"

银箭眼中闪过一丝钦佩的眼神，说道："好，既然阁下如此有风度，咱们就好好打上一场，来人，掌灯。"

整个神庙大厅里骤然亮了起来。原来，头顶上竟然悬挂着超过百盏魔法灯。让我奇怪的是，这个大厅里并没有他们所信奉的狼神的雕像，不知道是什么原因。

灯光亮了，银箭身上的毛发更是闪闪放光。我心中暗想，用他的皮毛做件衣服倒是真不错。

这家伙能坐上这什么狼神护卫团长的位子，肯定不是庸手，我也不敢大意，凝神静气，狂神斗气开始在体内不断加速。

一层黄蒙蒙的斗气光透体而出，衬托着我头上的狮人面具。在旁人看来，这场战斗宛如是狮王与狼王之争。

银箭惊讶地说道："好强的斗气，看招。"他的身体突然上蹿，身体闪烁着银色的光芒，在空中一个翻身，双脚一前一后，向我踹来。

银箭的斗气和他的毛发一样，是银色的。我把狂神斗气灌注到两臂，硬生生地接连挡住他踹来的十三脚。

这家伙的腿力非常强劲，以我的防御力和狂神斗气，竟然被他踹得两臂微微发麻。

殊不知银箭的惊讶更甚于我，他没想到在兽人中除了比蒙巨兽以外，竟然也有可以完全凭借力量硬挡住他这得意的十三连环腿。

我的胳膊发麻，他的脚又何尝好受？同样的力与反作用力，我们的受力几乎差不多。

他的防御不如我，虽然斗气相差无几，但总的来说，在第一次交锋中，我还是略微占据了上风。

接过这第一次攻击，我的心中也有了底。银箭虽然很强横，但就目前来看，也只是比沃夫强上一两筹而已，尚不足为惧。

我喝道："你也接我一招——狂风暴雨!"说着，我向前跨出一步，一拳重重击打在地面上。

异变在这时候发生了，原本应该透过地面，在对方脚下炸开的狂风暴雨，在我拳头和地面相触的刹那，竟然完全反弹回来，强大的力量顿时将我炸得飞了出去，这就相当于自己打了自己一拳。

"轰"的一声，我的身体重重地撞在墙上。

这是怎么回事？从墙上滑下来，虽然没受内伤，但毕竟这是狂神诀第一式，全身骨架却被震得生痛。

银箭并没有追击，满脸愕然地看着我，他也没明白为什么我自己竟然将自己打飞了出去。

我怒道："你们这是什么地面，为什么力量不能渗透？"

银箭这才恍然大悟，明白了我是要用隔物传功的方式进攻，歉然道："真不好意思，刚才忘记告诉你了，这座神庙里被狼神大人布置了结界，没有任何力量可以穿透。您刚才用隔物传功的方式，自然会……"

我心中暗骂，他妈的，也不早说，害得老子自己打自己。那个破结界也未必就破不了，但是，却需要比那个所谓的狼神功力更强才行。

银箭说道："为了公平起见，你要不要先休息一下？"

他这句话让我对他好感大增，这家伙真是个谦谦君狼，还没见过这么懂礼貌的兽人。不错，我喜欢。

我微微一笑，活动了一下关节，道："不用了，我没事，继续吧。"

银箭微微点头，又摆出刚才那古怪的架势，怪叫一声，身体闪电般冲来。

这回，他不再和我硬拼了，只是不断变换着进攻的方向，让我摸不透他的路数。

渐渐地，他的速度竟然越来越快，只见一道银色的身影不断在我身前闪过。我现在的速度是追不上他的，只能用守株待兔的笨办法，将斗气遍布全身，任由他进攻。他从哪里攻击我，我就立刻挥拳反击，当然所有的反击都落空了，我没有他快嘛！

我虽然打不到他，他也不敢把招式用老，只能一触即走，不能对我造成很大的伤害。

说实话，我最讨厌的就是这种打法，跑来跑去的，多没意思，一下是一下的硬拼才是我的最爱。

这家伙的速度也太快了吧。突然，我发现一个秘密，银箭的速度中居然有风系魔法，也就是说，他的速度有很大一部分是靠风系魔法支持的。会魔法的狼人？

今天让我惊讶的事情也太多了。

他会魔法，难道我不会吗？在我低声的吟唱中，无数一、二级魔法铺天盖地地向四周撒去。就算银箭速度再快，他也不可能离开这个空间，顿时被我几个魔法打中，虽然没对他造成什么伤害，但却大大影响了他的速度。

银箭的身形在空中一闪，落在十米以外，惊讶地问道："你，你会魔法？"

我微微一笑，道："既然是兽神的使者，又有什么不可能的呢？你不也同样在用风系魔法加速吗？"

银箭点头道："好，既然你已经知道了我的秘密，又同样会魔法，那我就要使出全力了。"

他的双手缓缓在身前摆动，嘴里低声念着什么，周围的风元素开始活跃起来，不断向他的方向汇集。

渐渐地，在银箭的身前居然出现了一个青色的风系魔法球。

银箭大喝一声，全身银芒暴涨，整个身体完全融合在青色魔法球和银色斗气中。

说实话，他这个魔武技融合得非常好，至少比我要强，但他有个弱点，那就是绝对强度要弱于我。

正是因为如此，我对他这全力一击不但没有惧怕，反而心中暗喜。

狂神斗气在我体内急速运转起来，暗黑魔力浸透在斗气中，我的满头"狮发"随着斗气的运转而竖起。

银箭的融合力量这时已经到达了巅峰，他大喝一声："疾风魔狼破——"身体化为一道青银色的光芒向我冲来。

在他发动的同时，我高高跃起，喝道："狂龙急舞！"身体化为一条飞舞的黄龙迎了上去。

就在两股巨大能量要相撞的一刻，我所化作的黄龙突然向下一沉，在千钧一发之际躲开了他的正面攻击，骤然转身，发出比刚才更加强的光芒，重重地撞在了银箭的身后。

银箭万万没有想到一直处于被动挨打，只会硬碰硬的我，在最关键的时刻竟然使出了这样的技巧。

"轰"的一声巨响，银箭的身体被我撞得像炮弹一样飞了出去，重重地撞在了布有结界的墙上。

刚才这一招是当初魔族公主墨月对付我时用的，只不过她当时不知道用了什么东西使自己的攻击转向，而我是预先留了几成功力，在最关键的时候改变了自己的方向。

这个一时兴起的做法却收到了奇效，轻易地重创了银箭。

银箭身体落在地上，连连喷出几口鲜血，脸色变得异常苍白，颤抖地指着我说道："你，你卑鄙。"

我微微一笑，温和地说道："你能不能告诉我，我如何卑鄙了？只不过是用了点技巧而已。在之前的进攻中，你不是同样也在用技巧吗？我可没有说过你卑鄙吧。"

银箭顿时语塞，被我气得又喷出了一口鲜血。

正在这时候，一个清朗的声音在神庙大厅中响起："银箭统领，他说得对，所谓兵不厌诈。其实你的功力和他所差无几，但心计上却差了很多。不过，人家已经留了一手，否则，你早已经死了。这里的事让我处理吧。"

银箭听到这个声音，脸上充满了崇敬的表情，挣扎着跪在地上，不再出声。

来了，这个声音的主人恐怕就是那所谓的狼神。在这里，恐怕也只有他才会让银箭如此。

从他可以看出我刚才有留手，我就知道，此人绝对不是那么简单。

那清朗的声音又响了起来，"这位远方而来的朋友想见我，不知道有什么事？"

我正色道："您就是这里的狼神吗？"

清朗声音道："他们是这么称呼我的。"

我点头道："好，既然正主出来了，我就告诉您我来的目的，我的目的就是要挑战你这个所谓的狼神。"

银箭失声道："什么，你竟然要挑战狼神大人，你活够了吗？"

也许是因为势均力敌，这家伙对我有了一种惺惺相惜的感情。在他想来，我怎么也不可能是狼神的对手。

我冲他微微一笑，道："不错，我就是活够了。兽神派我来此就是要挑战狼神大人的。"

一道光影闪过，银箭身旁多了一人，此人身体完全笼罩在一个黑色大斗篷里，看到他的装束，我不禁想起刚刚的银箭，他刚才不会就是模仿这个家伙吧。

黑衣人从衣服中伸出一只同银箭同样的银色大手，按在银箭的肩头上，一道蒙蒙银光顿时将银箭笼罩在内，这是和他同源的斗气。

在银色光芒的照射下，银箭的伤明显好了很多，精神也振奋了些。

一个柔和的声音从黑衣人那里传来："银箭，你下去吧，记住，不论待会儿我们的战斗结果如何，都不许难为这个人和他的手下。"

"是，狼神大人。可他配做您的对手吗？"

"这个不用你管，还不下去！还有，不要让任何人来打扰我们。"

银箭眼神复杂地盯了我一眼，躬身而退。

我心中疑惑道，这家伙是刚才那个说话的人吗？完全是两个声音啊！

当银箭的身影消失后，狼神的声音突然轻快了许多，这回又换成了开始时那个清朗的声音："哎呀，这家伙可走了，这么多年我都快寂寞死了，终于有个人来陪我玩玩。我接受你的挑战。"

我被他的话说得一愣一愣的，问道："你很寂寞吗？"

清朗声音说道："如果你在一个地方待上十几年，身边尽是些对你恭恭敬敬的人，你会不会寂寞？小子，露出你的本来面目吧，你能骗得了银箭，却骗不了我。"

到了这个时候，已经没有再隐瞒下去的必要，我一边摘下狮人面具，一边说道："那你是不是也让我看看你的尊容呢。"

当他看到我的容貌时，那柔和的声音惊讶地说道："你，居然是人类？"他的黑色斗篷也在这个时候飘了起来。

我的惊讶比他更甚。站在我对面的这个狼神果真有两个狼头，这并不是我惊讶的地方，我惊讶的是，他的两个狼头居然一金一银，看起来煞是漂亮，而且他的两个狼头上都带着稚气，毛茸茸的，居然让我觉得有些可爱。

第三十二章 苦战连场

左边的金色狼头说道："怎么，没见过我这么漂亮的狼人吧？"这是那个清朗的声音，一边说他还自顾自地用左侧布满金毛的身体摆出一个自以为优美的姿势。

银色狼头说道："你别在这里臭美了，你哪儿有我漂亮？"这是那个柔和的声音。

"你们竟然有两个性格？"

金狼头说道："我们有两个头，自然有两个脑，当然是两个性格了。"

银狼头说道："不错，小子，你是不是怕了，即使怕了也不许走，必须要和我们打一场。"

我冷哼一声，道："怕，什么叫怕？我看怕的应该是你们才对。告诉你们，我可不是人类。黑暗凝聚灵魂，堕落方能自由，觉醒吧，沉睡在我血液中无尽的魔力。"随着吟唱，我瞬间变成了堕落天使。

两个狼头同时惊呼道："魔族的堕落天使。"

变成堕落天使的我邪恶地一笑，说道："错，我也不是魔族。不过，现在还不能告诉你们我是什么种族。"

两个狼头对视一眼，四只狼目中充满了迷茫。

金狼头说道："你难道真是兽神的使者，我看不对吧。先不说兽神是否真的存在，单是你这堕落天使变身就不可能是兽神的使者。"

我反唇相讥道："那你们呢？也就是那所谓的狼神而已。"

银狼头说道："既然咱们都是冒牌的，那就比画一下，看看是你的堕落天使厉害，还是我们这个冒牌狼神厉害。"

真没想到他们如此坦白，但我已经没有时间思考了，狼神化作一道金银光芒向我撞来。

变身后的我可不像刚才那么菜，背后的羽翼轻展，顿时躲开了他们的攻击。但是，虽然没有被打中，但他们发出的金银斗气却刮得我脸上生痛。不敢大意，我伸手招过墨冥，谨慎地看着他们。

金狼头哈哈大笑道："有意思，有意思，堕落天使就是不一样。"

银狼头说道："好吧，那咱们就用那种攻击好了，试试他能不能再支撑得住。"

两个狼头同时一点，又一次向我冲了过来。这次并不是金银斗气，整个狼神都包裹在金色斗气当中，强度虽然不如刚才，但我感觉，也不是能硬碰的。

刚想闪躲，在我身体左侧突然出现一个巨大的冰封球，带着无数尖刺向我撞来，这是个水系五级魔法，攻击力极强。

而右边则是一大片密密麻麻小火球，每个火球都发出幽蓝的颜色，虽然我不能确定这是个什么魔法，但也明白不是用身体可以硬接的。这两个魔法几乎笼罩了我左、右、后三个方向的所有空间。

不好，四面受敌，如果我现在后退肯定会被对手追着打，那样就会完全落在下风，而且，我也并没有把握能够扛住对方的魔法攻击而不受伤，看来只能拼一拼了。

我一咬牙，暗黑魔力和狂神斗气布满全身，大吼一声："狂龙乱舞。"全身化作一条张牙舞爪的巨大黑龙猛地向正前方的狼神冲去。

就在要撞上狼神之前，我们之间突然多了一道小龙卷风，虽然我成功地冲了过去，但狂龙乱舞的威力顿时减弱了不少。

我最后看到的是两个得意洋洋的狼头，接着，就被狂暴无比的金色斗气轰了出去。

我重重地撞在墙壁上，布有结界的墙竟然被我撞得凹进去一点，全身的骨头好像散了似的，一缕鲜血顺着嘴角流下，数根黑色的羽毛飘散在空中。

狼神闪到我身前，金狼头对银狼头说道："咦，这家伙好像伤得不算太重，还挺结实的。"

我用墨冥支撑着身体缓缓站了起来，心里一阵气馁。这家伙太强了，比上回那个练到六层天魔诀的堕落天使还要强上数筹，除非我变成血红天使，否则，根本就没有一拼之力。

可是，我现在的神志非常清醒，也没有什么可以激发我的怒气，这让我如何能变身呢?即使变身成功赢了又怎么样，我能对付得了外边那三千铁卫吗？难道我的冒险计划就要这么泡汤了吗？

想到这些，我感到心头一阵烦乱。

银狼头对我说道："不行了吧？敢挑战我们，哼……"

我抹了把嘴上的鲜血，说道："挑战你们又怎么样？不过，我有个问题。"

两个狼头同时说道："问吧。"说完，两头互相瞪了对方一眼又扭过头去。

我苦笑道："为什么你们可以不用咒语就发出魔法，难道你们真是神不成?"

金狼头嘿嘿一笑，道："你让我们今天很开心，就告诉你吧，谁说我们没有念咒语，刚才向你发出斗气进攻的是我，而魔法进攻的就是他啦。"说着，指了指银狼头。

我顿时恍然大悟，原来他们俩竟然可以一个用魔法一个用斗气，怪不得刚才只有金色斗气出现呢。不公平，太不公平了，我这是在和两个人斗啊。

绿松石不断传给我强大的生命力，让我感到舒服了许多。

银狼头说道："今天你让我们很开心，这样吧，我们也不杀你。你比银箭要强很多，就留在这里当我们的仆人好了。"

仆人，让我当仆人！我心中涌起一股怒气，吼道："想都别想，即使是死，我也不会被你们奴役的。"

金狼头哼了一声，不知道是他们谁出的手，我感觉到自己身体又一次飞了起来，虽然没有刚才那一下重，但被打的滋味总是不好受的。

我倒在地上，就听金狼头对银狼头说道："这家伙的皮肤好像非常坚韧，我刚才这一下恐怕还是无法伤到他里面。"

银狼头说道："一下不行就再来一下啊，看我的。"

光芒一闪，我感到身体一轻，又贴到了神庙大厅的另一面墙上，被他们像打沙包一样羞辱。我却心中暗喜，因为，我的怒气已经逐渐被他们逼了出来。

我努力地回想着当初雷虎羞辱我、丑妇羞辱母亲的情景，身体逐渐开始发生了变化，肌肉逐渐膨胀起来。

狼神乐此不疲地将我打来打去，他们也不下重手，完全把我当成了玩物。

就在他们第十一次将我击飞的时候，我终于狂化了，身体在空中猛然定住，全身发出无与伦比的强大气势。

金狼头惊呼道："你快看，他的翅膀变成红色了。怎么回事，流血了不成？刚才我应该出手再轻一点。"

银狼头说道："不会啊，刚才那一下我打得也不是太重，他应该还能撑的。"

我缓缓睁开血红的双眼，冷冷地说道："这是你们自找的。"红芒一闪，我张开双翼出现在他们身后。

狼神的身体"砰"的一声倒在地上。在我闪电般的攻击下，他们虽然挡住了大部分，但毕竟事出仓促，仍然被我打中了一下。

我转过身，死死地盯着他们。

两个狼头第一次感觉到了危机，颈后的绒毛竖立起来。金狼头说道："这家伙变成怪物了，好强啊。"

银狼头说道："出绝招吧，否则抵挡不住了。"

我双手抓住同样变成血红的墨冥，身体微侧，剑尖指向他们。

两个狼头变得无比严肃，同时发出一声狼嚎，身上的衣服爆裂，强烈的金银光芒从他们身上发出并不断地扩大。

当光芒暗下来的时候，我发现，狼神竟然真正变成了一只四肢着地的巨狼，他们的身体半金半银，高达一丈，长三丈，四只眼睛用凶狠的目光瞪着我。

原来他们也是可以变身的，我全身腾起浓烈的红光，整个人完全笼罩在血红天使的能量下。

狼神猛地蹿了起来，身体在空中迅速地旋转，骤然形成一个金银旋风，两个不同的声音同时响起："金银龙卷爆。"

金银旋风凝聚成一股，朝着我冲了过来。

我怒吼一声，张开双翼，墨冥前伸，仿佛地狱飞来的火凤凰一样毫不畏惧地迎了上去。

就在要和他们的绝招相碰的刹那，我突然神志一闪，想起了自己前来的目的，把原本前刺的墨冥硬生生地横了过来。

一个毁天灭地的巨大爆炸声响彻整个沃尔山脉，布有结界的狼族神庙在我们这一击下骤然炸开。

结界根本无法阻挡大大超过它负荷的力量，神庙顶被整个掀开，一股金、银、红三色的气体冲天而出。

周围三里内的云层被这霸道的能量冲击得四散分离，沃尔山的狼人基地不断飘落着蒙蒙细雨。

整个云那领的人都可以看到这壮观的一幕，几乎所有看到这一幕的狼人都立刻顶礼膜拜，以为是他们的狼神在显灵。

这些顶礼膜拜的狼人中，却不包括沃尔山的狼神护卫团，因为他们知道，这并不是什么神迹，而是战斗造成的，他们心目中的神遭到了空前的挑战。

银箭第一时间带领着神庙护卫冲进了神庙，而沃夫他们由于有我的命令，不敢妄动，被神庙护卫挡在了外边。

狼神在银箭的心目中是至高无上的，虽然同样有命令，但他现在已经顾不得了。

银箭冲进神庙后发现，整个神庙已经不复先前的庄严，到处都是断壁残垣，他一边高声呼唤着狼神，一边带着手下四处寻觅。

终于，他在一堆碎石中找到了他们狼族的神。

狼神没有了当初神采奕奕的样子，已经变回了狼人的样子，两个狼嘴中不断冒出鲜血，四目无神。

银箭托起狼神的上身，靠在自己肩膀上，将自己残存不多的斗气不断输入狼神的身体，呼唤道："狼神大人，狼神大人，您怎么样？"

两个狼头咳嗽一声，渐渐清醒过来。

银狼头说道："他妈的，这小子还真是厉害，差点要了我们的小命。"

他的话说得银箭一愣，银箭没想到他那至高无上的狼神大人居然也会说粗话。

金狼头说道："还好，他最后收手，否则的话……"

银狼头说道："不知道他怎么样了？银箭，我们还死不了，你快去找找，估计那小子不死也差不多了。"

银箭恭敬地回答道："是。"把狼神交给手下扶着，带领其他神庙护卫搜索起来。

在狼神的对角处，他找到了我的身体。这时的我已经恢复成了人类的模样，外伤已经被狂化的力量治好了，但我却像泥一样瘫在那里。

银箭一把将我抱了起来，惊讶地说道："这不是刚才那个狮人啊，他，他是人类。"

狼神在神庙护卫的搀扶下走了过去。金狼头说道："就是那小子，你见到他的时候，他是化了装的，这家伙并不是人类，如果我没有猜错的话，他应该是混血儿。他比我们想象的要厉害得多，不过，他在最后一击中留了一手，否则情况就难说了。让我看看。"

金狼头把他的金狼臂搭在我的胸口上，惊讶地对银狼头说道："这小子的生命力和蟑螂一样坚强，受了这么重的伤不但没死，而且还是生命力很强盛的样子。虽然我们最后也留了一手，可他比我想象的要坚强得多。"

银狼头连忙也把手臂搭在我身上，果然如金狼头所说，虽然我的伤势很重，但生命力依然强盛，绝对死不了。

他们哪里知道，这并不是我生命力顽强，虽然我的防御强横，又处于血红天使的状态，但刚才那最后的撞击还是险些要了我的命，是绿松石发出的生命力护住了我的心脉，才使我没有死。

银狼头说道："这样吧，银箭，你把他安置好，不许任何人伤害他，我们是在公平决斗中受伤的。还有，他那帮属下你也安顿一下。等他醒过来，我还有话要问他。我们的伤势非常严重，必须要立刻疗伤。"

银箭说道："这家伙伤了您，简直是罪大恶极，为什么还要留着他？"

狼神的两个头同时苦笑。金狼头说道："在最关键的时候他收了手，否则，后果难以预料，我们现在怎么能乘人之危呢？如果那么做了，我们还有什么资格再被称为狼神？"

银箭先是流露出惭愧的神色，转而满脸崇敬地看着狼神，恭敬道："属下遵命。"

狼神在两名神庙护卫的搀扶下回自己的寝室疗伤去了，而我和我的护卫们，则被银箭安排到了精舍中，并且，派了五百狼神护卫队来"保护"我们，吃喝不少，但就是不让任何人出去。

沃夫等人见到我受了重伤，一时也不敢和他们争，只能老实地在精舍中照顾我，希望我能早日清醒过来。

在我昏迷的这段时间，他们只能靠给我灌些流质食物来维持我的生命。他们也想过用斗气为我疗伤，可他们的斗气都无法冲进我的经脉，又不敢太过用力，怕伤了我，所以，一切只能靠我自己了。

十天后。

全身都动不了，好痛啊。

在呻吟声中，我清醒过来。现在的我，什么地方都动不了。眼睛四处观望，发现自己在一个布置典雅的房间中。

这是哪里，难道我死了？已经下地狱了？那怎么还会有伤？那些狼神护卫队没有杀我吗？

"少爷，您终于醒了。"一声惊喜的呼喊后，沃夫出现在我视线内。

我沙哑着问道："这是哪里？"

沃夫回答道："这里还是沃尔山，咱们被那群家伙给软禁起来了，外边都是他们的人。您的伤怎么样了？"

他这一问，让我想起了当初的情形。当时的最后一击我把墨冥横了过来，强绝的力量将我和狼神同时弹了出去，当时我就以为自己完了，没想到狼神会这么强。在我可以变身为血红天使以来，他是第一个可以和我相抗衡的，由于我的留情，狼神在最后一击中也同样将力量收回了部分。

被撞飞的刹那，我就知道他应该还死不了，他的力量还是比我要强一些的。

这场比试，还是我输了，不过，我却有拼个两败俱伤的机会。

我查看了一下体内的状况，只能用"惨不忍睹"来形容，经脉断得七七八八的，根本找不到我的狂神斗气，只有脑部还残留有一些暗黑魔力，能不能治好这个伤只有天才知道。

我苦笑道："我的伤一时恐怕还好不了，他们没有为难你们吧？"

沃夫摇头道："除了不让我们出去以外，其他的倒是没什么，每天都会送来不错的饭菜。外面足有几百人在看着，恐怕以我们的能力……"

我说道："没关系，既然狼神当初没有杀我们，现在就更不会杀我们了。你们抓紧修炼，只有等我伤势好了，咱们才有离开这里的希望。"

"是，少爷。"

"你先出去吧，我需要一个人静一静。"

沃夫退了出去，我试图调动脑部的暗黑魔力疗伤，但那些能量只是勉强动了一下就没有动静了。

我一次又一次地试着，仍然没有任何作用，只有绿松石不断传来的生命力在缓慢地修补着我的经脉。不过，照这个速度，我要想完全恢复，恐怕要用十年以上的时间了。

突然，我想起了第一次变成血红天使时的情景。当初我也是受了很重的伤，身体透支严重，在后来修复经脉的时候，墨冥帮了我很大的忙，是它传来的暗黑魔力帮我调理了体内的经脉，才使我有了复原的机会。

想到这里，我喊道："沃夫，进来一下。"由于伤重，我无法叫出很大声音，就是这样还牵动得我全身疼痛欲裂。

沃夫的耳目很灵敏，居然听到了我的呼叫声，他跑到我床边问道："少爷。"

我强忍疼痛，说道："我的剑呢？帮我拿过来。"

沃夫脸上有些为难，道："少爷，那天我只见到你的人，并没有发现您那把剑。"

听了他的话，我顿时想起，在最后一击的时候，我的墨冥脱手飞出，肯定是在神庙里面。

"你去试试能不能向他们把剑要回来，它对我伤势的恢复有很重要的作用。"

沃夫点了点头，说道："是，我现在就去。"

我"嗯"了一声，说道："跟对方客气点，我不想和他们闹翻了。"

沃夫转身出去了。那帮狼人能把墨冥还给我吗？这还是个未知数，如果拿不回墨冥，恐怕我的兽神大计就要落空了。

这时，沃夫已经回来了，我惊讶地问道："怎么这么快？"

沃夫满脸气愤地说道："这群混蛋，不论我怎么说就是不让我出去，最后，只是答应我把剑的事告诉他们统领。要不是您不让我动手，我都想和他们拼了。"

我皱眉道："你怎么和猛克一样冲动！记住，能用脑子的时候就不要用手，冲动只会坏事，不论在如何艰苦的情况下，都要让自己保持充分的冷静，明白吗？你先下去吧，如果他们肯把剑送来，你立刻带着剑来见我。"

"是，少爷。"沃夫听了我的话，脸上神色连变，希望他能听得进去吧。

我足足等了三天，对方一直没有剑的回信。让沃夫再去问，对方只是说已经告诉他们统领了，但还没有回音。

难道银箭想贪污我的墨冥不成？墨冥对他来说，并没有什么用啊，而且银箭也不像那种人。

正在这时候，我的一个熊人护卫跑了进来，沉声说道："少爷，对方有人来了，说要见您。"

"是什么人？"

熊人护卫摇头道："不知道，他穿着个大斗篷，看不到脸。"

穿着斗篷？应该是银箭吧，这家伙学狼神还学上瘾了。我吩咐道："让他进来吧，你们在门外守着，不要打搅我们。"

片刻工夫，果然一个穿着大斗篷的黑衣人走了进来。

我顿时大惊，虽然还看不到他的面貌，但我知道这绝不是银箭，而是狼神本人。因为虽然穿着斗篷，但一个脑袋和两个脑袋撑起来的空间还是相差很远的。

我惊讶地说道："你怎么来了？"

狼神撩起斗篷，露出两个带着稚气的大狼头。金狼头微笑着说道："怎么？不欢迎我们吗？听说你想要你的剑？我们给你带来了。"

我警惕地说道："谢谢，请把它放在我身边。"

狼神从斗篷下拿出墨冥搁在床上。银狼头把手按在我的胸口上，一股柔和的能量试图进入我的体内，但却出现了和当初护卫们给我疗伤时同样的情形，根本无法进入。

他皱眉说道："你体内的经脉好乱啊，虽然有很强的生命力，但想治好恐怕很难。"

我没好气地说道："还不是拜你们所赐！"

金狼头说道："那天你没有用剑尖指向我们，所以我们在最后时刻已经收了力，否则，即使你生命力再强，恐怕也难逃一死。再说，我们受的伤也不轻啊。"

我反唇相讥道："就算我死了，也一样可以拉你们做垫背的。"

狼神的两个大头都摇了起来。

我怒道："你们不信吗？等我好了再试试。"

银狼头说道："不是不信，是你那天的情况根本就做不到，虽然我们伤得很重，现在也只好了三成而已，但你确实不可能杀死我们两个。"

当时的情况我们双方都心知肚明，我确实有把墨冥刺进他们心脏的能力，可看银狼头的表情并不像在开玩笑。

银狼头继续说道："你只能杀死我们其中的一个。你的功夫让我们很折服，这么小的年纪就几乎可以和我们打成平手。告诉你个秘密吧，我们不但头有两个，连心脏也有两个，所以，那天你只能杀死我们两个的一个。"

金狼头指着银狼头接着道："谢谢你那天没有杀了他。"

银狼头怒道："什么叫没有杀了我？人家明明是可以杀了你的。别忘了，你的心脏可是在左边的。"

金狼头同时愤怒了："谁说的，平常人也有心脏长在右边的，你怎么知道他不会刺右边？"

…… ……

他们俩的争吵让我看得一愣一愣的。突然，两个狼头同时转向我，异口同声地问道："快说，当时你要插哪边？"

我苦笑道："你们争这个有什么意义，又不是现实，当时我根本就没想过要杀你们，也就更没想插哪边了。"

其实，当时我是想插左边的，但为了不得罪他们两个，只能给一个模棱两可的答案了。

金狼头和银狼头同时哼了一声，谁也不理谁地把头甩向两边。

他们的样子让我感到有些好笑，问道："你们把我软禁在这里，打算怎么处置我？"

两个狼头立刻来了兴趣。金狼头抢着说道："我们也不想把你怎么样，这样吧，你先养伤，等你伤好了咱们好好谈谈。"

银狼头说道："就是，先把伤养好了最重要。我们的伤也还要一两个月才能好利落，一切到时候再说吧。"

看他们的样子，好像有求于我似的，这让我感到非常奇怪。他们说得对，我现在伤成这个样子，什么也做不了，一切等好起来再说吧。

想到这里，我讽刺地说道："那这段时间就要麻烦你们多多关照了。"

金狼头赔笑道："别客气，别客气，我们已经吩咐银箭了，只要你们不是想走的话，会尽量满足你们的要求。我们先走了，你休息吧。"

他的话让我疑心大起，看他的意思，是既不想杀我们，也不想放我们，还说等我好了要和我谈谈，再联想到他们当初所说的寂寞……对于他们要干什么，我心中有了个大概的影子。

"麻烦你们出去的时候，叫一个我的护卫进来。"

狼神应了一声，戴好自己的斗篷转身出去了。

他们出去后，熊人护卫走了进来："少爷，您有什么事？"

我吩咐道："你扶我一下，然后把我的剑放到我身体下面。"

熊人"哦"了一声，来到床边，一把抄起我的上身。他粗鲁的动作顿时弄得我全身疼痛，忍不住骂道："你这个笨蛋，就不会轻一点吗？"

熊人连说对不起，把墨冥放在我的身下，轻轻地将我放了上去。

当我接触到墨冥的一刻，那清凉冰冷的感觉顿时透体而入，瞬间遍布我的全身，疼痛减轻了许多。

我心中一喜，对熊人护卫说道："你出去吧。"

我小心翼翼地催动着这股得来不易的能量在经脉中运行。从墨冥上传来的这股能量和我修炼的暗黑魔力还并不完全一样，但可以肯定的是，它们必然是同源的。

我催动着它先在心脉周围运行了一圈，然后向上攻。我的计划是，要让这股能量先和脑部散乱的暗黑魔力汇合，然后再去修补其他经脉，这样会有事半功倍的效果。

时间在我不断的修炼中迅速地流失，很快，一个月的时间过去了。

我成功地打通了连接心脉和脑部的所有经脉，并且打通了左臂的全部经脉，我的头部和左臂已经可以缓慢地移动了。

这天，我将已经汇集的暗黑魔力在打通的经脉中运行了一圈，放松下来，准备休息休息。

突然，我想起内衣中的绿松石，大脑和心脉我已经打通了，如果我把它放在额头上，是不是可以更充分地利用它强大的生命磁场，更有利于我疗伤呢？就算不好也不会坏吧。

想到这里，我伸出左手向放着绿松石的小兜摸去。由于身体还不能动弹，左手竟然无法摸到右边，努力试了几次都没有成功。

我是不能叫护卫们帮我弄的。现在我重伤未愈，谁知道他们会不会见财起意，和他们相处的时间还短，防人之心不可无啊。

又试了一次，还是不成功，我无奈地把手搭在身上。我现在简直就是个废物，连这点事都做不到。

正当我郁闷的时候，突然感觉到手下面硬硬的。原来，我无意中把手放在了麻西鳄马甲左侧下面的小兜上，这里面是什么宝石，我一时想不起来，伸手入兜，掏出了一块儿。

拿到眼前一看，原来是当时数量最多的黑色宝石，紫嫣都不知道是干什么用的。

那肥猪伯爵赔来的东西应该不会很次，说不定有什么功效呢！我将它放在额头上，试图去感受它有什么魔力，但结果却让我大失所望，什么感觉都没有，只是一块有些冰凉的小石头而已。

他妈的，难道当初那家伙骗我，拿这破东西充数来着？

在气愤中，我的头无意动了一下，黑色宝石顿时向下滚来，我无法用手去接，下意识地一晃头张开了嘴，黑色宝石成功地掉进了我的血盆大口中。

我心里暗暗得意，还好我聪明，否则，要是掉到了右侧，我就拿不到了。

正在我自得的时候，一个异常的变化发生了，我惊恐地发现，嘴里的黑色宝石竟然在唾液中融化了。

大惊之下，我连忙伸出左手想把它拿出来，但宝石融化的速度非常快，在我手到嘴边的时候，已经化为一道冰凉的液体顺喉而下。

第三十三章 永恒盟约

　　我咂吧了一下嘴，有一股清甜的味道，真是"屋漏偏逢连夜雨"，我暗暗祈祷，千万不要是毒药。

　　在误打误撞下，我吃掉了一块黑色宝石。当宝石所化液体流入腹中的时候，身体骤然像进入了冰窖一样，全身冰冷，那股冰凉的气流分出一股盘旋在胸口，让我觉得心脉处有股暖融融的能量维护着。我心里暗暗着急，这不是要被冻死吗？

　　渐渐地，我体内的经脉完全被这股冰冷的药力冲得七零八落，全身一阵麻痹，我昏了过去。

　　其实，这种黑色宝石不但不是毒药，反而是一种大补之物，连魔族现在也已经没有出产了。它不但本身有着绚丽的外表，其内更是蕴藏着大量的魔力，学名叫墨晶，也被称为魔石。整个魔族也找不出二十块，魔皇头顶的皇冠上就镶嵌着一块有我刚才吃下那块两倍大小的墨晶。

　　墨晶在魔族来说可以说是国宝，它有两个功效。一个是洗筋易髓，使人体内的经脉更加坚韧。另一个功效就是可以改变体质，可以把不适合学习暗黑魔法的人转为可以学习暗黑魔法；对于本身就是暗黑体质的人来说，也有着巩固魔力保护经脉的作用。

　　当初，魔皇为了让自己心爱的女儿可以修炼成堕落天使，就用去了一小块墨晶为墨月洗筋易髓，再加上他注入的暗黑魔力，才使得墨月能够成功地完成堕落天使变身。

　　不过，除了魔皇，也没有人舍得把这么珍贵的东西吃掉。对于堕落天使来说，洗筋易髓并不是很有用，而一般人即使改变了体质，也没有修炼天魔诀的缘分。

当初，休斯特·非真是因为实在凑不出二十块宝石，才不得不用最珍贵的墨晶来充数，他给我的这每一块墨晶在魔族的世面价值都在百万金币以上。

墨晶的药效现在在我身上正是最合用的。它的药力先把我所有的经脉打通，再重新接续，将我原有的暗黑魔力驱动起来不断地运转。

在我刚修习狂神诀的时候，曾经打通过一回全身经脉，但由于狂神诀的力量太过霸道，使得我体内的经脉僵硬易碎。

这次，凭借墨晶的力量，不但又一次给我进行了洗筋易髓，也使得我的经脉更加扩充、坚韧，对于我以后的修炼道路有着无可估量的作用。

清晨，刺眼的阳光透窗而过，晃得我清醒过来。

胸口突然传来一阵异常难受的烦闷，我"哇"的一声，像喷泉一样连着喷出两口黑血。

黑血落下，将我胸前的衣服弄得肮脏无比。

完了，我要死了。我绝望地等着生命的离去。

可过了足有一盏茶时间，我觉得全身都非常清爽，有着从未有过的舒适。

我眯起眼睛，伸手挠了挠脑袋，想道：我还没死吗？那个不是毒药？

突然，我惊讶地看着自己的手，因为，我用的竟然是右手。大喜之下，我赶快检查自己体内的经脉，发现不但所有经脉完全接上了，而且和以前相比有了很大的变化。如果说以前的经脉是涓涓细流，那现在就是长江大河，稍一运功，暗黑魔力就在体内澎湃地运转起来，心脉的地方有一团暖融融的气流在不断运转，随着我暗黑魔力的波动，正在渐渐地融入其中。

由于墨晶的药力过于霸道，凡是经过人手的墨晶，都会用最好的药材加工，这些特级药材的功效，就是护住心脉，不被那霸道的力量冲坏。

天哪，我的经脉修复了！

我高兴地从躺了一个多月的床上跳了起来，手舞足蹈。

好半天，我才从狂喜中平静下来，虽然我不知道具体是怎么回事，但也明白必定是吃下的黑色宝石起了作用。

太好了，没想到这块宝石如此好用，以后就不用怕受重伤了。其实，以我经脉现在的强韧，想再断裂也不是很容易的事。

我盘腿坐好，催动着体内的暗黑魔力运转起来，运行一个周天后缓缓收功。暗黑魔力并没有比以前增强什么，但却更加深厚了，比我的最佳状态还

狂神

堕落天使

有过之；而相反的，狂神斗气还是非常微弱，并没有恢复。

正在这时，脚步声响起，沃夫走了进来，看到我的样子，大喜道："少爷，您好了吗？"

我微笑摇头，说道："还没有完全好，不过已经大有起色了。这样吧，从今天开始你们不要进来打搅我，我要闭关修炼几天，等功力恢复了，就是咱们离开这里的时候。"

沃夫高兴地说道："太好了，终于可以离开这个鬼地方了。"

我脸色一沉，说道："先不要把我伤势恢复的事情说出去，连自己人也不要说，省得人家从你们的表情中发现什么。你先给我弄点吃的来，要补一点的，吃完后，我就开始闭关。"

…… ……

欣喜中的我，连衣服也没有换就开始了闭关。

我把暗黑魔力散到经脉中，专心致志地凝聚起狂神斗气。刚开始的时候，由于斗气透支过大，凝聚起来非常困难，但是经脉的两次扩张，使我的斗气运行速度比以前增快了许多。

当我完成七七四十九周天之后，狂神斗气不但恢复到了原来的状态，还犹有过之。我一咬牙，按照狂神诀第四层的修炼方法运转起来。

现在的修炼比之前要顺畅得多，基本上没有遇到什么阻碍，经过又一个四十九周天的运行，我顺利地突破了第四层。我知道不能太贪心，如果过于冒进，会有走火入魔的危险。我将狂神斗气沉入丹田，缓缓从入定中清醒过来。

在房间内活动了几下，我感觉到全身都充满了爆炸性的力量。

我从床上拿起墨冥，充满感情地抚摩着它的剑脊。如果没有它，恐怕我现在还跟个废人似的，躺在床上，我叹息道："墨冥，我最好的朋友，谢谢你了。"

墨冥仿佛活过来一样，剑身光芒流转，发出微微震颤。

我推开房门，碧蓝的天空像我的心情一样晴朗。我深深地吸了几口新鲜空气，一阵微弱的鼾声从侧面传来，我扭头看去，发现沃夫正靠在一旁打盹。我受伤的这段时间，一直都是他和熊人护卫在照顾我，这家伙真是累坏了。

我拍了拍他的肩膀，沃夫顿时从睡梦中惊醒，看到是我，惊喜地说道："少爷，您出关了。"

身体的恢复让我心情大好，我微笑着说道："辛苦你了，兄弟。"

沃夫从来没见过我如此亲切的表情，有些受宠若惊地说道："少爷，您别这么说，这都是我应该做的。"

我笑道："行了，别说这些了，你看我这狼狈的样子，给我弄点水来，我要梳洗一下，换身衣服，然后再让那帮什么护卫团的人弄点吃的，肚子都饿扁了。对了，我闭关了几天？"

沃夫说道："何止几天，您已经闭关十一天了。"

"啊！有那么长时间吗？我觉得只是一会儿而已。"

"少爷，我先去给您弄水。"沃夫一脸兴奋地跑了。看得出，这些日子的相处、护卫中，他和猛克都对我有了一定的认可，尤其是他，一直都跟在我身边。对了，猛克那家伙还在撒司领呢，待会儿我要去找狼神，然后派人把他接过来才行。

对于狼神，我现在心中非常踏实，因为，我已经明白了他对我的需求，只要牵着他的鼻子走，不愁他不任我摆布。

洗漱完毕，换了身新衣服，吃了顿饱饭，我顿时感到神清气爽，发扬兽神教统一兽人族的希望又重新在我心中燃起。

我叫过沃夫，问道："我疗伤这段时间，你们的功夫练得怎么样了？"

沃夫有些惭愧地说道："兄弟们都有了一定的进步，只是我差了一点。"

我微笑道："别在意，你的底子很好。这段时间为了我，让你费了不少心。练功不能躁进，否则会反遭其害。这样吧，你的头脑还算聪明，你找些纸笔到我房间来。"

沃夫大喜，知道我要传授给他什么，蹦蹦跳跳地像个孩子似的，迅速跑出去找来了纸笔。

我用了一个小时的工夫把初级火系、风系魔法的修炼方法录于纸上。

我把纸递给他，道："你照着纸上的方法去修炼，这就是人类和魔族的魔法。你的功底主要都在武技上，争取将学会的魔法融合进去，这样对你是一个提高。风系和火系魔法相对比较好练，而且攻击类型也比较多。其他兄弟要是有兴趣的话，你可以让他们一起修炼。"

沃夫接纸的手有些颤抖："这，这就是魔法吗？"

我笑道："这不是魔法，是纸，看着。"

我暗念咒语，一个小火球出现在我手上。

"用斗气防御。"我喊了一声，就把火球朝他丢了过去。

沃夫先是一惊，迅速反应过来，双手连划，发出淡青色的斗气，化解了我发出的火球，炸出满天火星。

"看清楚了吗?这才是魔法。我觉得你比较适合修炼风系魔法,可以试试,但也同样不要放弃斗气。不论是什么功夫,到了最高级的阶段,基本上都是同源的。"

沃夫连声说道:"是,是。"爱不释手地看着纸上的修炼方法。

我摇头一笑,道:"你现在就去试试吧,我已经好了,用不着你保护了。"

沃夫看了我一眼,我冲他点了点头,道:"去吧。"

他深深鞠了一躬:"谢谢少爷。"转身跑了。

这些都是他应该得到的,总不能让他们白跟着我。以后,他们才是兽人族的中坚力量。现在,我该去找那所谓的狼神了。

我伸手取过墨冥,走出了房门。

在我们居住的院子门口,半人马护卫和虎人护卫正在把守,看我过来,连忙恭敬施礼。

他们的眼中都流露出喜色。我是他们的精神支柱,我的复原也就代表着他们有了离开的希望。

"你们不用在这里把守了,那些狼人应该不会伤害咱们,都下去修炼吧。平时多出汗,战时少流血。你们都是我从家里带出来的,我希望你们都能平安地跟我回去。"

"是,少爷。"

支开了他们,我踏出了院门。没走出几步,顿时被狼神护卫团的人拦住了,这是一个小队的战士,由十个狼人士兵组成。

为首的小队长警惕地看着我问道:"快回精舍,不许出去。"

我冷哼道:"你是什么东西,我要你来管吗?我并不是你们的囚犯。"

我的话顿时激怒了他们,十个狼人士兵将我团团围住。

我不屑地看着他们说道:"就凭你们就想留住我吗?你们的银箭统领尚且是我的手下败将,你们自问能强过他?"

小队长不卑不亢地说道:"不论我们有没有能力留下你,我们都要尽全力,这是我们的职责。"

人才!这家伙以后绝对不只是一个小队长的材料。我本身就不是要闹事的,微微一笑,道:"既然如此,我也不难为你们,去找银箭来,告诉他,我要见你们的狼神。"

小队长点了点头,道:"好吧,那你在这里等一下。"

他松了口气,毕竟,我和他们的狼神都可以打得两败俱伤,以他的功夫又怎么能和我对抗呢？没有人是想白白送死的。

我站在原地闭目养神，这里的空气非常舒服，凉爽中带着一股植物的清香，狼神这家伙还真会挑地方。

"你要见狼神？"银箭的声音从远处传来。

我睁目一看，这家伙正飞快地跑过来。那去报讯的小队长被他远远地甩在了身后。

我奇怪地问道："难道你的狼神大人没告诉你，我伤好了以后要和我谈谈重要的事情吗？"

银箭跑到我近前上下打量着我，道："狼神大人是这么吩咐过，但我却没想到你能恢复得这么快，怪不得狼神大人说你有像蟑螂一样顽强的生命力呢。"

我怒道："什么，那家伙敢说我像蟑螂，看我待会儿不找他算账！走，快带我去见他。"

银箭点了点头，在前面带路，刚才的狼人小队赶忙让开。

正走着银箭突然说道："我有个问题想问问你。"

"问吧。"

"当初你在和我比试的时候是不是留了一手？"

我摇了摇头，道："我没留什么一手，当时我确实是全力以赴了。"

银箭转身怒道："你说谎，如果你当初和我对敌的时候就全力以赴，那为什么还可以和狼神大人拼个两败俱伤？我和狼神大人的差距是无法估量的。"

我微微一笑，道："当初和你打的时候，我确实没有留一手，只是隐藏了部分技能而已，而用斗气在全力和你打。你的后面还有狼神，我当然不能一下子把底子全露出来了，自然就把魔法和那些特殊技能保留了起来。"

听了我的解释，银剑脸色稍微好看了些，道："既然你有足够的能力，为什么最后一击还要用那样的手段？"

我苦笑道："老兄，你动脑子想想。我刚才说过了，你后面还有狼神那家伙，如果我在你身上耗费了太多的体力，还怎么对付他？那家伙的变态你又不是不知道，如果我不用特殊技能的话，根本就没有一拼之力。"

银箭怒道："不许你说狼神大人的坏话。"

我举起双手，道："好，好，好，不说他坏话，咱们赶快走吧，难道你想让你们那位至高无上的狼神大人久等吗？"

银箭哼了一声，转身继续向神庙的方向走去。

神庙和当初我见到时一样，还是那么宏伟。我惊奇地说道："你们的效率还挺高，这么快就修好了。"

银箭瞪了我一眼，道："表面是修好了，可是结界却没有了。狼神大人说，等他伤好了，最起码要重新布置三个月才能恢复原状。你在这里等着，我进去通报一声。"

守门的神庙护卫看我的表情是愤怒中带着点惧怕，很有意思。

我刚想逗逗他们，银箭已经跑了出来："进去吧，狼神大人在里面等你。"

我问道："你不进去吗？"

银箭摇了摇头。

看来，狼神是要和我单独谈一谈了。我更认定了心中的想法，大踏步地走进了神庙。

神庙在魔法灯的照射下，一片光明，狼神背对着我站在大厅中央。他依然穿着那件斗篷，只不过没有遮住头而已。

清朗的声音说道："你来了，伤好了吗？"

我皱眉道："我不喜欢看着别人的背影说话。"

狼神身体一震，转过身来，两个狼头都充满了惊讶的神色。

金狼头说道："你的中气十足，难道伤真的完全好了吗？"

我没好气地说道："怎么，你希望我在床上躺一辈子不成？"

银狼头说道："那倒不是，只是我们的伤到现在也只恢复了七成而已。当初见你的时候，你还是全身经脉断裂，一点都动不了，只有一个多月的工夫，你就完全恢复了，这对我们来说，有些不可思议。是那把剑的力量吗？我们曾经研究过你那把黑黝黝的剑，它里面好像蕴藏着一股很大的无可预知的能量，但我们又不知道如何启动它。"

我微微一笑，道："你们猜得很对，正是墨冥救了我，由于和我心灵相通，在我受伤的时候，它可以把自身蕴藏的一些力量传给我，帮我疗伤。"

我当然不会说出墨晶的事，而且，这么说也无可厚非，没有墨冥，我确实就不可能恢复。

金狼头惋惜地说道："可惜它已经认主了，而且是暗黑属性的，唉……"看他的样子，大有想据为己有的打算。

我不想再和他们继续谈论这个话题，正色道："我今天来，就是想和你们好好谈谈。我对你们的事情感到很好奇，同样，你们对我也有一定的欲求，既然这样，我们不妨都把自己的秘密说出来。"

两个狼头饶有兴致地看着我。金狼头道："那好，你先说吧。"

我点头道："这个想法既然是我提出来的，当然应该由我先说。我叫雷翔，是一个人、魔、兽三族混血儿，总的说起来，还是兽人的血统要多一些。"

听了这些，狼神并没有感到意外，因为从我的表现中，他们早就看出了我必然是混血儿的出身。

我继续说道："我的父亲，就是当今兽人的第一勇士。"

狼神的两个头一同失声道："比蒙王。"

"怎么？看样子，我父亲在你们心目中还很有些地位啊！"

狼神尴尬地一笑，金狼头说道："在兽人中，能让我们感到惧怕的，恐怕也只有他了。我们曾经化装和你父亲交过一次手，结果被打得灰头土脸，差点就不能全身而退了。"

他们的话让我心中暗暗一惊，本来我以为，以狼神的实力应该和父亲在伯仲之间才对，可没想到，父亲居然有这么强的实力，怪不得可以和龙骑将相抗衡了。

"我不但是比蒙王的儿子，同时也是兽皇的干儿子。我的任务，就是要协助兽皇统一整个兽人族，并让兽人发展起来，的的确确地成为大陆上三大最强势力之一。"

银狼头说道："你这么说就不对了，兽人国本身就是兽皇的，还谈什么统一？"

还没等我回答，金狼头抢着说道："你好笨啊，兽皇虽然名义上是兽人之王，可他能真正统领几块领地呢？至少咱们他就不能完全指挥吧。"

我点头道："你说得很对，兽皇现在能够控制的也就是他自己的狮族和我父亲的比蒙族，而其他种族经常是阳奉阴违，所以，我就要代表兽皇一一地收拾掉他们。"

银狼头不屑地说道："就凭你和你那十几个手下吗？"

我平淡地说道："不错，就凭我和我的手下。既然我说过要坦诚相对，自然要把我的计划告诉你们，让你们知道，我确实有完成这个任务的可能。我今年还不到十八岁，早在一年多以前，我被兽皇派遣去了龙神帝国。兽皇是非常睿智的，他很想让兽人发扬光大。可是，你们都知道，兽人的智慧是很低的，虽然在人数上我们兽人族并不少于他族，但战斗力就要差上很多。为什么？就是因为我们没有战术高超的统帅和可以突破敌军的高手。我去龙神的目的，就是要用若干年的时间学习到他们的知识，再带回兽人族。就这

样，我去了人类的国度。"

听我说到这里，狼神四目放光，银狼头问道："人族好玩吗？"

我流露出向往的神色，道："那是一个美丽的国家，那里的食物、那里的人、那里的风景，现在想起来还时时让我留恋不已。"

我说的都是实话。尤其是紫嫣姐妹，每到夜深人静的时候，我就会想起她们，也正是再见她们的希望时刻激励着我。

狼神眼中的光芒更盛，银狼头黯然说道："可惜无法离开这里，否则真想过去那边看看。"

我心中暗喜，知道他们已经开始上套了。

"经过一年多的努力，我终于完成了任务，带着许多知识返回了兽人国。我和兽皇商量之后，决定用宗教的方式统一整个兽人国。这样，就可以架空各族族长手中的权力，让兽人国真正回到兽皇手中，然后再加以治理，必然可以让我们的兽人国强大起来。"

金狼头说道："宗教的方式？你那个什么兽神使者的身份是不是就由此而来？"

我点头道："不错，我们要组织的就是兽神教。众所周知，兽神是所有兽人的神，也只有用他的名义才最合理。我们的计划是，以兽神使者的名义去消灭掉所有的盗匪，然后再派遣其他人以同样的身份帮助贫瘠的地区发展耕种、冶炼，让他们从贫困中脱离出来，让兽神教深入人心。等几年以后，兽神教发扬光大之时，兽皇就会宣布，他正是兽神教的教主，是兽神命令他带领兽人族发展的。这样，自然就能达到统一兽人族的目的。"

银狼头气鼓鼓地说道："那你就把我们当成盗匪来清剿了，就凭你们这二十个人吗？恐怕要比蒙军团来才有希望。"

我微微一笑，道："刚开始的时候，知道你们的存在，我确实想要剿灭你们，但当我看到云那繁荣的景象，我改变了主意。你们千万不要问我是如何得知你们躲藏在这里的，这个，我是不会说的。"

金狼头怒道："什么叫躲藏？我们是正大光明地在这里定居。你把这些都告诉我们，不怕我们在其他族面前揭穿你吗？要知道，我们在其他族面前还是有些分量的。"

我说道："好，就算你们正大光明好了，至于你们会不会揭穿我，我还是有把握的。现在轮到你们了，我的故事已经说完了，我想，堂堂的狼神大人不会编谎话来骗我吧。"

狼神一挺胸脯，金狼头说道："有什么好骗的，你不就想知道我们的来历吗？告诉你好了，我们双头狼一族早在远古时代就已经存在了。那时候，珍禽异兽多的是，像隔壁领那条九头虫也是那时候就有的。"

我微笑道："那这么说，你们确实是所谓的狼神了。"

银狼头说道："其实说我们是狼神也并没有什么错，以我们的实力绝对冠绝狼族。"

金狼头说道："后来，我们的种族在当时的神魔大战中几乎死伤殆尽，只余我们这一脉单传。告诉你吧，我们已经有将近一百岁了，说起来，你父亲的辈分还要比我们小呢。"

一百岁？老怪物？

我疑惑地说道："你们都这么大岁数了，那岂不是要寿终正寝了吗？"

两个狼头同时嚷道："呸，呸，呸，你才要死了呢。我们可还是正当年。"

金狼头说道："我们双头狼的寿命是很长的，最多可以活到五百多年，也就是说，按你们的说法，我们现在刚刚二十岁左右。"

我笑道："既然才二十岁，就不要在我面前充大辈儿。接着说吧，你们又是怎么到这里的？以前兽人的历史中可没出现过双头狼。"

金狼头说道："由于我族只剩下我们一脉单传，所以，我们双头狼一直都在僻静、安全的森林里生活。我们的智慧一点都不比人类差，而且，由于有两个脑子，可以二心二用，学习起来非常迅速；但也正是由于二心二用，使得我们无法练到登峰造极的境界。"

我惊讶地问道："那是为什么呢？"

两个狼头同时瞪向对方，并用自己一边的狼手指着对方的脑袋，怒气冲冲地说道："还不是因为他老和我抢身体的控制权。"

我劝道："你们别吵，继续说下去吧。"

金狼头悻悻地看了银狼头一眼，说道："到了我们俩这一代，一开始的时候，我们也能安于平静，踏踏实实地在森林中修炼，过着无忧无虑的生活。直到十几年前的一天，我们修炼完毕，正准备找些吃的时候，突然间，一个陌生的人类闯进了我们生活的范围。在我们见到他的时候，他已经生命垂危了。本来想救他一命，谁知道，他伤得实在太重，没多一会儿就咽气了……"

说到这里，金狼头好像有些不好意思，银狼头接着道："怎么不说了，你不说，我来说。那个人反正已经死了，我们就把他身上的东西都拿了出来，然后把他埋葬了。这有什么不好意思的！"说完，还瞪了金狼头一眼。

我微微一笑，道："你说得对，东西是生不带来死不带去的，还不如留给活着的人用。"

金狼头苦笑道："正是因为那些东西的出现，才促使我们来到了这里。是这样的，当初，我们从他身上拿出的东西中，有一本书，名字叫做'大陆奇闻记事'。由于我们天生聪慧，在父母没有离我们而去的时候，曾经教会了我们辨识文字以便于修炼。我们看了那本书，便深深地陶醉在那本书的内容中，非常向往离开森林的生活。于是，我们终于离开了祖祖辈辈的栖息地，来到了兽人国。刚开始的时候，我们玩得非常高兴，也没有谁会注意到我们。但是，我们遇到了狼人，那名狼人见到我们就异常恭敬地行礼，说我们是狼神。都怪我们一时贪心，想过过狼神的瘾，就跟着那个狼人来到了这里。"

我说道："那不是很好吗？最起码在这里你们是受人尊敬的狼神，看你的样子怎么像很后悔似的。难道后悔从你们那个森林出来吗？"

金狼头说道："从那个森林出来我们并不后悔，后悔的是来到了这里。刚开始的时候，我们对这里的一切都非常新鲜，而且这里所有的狼人都对我们异常恭敬，还特意选择了这个地方建造了狼神庙让我们居住。我们刚来的时候，云那领和其他领地一样，还非常贫困，盗匪横行，为了报答这些狼人对我们的招待，我们就凭借着自己的智慧，帮他们改善这一切。经过几年的努力，果然卓有成效，就是你来的时候看到的样子。同时，为了避免不必要的麻烦，我要求所有狼人封锁消息，不能将云那的现状透露出去。"

我惊讶地说道："既然你们一切都做得这么好，还有什么好后悔的?"

银狼头叹了口气，说道："由于我们帮助狼人改善了他们的生活状态，他们对我们的崇敬就更加深了。我们既然离开了原来的地方，就想多到处看看，追求一些新鲜的事物，可是，每当我们一提出要离开，顿时有一大群白胡子狼人就哭爹喊娘地不让我们走，逼得他们急了，就以死来要挟我们。毕竟在这里呆了十几年，和这里的一切都有了深厚的感情，我们真的狠不下心就这么离开。在这里的生活还不如我们原来在森林里来得自由，所以，我们后悔了。"

我心中暗想，果然和我判断的差不多，这两个家伙既然喜欢追求新鲜，害怕寂寞，那就好对付了。

我点头说道："原来是这样，好了，现在咱们彼此都已经了解了对方，我有一个问题想问问你们。"

狼神点头道："你说吧。"

我低声说道："我的问题就是，你们到底想怎么对付我，是放是杀，给我个答案。"

两个狼头面面相觑，一时说不出话来。

我冷声说道："我没有时间在这里和你们蘑菇，如果想杀我们，恐怕狼族也要付出不小的代价，还要面临被兽皇灭族的危险，你们想清楚了。"

两个狼头互相对视着点了点头。金狼头说道："我们想清楚了，放了你可以，但有一个条件。"

我暗道：来了。"说吧。"

金狼头声音一变，哀求道："带我们一起走吧，我们在这里住得实在是烦死了。"

我心中大乐，表面却皱着眉头说道："那怎么行？带你们走，你们的狼子狼孙还不把我吃了。"

银狼头急忙说道："不会的，不会。你可以用兽神的名义啊，到时候我们再配合你一下，就说兽神有任务交给我们，不就可以了吗？"

我沉吟着，不说话，作考虑状。

金狼头急忙说道："你带我们走可是有好处的。"

我歪着头说道："哦，有什么好处呢？"

金狼头说道："你带我们走的话，我们可以让你兵不血刃地收服云那领，并让所有狼人都加入你那个什么兽神教，怎么样？这样的条件够诱人了吧！"

我心中大喜，我要的就是这些。我表面上不动声色地说道："这个条件确实非常诱人，不过，你们跟我走的话要答应我两个条件。"

为了避免将来的麻烦，我一定要给自己争取到最大的优势。

狼神说道："你说。"

我低声说道："第一，你们跟着我的话，必须要保证一切听从我的安排，不许私自行动。"

银狼头愣道："那岂不是成了你的下人吗？"

我瞪了他一眼，道："不是下人，而是朋友。第二，你们必须帮助我进行整个兽人光复大计。"

金狼头说道："这个简单，光复的过程应该很有意思，我们同意了。"

银狼头突然用手捂住金狼头的嘴说道："先别答应他。那个什么雷翔，你让我们答应你的条件，你又能向我们保证什么呢？"

这家伙还真是狡猾，一点亏都不肯吃。

我微微一笑，道："我的保证就是，跟在我身边，你们的生活一定会非常精彩。够了吗？"

银狼头收回按住金狼头的手，痛快地说道："成交。"

我伸出双手同时和狼神两个头控制的两只手连击三次。就这样，我和我一生中最重要的伙伴——狼神，定下了一生不变的盟约。

第三十三章 永恒盟约

第三十四章 离开云那

我微微一笑，道："既然你们要和我一起走，那咱们什么时候出发？"

银狼头雀跃地道："当然是越快越好了。"

我沉吟了一下，道："既然你们要和我一起出去，我总不能叫你们狼神吧，我应该怎么称呼你们？你们自己有名字吗？"

两个狼头茫然对视，一起摇了摇头，金狼头道："我们双头狼自从一脉单传以来就没有过名字。"

我看了看他们漂亮的绒毛，道："既然这样，那我就给你们起个名字吧，称呼着方便，就叫你们金银，怎么样？以后，我叫金银的时候就是叫你们这个共同体。如果叫金就是和你说话。"说着，我指了指金狼头，"如果叫银呢，就是和你说话。"我又指了指银狼头。

狼神的两个头、四只眼转了又转。银狼头道："虽然有点俗气，但现在也只能这样了，我们接受。"

金狼头痛快地道："叫什么都无所谓，只要有的玩就行了。"金的玩心看上去要比银更重一些。

我点头道："那好，金银，你们就快安排这里的事，然后咱们尽快离开这里。"

对于离开这里，我比他们还要急得多，只是不能表现出来而已。

金大声喊道："银箭，你进来一下。"

银芒一闪，银箭矫捷的身影从外面闪了进来，他非常恭敬地冲金银施礼道："狼神大人，您有什么指示？"

金看了我一眼，厉声道："你立刻去召集所有狼族长老到圣殿来，我们有重要的事情要宣布。这件事情关乎着我们狼族以后的命运，一定要快。"

银箭身体震了一震，抬起头疑惑地看了看狼神金银，又看了看我。

银有些不耐烦地道："还不快去。"

银箭躬身再施一礼，答道："是，大人，我立刻就去。"说完，转身跑了出去。

我低声道："既然你们召集狼族长老来，咱们就要好好商量一下，千万不要露出什么破绽才好。"

金银都沉着地点了点头，显然是对这群狼族长老曾经对他们的"关爱"仍然心有余悸。

金银将我带到后殿他们休息的地方。这里的布置非常华丽，墙壁上都是用各种稀有矿物为颜料做成的壁画，凹凸的质感非常好，地面上铺着不知道是什么制作的长毛地毯。让我最惊讶的就是他们的屋子里几乎有一多半的地方都被一张巨大的床给占据了，这两个家伙不会天天都在睡觉吧。

金得意地道："怎么样，我们的房间漂亮吧。"

银瞪了金一眼，道："别臭美了。雷翔说得对，咱们要好好商量一下，把说辞统一了，能不能脱离这个牢笼就要看待会儿能不能说服那群老家伙了。"

对于说服狼族长老，我也同样感到很紧张，因为只有说服他们，我才能真正成功将云那领收到我们兽神教旗下，而金银正是控制他们的最有利工具。

金银啊，为了能尽快地将兽神教传遍整个兽人国，我不得不利用你们了。

就这样，我和金银三个头聚在一起商量起欺骗广大云那狼人的说辞。

兽人皇城比蒙王府邸。

"喀嚓"，"轰"。

刚刚从前线回来的雷虎将自己房间一侧的墙壁打成了一片碎石，他另一只手攥住管家的脖子，瞪着快要突出来的眼睛，声音从牙缝中挤出来："你再说一遍，谁杀了我娘？"

雷虎凭借着比蒙那强悍的身体，已经从当初我对他的打击中恢复过来。

白狐管家的脸憋得通红，不断用手掰着雷虎的大手，咿呀着说不出话来。

雷虎一挥手将管家掼到一旁，恨声道："你说。"

白狐管家用手抚摩着自己的喉咙，咳嗽连声，眼中充满了恐惧，战战兢兢地道："二少爷，是三少爷杀了夫人。"

雷虎仰天一声怒吼，天雷卸甲的黄色能量充斥着全身，猛地一拳挥出，将白狐管家炸得粉碎，血肉飞溅，弄得整间屋子里到处飘散着血腥的味道。

他一边咆哮着，一边不断地向四周挥拳："雷翔，你这个杂种，你竟然敢杀了我娘，我要将你碎尸万段。"

原本结实的房屋再也经不住他能量的肆虐，轰然倒塌。从比蒙王府外面，都可以清楚地看到王府内腾起一股尘烟。

雷虎从废墟中爬了出来，周围的仆人们早被吓得没了踪影。他找不到发泄的对象，又是一拳轰向院墙。

正在这时，一个巨大的身影挡在他面前，硬生生地接住他暴怒的攻击。"轰"的一声，雷虎的身体被对方强劲的能量炸得又飞回了废墟。

雷奥那雄霸天下的身影出现在他视线内。

"你伤刚好，又发什么疯？你想把我的王府给拆了吗？"

雷虎看到一向惧怕的父亲，气焰收敛了些，吼道："爸，雷翔这个杂种，他，他杀了我娘。您可要替我做主啊。"

雷奥的表情异常冷静，淡淡地道："这件事情我已经知道了。我早就颁下命令，不许任何人再称呼雷翔是'杂种'，难道你当我的话是耳边风吗？"一股不怒自威的气势出现在这位比蒙王的身上，顿时将雷虎的狂怒压了下去。

雷虎怒道："我不管他是谁，他杀了我娘，我就要将他碎尸万段。"

雷奥道："你娘她也是咎由自取，谁让她没事去招惹你弟弟的？死就死了，你给我老实点，本来打了败仗我就很烦，你再惹我，休怪我对你不客气。"

雷虎的怒火再一次被点燃，他巨大的吼声恐怕整个皇城都能听到："难道就这么算了？他可杀了我娘啊，您的夫人。"

雷奥皱眉道："女人有的是，你别再疯了。如果你想找雷翔报仇，就要靠你自己的力量，上次要不是我护着你，恐怕你已经没有在这里叫嚣的机会了。我已经破例将天雷卸甲中高深的功夫传授给你，并许诺让你做我的接班人，可是你呢，成天就知道好勇斗狠，一点都不上进，打不过雷翔只能怪你自己不努力。身为一个战士，一切都要靠自己，你明白吗？不过，我要提醒你，现在不要去招惹雷翔，他是陛下眼中的红人。在刚回来的时候，陛下就已经叫人通知我不许因为任何人任何事去为难他。"

雷虎的手青筋暴露，他眼中仿佛要喷出火来，嘶声道："好，雷翔，你给我等着，总有一天，我会让你尝到死亡的滋味。"

雷奥淡然道："记住我的话，想报仇就要靠自己，多练功吧，你现在肯定不是他的对手。如果我再发现你毁坏府内的东西，我就把你踢出去。"说完，雷奥转身走了。

看来，比蒙王府需要重新修葺一番了。

云那领，狼神圣殿。

我微微一笑，对金银道："好，就这样吧。"

金兴奋地道："我就不信这回那帮老家伙还不就范。"

银提醒他道："你待会儿注意点，千万别露出破绽，机会可只有这一次。要是被他们发现了什么，我们就更难脱身了。"

"报告。"银箭的声音从外面传来。

金银看了我一眼，金道："进来。"

银芒一闪，银箭跪倒在屋子门口："报告狼神大人，族中的长老已经在圣殿集合完毕，等待您的训示。"

银嗯了一声，道："你先过去吧，我们这就到。"

"是。"

金银的目光中有些忐忑，我向他们递出鼓励的眼神："这是不能回避的，能否重获自由就要看你们的了。"这也事关我能否踏出整顿兽人的第一步。

随着金银来到圣殿，这里的景象着实吓了我一跳。

圣殿中央足足站着一百多名狼人。几乎所有狼人都有着花白的胡子，其中三分之二拄着拐杖，怪不得金银犯怵，任谁遇到这么一群蒸不熟煮不烂的家伙也要怕上三分。

苍老的声音传遍整个圣殿："参见狼神大人。"所有狼族长老们一同躬身施礼。

金清了清嗓子，道："各位长老免礼。银箭，给长老们看座。"说着，金银坐到自己的位置上。我挨着他坐在一旁。

再不让这些颤巍巍的长老们坐下，恐怕多数都要倒下了。真不知道他们这么大岁数还霸着权力干什么，回家找个清净的地方养老，不好吗？

这群长老坐定后，几乎所有人都向我投来好奇、警惕和含有敌意的目光，只是碍着金银的面子没人敢发问而已。

金道："这次，我请各位长老前来，是有几件事情要宣布。在宣布之前，我要先感谢你们这十多年对我们的照顾。"

坐在最前面的一个全身银色毛发的老年狼人拄着拐杖站起来，咳嗽了两声，道："狼神大人，我们都是您的子民，侍候您是应该的，也是分内之事。您不是又要重提离开的事吧，没有您的领导，我们狼族将再次回到以前那种暗无天日的生活啊！请您三思。"

果然厉害，还没等金银说具体的事情，他就想封住金银的口。

银用斗气逼音成线，传音给我道："这老家伙是狼族第一长老，在我们来之前是狼族最有权势的人，他也是银箭的爷爷。"

金有些尴尬地笑了笑，道："银隼长老，我今天要宣布的几件事都是对咱们狼族最有利的，请您先坐下。"

真不愧是一家人，他们爷孙一个"阴损"，一个"淫贱"。

银隼有些疑惑地看了看金银，又咳嗽了两声，坐了下来。

在他左侧下手，这群长老中唯一一个看上去还处于中年的银毛狼人道："请狼神大人训示。"

银对我道："这个狼人就是现在狼族的族长，银箭的大哥，银毛。"让我有些不可理解的是，这狼族的领导阶层怎么都是银箭家的！

金威严地扫视着面前的长老们，厉声道："我要宣布的第一件事，就是云那领的所有狼人从今天起，全部加入兽神教。"

他的话顿时如同一个惊雷，将在场的狼族长老吓得一片呆滞。

银隼颤巍巍地又站了起来，恭敬地道："狼神大人，这兽神教……"

金伸手阻止他说下去，厉声道："各位长老应该知道，我们兽人族的最高神祇就是兽神，没有兽神就不可能有兽人的今天，而兽神教正是在兽神的指示下成立的，它的宗旨就是帮助我们兽人成为大陆上最强大的种族。"

长老们顿时窃窃私语起来，显然对他的话有些不以为然。

金看了我一眼，我示意他按照计划继续下去。

金清了清嗓子，继续道："大家安静。我想问你们一个问题。银毛，你是狼族族长，这个问题就由你来回答。"

银毛赶忙站起，躬身道："您请问。"

金的眼中发出两道锐利的目光，紧紧地盯着他，郑重地道："我想问问你，我来到云那以后，是不是对你们有所帮助呢？"

银毛"扑通"一声跪倒在地，万分虔诚地道："狼神大人，您赐予我们的岂止是'帮助'两个字可以形容？如果不是您带领我们发展生产，教导我们各种知识，现在的云那恐怕还是兽人中最落后的种族，只能任人宰割。所以，我们根本不愿意去相信什么兽神，在我们大家心里，只有您才是我们真正的神。"

说到最后，银毛简直是声泪俱下，看得出，他是真的很感激金银。

金银眼中同时闪过一丝欣慰，他们多年的努力并没有白费。

所有在场的狼族长老都跟着银毛跪了下来，银隼道："狼神大人，是不是我们有什么地方做得不对？如果有，您告诉我们，我们一定尽最大努力去改正。"

金微微摇头，从座位上站了起来，和声道："各位长老请起。我并没有别的意思。"

他看了看这群面带疑惑的长老，平淡地道："我之所以问你们这个问题，就是要告诉你们我的真实身份。我本身就是兽神教的人，正是兽神他老人家派遣我来帮助你们。指导你们，所以，你们不应该感激我，而是应该感激兽神大人，没有他就不会有我们的今天，兽神并没有忘记过他的子民。"

我站了起来，道："不错，狼神大人说得对，兽神并没有忘记他的子民，而狼神大人正是兽神教的十二兽神使之一。"

银隼眼中射出两道精光，上下打量着我，道："你明明是人类，凭什么自称为兽神的子民？"

金银走到我身旁，道："我给大家介绍一下，这位，就是兽神教的现任副教主。他并不是什么人类，而是人、兽混血儿。他的身体里有最强悍的比蒙巨兽血液。这次，他来到云那就是为了要视察我的工作完成得是否顺利。"

银毛急道："顺利，当然顺利，副教主大人，您从我们狼人的生活中就应该能看出，狼神大人对我们做出了多大的贡献！"

我心中暗笑，知道他们已经在不知不觉中逐渐接受兽神教。

我微微一笑，道："嗯，狼神完成得确实不错，他用了十几年的时间带领着你们发展起来，但是，他有一件事做得非常错误。"

我说到这里，金银配合着面带"惭愧"地低下了头。

银毛压制着内心的愤怒，不服地道："狼神大人有什么错，您没看到我们云那繁荣的景象吗？"

我淡然道："族长请不要动怒。刚才，狼神已经说了，他是我兽神教的十二兽神使者之一。十二兽神使是我兽神教的核心，他们的任务，就是帮助兽人，让你们强大起来，将整个兽人国凝聚成一股最坚实的力量。狼神的错误就是因为他太敝帚自珍，只在云那发展。你们应该知道其他领的情况吧，虽说不上哀鸿遍野，但也是民不聊生。狼人族作为兽人国大家庭中的一员，已经率先强大起来了，但是，你们能就这么眼睁睁地看着其他兽人兄弟们生活在水深火热之中吗？兽神大人要求我们，必须要带领广大兽人共同繁荣，所以，我希望你们从现在开始能帮助周围贫困的兽人们，让他们也过上和你们一样富裕的生活。"

银隼疑惑地看着我，道："帮助他们？那对我们狼族能有什么好处？"

我叹了一口气，没有回答。

金道："银隼长老，你和我以前的想法一样，帮助其他族类对我们狼人能有什么好处？这也是我做得最错的一点。你们应该都知道，在这次三国会战中，咱们又是惨败而归，这是为什么？就是因为咱们军队的凝聚力和战斗力太差，由于没有资源，饱受魔族的掣肘。你们说说，凭借咱们狼人族一族之力，能和龙神帝国、魔族相抗衡吗？不能。所以，只有让整个兽人国都强大起来，才是咱们的长远之计。整个兽人国就是我们最大的家，如果我们连共同的家园都保不住，还谈什么发展呢？"

下面的各位长老仿佛被金声情并茂的话语打动了。

"狼神大人，那我们应该怎么做呢？把我们囤积的粮食分给其他种族吗？"银隼开口问道。

我微微一笑，道："这个问题我替狼神回答，你们要做的，并不是把粮食分给他们，而是分给他们种子和教导他们耕种的方法。当然，在他们第一次收获之前，你们还是要管他们饭的。但等他们有了收成，你们就可以连带着利息收回来。这样既不会改变云那狼人的生活，还可以彻底帮助其他种族。各位长老以为如何？"

银隼的老脸上第一次流露出满意的笑容："这个方法好，我同意，周围的几个领都有很多人想向我们学习耕种呢，只是以前……这件事情就交给我们办好了，我们一定会让狼神大人的威名传遍兽人族。"

金皱眉道："不，你们要传播的是兽神教，要让所有兽人都知道，我们只有唯一的神，那就是兽神，正是在他的关怀下才能让我们强大起来。所有的种族都要以兽神为最高图腾，所有的兽人都应该是兽神教最忠实的信徒。"

所有长老同时恭敬地道："谨遵狼神大人法旨。誓死效忠兽神！"

我和金银相视一笑，第一个目的已经达到了。接下来，就是怎么让金银脱身了。

我道："各位长老，由于狼神在这里犯下的错误，我必须要带他回到兽神那里去接受处罚。"

狂神

堕落天使

银毛惊道："什么？要处罚狼神大人吗？副教主大人，千万不要啊，没有狼神大人，就没有我们的今天，您可不能带走他啊。"

看着跪在面前的这群老狼，我厉声道："这是兽神大人的规矩，是任何人都不能改变的，做错了就必须要接受处罚，不过……"

银毛忙问："不过什么？"

"不过，只要你们以后能听从兽神的旨意，并将刚才说的事办好，兽神大人一定会从轻发落狼神的。你们做得越好，帮助的兽人越多，狼神的罪就会减轻得越多。"

银隼忙道："会的，我们一定会的。但是，副教主大人，您能不能别带走狼神大人？没有他的指点，我们狼人族将会迷失前进的方向啊。"

金银心中暗恨，每次都是这个老家伙拦阻着不让他们离去，这回再不走，以后就更没有机会了。

一直没有开口的银道："银隼长老，您对我们的关心，我很理解，但是，犯了错误就必须要接受惩罚，作为狼人族的一员，我要勇敢地去面对这些。你们放心吧，我是不会有事的。过一段时间，兽神大人会派其他使者过来帮助你们的。"

我赶忙帮腔道："狼神犯的并不是什么大错，等我带他回去处理完，会尽快让他回来的。"

银毛冲我恭敬地道："那副教主大人您一定要帮我们狼神大人多说些好话啊！我们狼人族所有人都会感激您的。"

金银压抑着心中的狂喜，金道："你们放心吧，我和副教主是很好的朋友，他一定会在兽神大人面前帮我美言的。"

晕，这两个家伙为了离开这里，已经升格我为"很好的朋友"了。

大局已定，狼神又宣布了一系列改革的方法，将狼族今后的发展布置得头头是道。不愧有两个脑袋，这家伙简直比人类还要聪明许多。

他们每宣布一个政策，下面的长老们都会发自内心地赞同。这家伙还真是个人才。

金道："各位长老就麻烦你们了。按照我说的去做，咱们狼人族一定可以发展成为兽人中最强的种族。明天我会和副教主他们悄悄地离开，你们都别来相送。"

说到这里，金的话语中有些莫名的伤感，毕竟他在这里生活了十几个年头，总有些难以割舍的感情。

所有狼族长老整齐地站了起来，在银隼和银毛的带领下齐刷刷地跪倒在地，砰砰作响地磕了三个头："恭送狼神大人。"

金银的眼中闪出泪光，激动地走到银隼面前，双手分别托起他们祖孙："长老，族长，我不在的时候，狼人族就拜托你们了。"

银隼老泪纵横地道："狼神大人，您一定早点回来啊。我们都会想您的。"

金银紧紧地拥抱住银隼，银放声痛哭，金也欷歔不已。

看到这种场面，我第一次怀疑自己是否做错了，是否应该鼓励狼神金银离开自己的家乡。

当然，这个念头只是一闪而过。

送走了长老们，我拍了拍金银的肩膀，道："现在你们后悔还来得及。"

金银猛地回过身来，两个大头同时高呼："啊！解放了！后悔？我们才不会后悔呢，以后经常回来看看不就行了。"

晕，真是玩心大于一切啊。我无奈地道："那你们还不赶快收拾东西。"

金银光芒一闪，在我眼前消失了。

我不禁摇了摇头，跟了过去。等我走到他们的房间，这里已经乱成一片，衣服四处飞扬，整个屋子都弄得乱糟糟的。

一会儿，金要拿这个；一会儿，银要拿那个，不亦乐乎。

我笑道："随便拿点必要的就行了，弄太多了累赘。"

金一边收拾着东西，一边对我道："我们为你做出了这么大的牺牲，你怎么报答我们啊？"

"报答？不用了吧，你们不是同样达到了出去玩的目的吗？要不这样，等以后有机会到魔族，我帮你们找个身材超棒的美女好了。"说到这里，我不禁想起了墨月那动人的身材和艳丽的容貌，心中不由得一荡。

出乎意料地，银怒吼一声："不行，你敢，你要是找个魔族美女来我就撕碎了他。"

我被他说得一愣一愣的。

金则是一脸的无奈："怎么？银，你不喜欢美女吗？"

银突然有些娇羞地低下了头，道："人家，人家不就是美女吗？"

银的话让我啼笑皆非："什么？你们居然是女性。"

金无奈地道："不，只有她才是女性，而我是男性，我们是雌雄同体的。"

雌雄同体！以前可没听说过，我顿时来了兴趣，问道："什么叫雌雄同体啊？"

金道："我们双头狼都是雌雄同体的，金头为雄，银头为雌。到了一定的年龄，我们就可以通过自身交配而生产出下一代。"

我傻傻地道："你们用一个身体怎么交配？"

金银光芒一闪，在没有防备下，我被重重地轰了出去，还好这个房间的墙还算结实。

银愤怒地声音传来："你竟然问人家这种问题！"

金道："不是我，是她。"

我揉着被踢疼的胸口站了起来，冲银道："对不起，对不起，是我失礼了，我只是太惊讶了才这么问的，真是不好意思。"

银的脸色这才缓和下来，撅嘴道："以后不要问人家这种问题了。"

"是，银小姐。那你们要多大岁数才能有宝宝呢？"

"你还问！"金银光芒再闪。

虽然这回我有了准备，但没有变身的我和他们的功力相差甚远，又一次被打了出去。

金的声音传来："这个问题我也不太清楚，总要二百多岁的时候吧，估计你是见不到了。银，你别这么大脾气，咱们还指望他带咱们出去玩呢。"

银愤怒地道："你是不是男人？他这么欺负我你也不帮我，哼。"

金无奈地道："他只是问问而已，也没把你怎么样嘛。"

银大怒："什么叫没把我怎么样，你还想让他把我怎么样是不是？不理你了。"

我皱着眉头走了过来，看他们的样子还真有趣，金是不知如何是好，而银则把头扭到一边，做气愤状。

他们这雌雄同体倒是真不错，不论怎么争吵都无法离开对方。

"好了，好了，别吵了，快点收拾东西吧，你们不想早点离开吗？"

第三十五章 再见猛克

第二天一早，我带着金银和十九名手下离开了沃尔山脉，向着撒司领的方向赶去，我们要到那里先和猛克会合。

由于银箭带领着一队圣殿护卫亲自护送，一路上我们都没遇到什么麻烦。

金银怕自己的样子惊世骇俗，特意又穿上了他的大斗篷。

我并没有告诉我的护卫们他是谁，只是说他以后将成为我们中的一员。金银那狼神的身份还是保密些好。

众护卫对我能兵不血刃地收服云那领都佩服得不得了，每个人都对我更恭敬了。

自从离开狼神圣殿，金银这家伙就兴奋得不得了，常常会跑到我身边说些"今天的天真蓝……你看你看，天上的云好美啊"等不知所云的白痴话。

当太阳升到天空正中的时候，我们终于来到当初撒司领和猛克分手的山坡上。

金银叮嘱了银箭两句，就让他带着人回去了。

银箭在临走的时候，还不断叮嘱，让我一定要好好照顾他的狼神大人。

我吹起一声清亮的口哨，在斗气的灌注下，哨音传出很远。

猛克这家伙也不知道跑到哪里去了，我只能用这个方法招呼黑龙。

一声长长的嘶叫传来，是黑龙的声音，但它的声音中饱含着恐惧。

我顿时脸色一变，看了一眼金银，道："咱们快去，黑龙和猛克遇到危险了。"说完，我率先冲了出去。

众护卫紧随其后。

金银不紧不慢地跟在我身旁，金问道："黑龙是什么？你还有条龙吗？"

我一边迅速前冲，一边答道："不是龙，它是我的坐骑，是一匹马。"

银不屑地道："明明是兽人，还学人家人类骑什么马，哼。"

自从那天得罪了她，她就一直没给过我好脸色。对付她这样的脾气，沉默是最好的办法。

我又吹出一声口哨，黑龙的嘶叫声近了很多，我认准方向，飞奔而去。

终于，我看到了黑龙熟悉的身影，它正奋力地上蹿下跳和周围的几个蛇人在搏斗，而猛克在它不远的地方挥舞着他那两柄大斧子，几十名鳞片鲜艳的高级蛇人围着他不断地进攻，周围有几具不完整的蛇人尸体。

不是不让他和蛇人冲突吗，怎么还是打起来了？还招来了这么多强敌，如果不是我恰好赶到，恐怕他和黑龙就有危险了。

"住手。"我发出一声断喝。

猛克看到我顿时来了精神，一扫先前的颓势，奋力舞动着两柄大斧，将周围的蛇人逼开，高声叫道："少爷。"

那些蛇人像没有听到我说话似的，反而加紧了进攻。

黑龙突然发出一声悲鸣，臀部被一个蛇人的爪子抓破了一块，我见状大怒，吼道："给我杀，一个不留。"

"是。"在狼神圣殿受了这么多天的窝囊气，我的这些护卫们，每个心里都憋着一股劲，正没地方发泄呢。

沃夫一抖长枪，率先向猛克的方向冲去。

我扭头对金银道："你别出手，我们来就行了。"

银的声音从斗篷中传出："不出手怎么行，好有意思哦，很久没有杀人了，我去了。"

她不等我再阻止，轻轻一晃，绕过我的身体闪了出去。

我赶紧逼音成线告诉他们，一定要让自己的身份保密。

狼神的表现还算不错，金没有出手，斗篷外围完全弥漫着银色的斗气。金银的身体冲向蛇人群当中，像秋风扫落叶一样将围住黑龙的四个蛇人打得东倒西歪。

他和我不一样，如果是我，一个照面恐怕就下杀手了，而她却像猫捉耗子一样，先要玩个够才肯杀死猎物，就像当初对付我一样。

这应该就是所谓的虐杀了吧。四个蛇人被她强劲的斗气刮得东倒西歪，毫无还手之力。

银这个家伙还号称自己是美女呢，简直是变态。

我闪到黑龙身边，发现它臀部有三道长约五寸、深半寸的伤口，显然是刚才被抓到的，伤口不断留出紫色的血。黑龙的瞳孔已经有些扩散，不住地冲我低声悲鸣着。

"黑龙，坚持住，你一定不会有事的。"由于毒素已经内侵，我无法像上回帮沃夫去毒那样割除腐坏的部分，只能用斗气封住它的血脉，减缓毒液攻心的速度。

猛克那边的战斗有如狼似虎的沃夫他们加入，已经变成了一场屠杀。他们在战斗中可是不会手下留情的。当我为黑龙封血脉的时候，他们那边的战斗已经结束了。

沃夫搀扶着气喘吁吁的猛克跑了过来。

猛克的脸色有些发白，身上的武士服已经被汗水浸透了，显然是经过了长时间的搏斗。

"少……少爷，您可回来了，您再不回来，就……见不到我了。"

我冲他歉然道："对不起，猛克，我们因为一些事耽搁了，你先到一旁休息。"

我现在没时间问他这段日子的情况，黑龙已经卧倒在地，快要不行了。

我冲金银喊道："赶快结束吧，帮我看看我的马，它快要不行了。"

听到我的话，他们原本银色斗气包围的身体骤然变成了金银两色斗气，周围的四名蛇人被弹得朝一个方向飞去，不用看，我也知道，他们肯定活不了了。

金银跑了过来，金道："怎么了？怎么了？"

银埋怨道："人家还没有玩够呢，叫我们过来干什么？"

我无暇理会她的不满，冲金道："你有没有办法清除它体内的毒素。你看，黑龙快不行了。"

金把带着斗篷的大头凑到黑龙的伤口处，闻了闻，冲我道："它中的是蛇毒中最毒的一种环毒，不过还好，不是用牙齿咬的，否则，它坚持不到现在就已经死了。"

我喜道："这么说还有救了。"

金点了点头，道："看好它，用你的斗气护住它的心脉。"

我赶忙从怀里掏出绿松石，用手将它按在黑龙的心脏部位，不断地逼出狂神斗气，将黑龙的整个胸腔完全护住。

金银几个起落，跳到了刚才他们杀的几个蛇人身旁，不知道去干什么了。

一会儿工夫，金手里提着一颗血淋淋的东西跳了回来，他拿回来的是一颗约有鸡蛋大小的墨绿色珠子，上面沾满了鲜血。

我皱眉道："这是什么东西？"

金得意洋洋地道："不懂了吧，告诉你，这是刚才抓了你这匹马的那个蛇人身上的胆，只有这东西才能解掉黑龙身上的毒。这种高级蛇人最厉害的地方就是每个人身上的毒性都有所不同，必须要用他们的胆才能解。抓黑龙的那个蛇人可能是这群人中的首领，如果他要是用咬，恐怕咱们俩都受不住。快，把这个给黑龙吃了，保证药到病除。"

一听能治好黑龙，我赶忙夺过那枚苦胆，一下投进黑龙的大嘴中，并运气让它吞了下去，不断地用斗气催动着药力。

果然，像金银说的那样，黑龙的伤口不断流出黑色的液体，其味道难闻至极。还好我功力比较深，一段时间不呼吸也没有什么。

其他人早都躲得远远的，金银更是带着沃夫向着那群尸体走去，只和我说了一声——收拾战场。

当黑龙臀部逐渐流出鲜红的血液时，我松了口气，逐渐收回斗气，封住它臀部的血脉，用金疮药帮它包扎好，抹了抹头上的汗，一屁股坐在地上。

黑龙的瞳孔重新凝聚，虽然看上去仍然很虚弱，但我知道，它已经没有生命危险了。

我拍拍它的大头："兄弟，你可不能有事啊。你是我最亲密的战友，别忘了，我还要和你一辈子生死与共呢。"

黑龙听了我的话轻嘶两声，仿佛在安慰着我。

正在这时，金银兴奋地跑了过来，而我的众位护卫也都兴高采烈地跟着他们。

金银手中捧着一大堆血淋淋的东西，银高兴地冲我道："雷翔，快，你挑一个，还新鲜着呢。"

我疑惑地看着他们："金银，你们不会把所有蛇人身上的胆都摘下来了吧。"

金银警惕地看了看四周，金道："你小点声，这要让蛇人们听到，非起全族之力和咱们拼命不可。这东西，可是大补哦，不吃白不吃。"

我怒道："同样是兽人，就算相互交恶，杀了他们也就算了，为什么还毁坏他们的尸体？在离开狼神庙的时候，你是怎么答应我的？"

金委屈地道："反正他们已经死了，腐烂了多可惜。"

银道："我们好心好意地拿来给你分享，你就这个态度啊，不吃算了，我们自己吃。"说着，拿起一个蛇胆扔进嘴里。

我叹了口气，道："咱们的目的，是让整个兽人团结起来，这就需要咱们自身先有一个表率作用。这样吃其他族类的身体，那和兽人盗匪有什么区别？让别人知道了，会怎么看咱们兽神教？为了一己私欲而影响整个大业，你们觉得值得吗？要是这样，你们还是回去吧。"

面对这两个强横的家伙，我实在无法用武力逼迫他们，只能动之以情。

金道："对不起啦，下不为例，要不我扔掉好了。"

我没好气地瞪了他一眼，同样警惕地看了看四周，低声道："下不为例哦！快，分给大家吃了，然后赶快离开这里。"

金顿时大喜，挑出一个最大的蛇胆扔给我，然后自己吃了两个，又给银吃了一个，把剩下的全都给了我的手下们。

我拿起这颗看上去晶莹透亮的蛇胆，刚要吃下去，金突然传音给我道："千万别咬破了，整个吞下去。"说完，还撩起头上斗篷，向我做了个坏坏的表情。

由于他面对着我，所以护卫们是看不到他模样的。

我先是一愣，按照他说的把蛇胆吞了下去，一股清凉的感觉顺喉而下。当它下肚子的时候，化成一股暖流逐渐充斥着我的全身，全身都好舒服，暖洋洋的，刚才为黑龙疗伤时耗费的斗气顿时全都补充回来。

"苦死了，难吃死了。"猛克的声音突然传了过来。

我转头看去，发现所有的护卫们都苦着脸想把吃下的东西吐出来，赶忙喝道："不许吐，对你们身体有利的。"

金银看着他们一个个痛苦的样子，哈哈大笑起来。

我赶忙拉住他，低声道："你想让他们都知道你的身份吗？小点声。那个蛇胆，为什么他们会吃到苦的？"

金银强忍着笑意，银道："不知道了吧，不论是什么东西的胆都是奇苦无比的，尤其是蛇胆，你整个吞下去当然没什么事啦。你看他们，各个都胆汁满嘴，还能好受得了！哈哈，逗死我了，我先到一旁笑一下，待会儿回来。"

说着，金银一把抱起黑龙跑到一旁的山坡后，笑声仍然隐隐传来。

其实，我的担心根本是多余的，猛克他们都在不断地对抗着嘴里的苦汁，谁有心情去辨别笑声是一个还是两个！

良久，大家才将嘴中的苦味逐渐消除了，我叫过猛克，问道："我不是让你不要随便动武吗？你怎么还是和蛇人打起来了？"

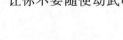

猛克苦着脸道："少爷，不是我想打，是他们招惹我们啊。本来这几个月一直都相安无事，我用身上的钱向蛇族人购买食物。可前几天，突然来了一群蛇人，非要带走黑龙，说是给他们什么九头圣做点心。我当然不允了，几句话就惹翻了他们。您也知道，蛇人族一动手就要命，为了保住我自己的小命，只得杀了他们几个人，带着黑龙冲了出来。不知道他们是怎么找到我们的，今天一早，这群高级蛇人就在这里围住我们，动起手来。为了不被他们碰到，我一直把斧子舞得滴水不漏，要不是您赶来，恐怕老猛我就要变成蛇餐了。"

他并没有做错什么，我拍拍他的肩膀，道："没有受伤吧。"

猛克有些受宠若惊地道："没有，没有，只是有点累而已，不过刚才吃了两个蛇胆，虽然很难吃，但现在好像又有了力气似的。"

我微笑道："我教了沃夫一些功夫，有空的时候，你让他转授给你吧。你带着大家一定要把刚才的战场打扫干净了，一丝痕迹也不要留下，明白吗？"

猛克听到有功夫学，高兴得跳起来，嘴里连说明白，跑向了沃夫。

看他雀跃的样子，我不禁摇了摇头。

转过山坡，我看到金银正在黑龙身上东摸摸，西看看，一副好奇的样子。

黑龙根本没有力气反抗，只能任由他们了。

"你们在干什么？"我走过去问道。

金抬头道："你这匹马还挺壮实的，我们帮你看看。"

我一把拉起他，道："省了，黑龙身上可没什么值得你们吃的东西。"

我蹲下身检查黑龙的身体，除了有些虚弱外，一切正常。

银道："我们只是好奇而已，你用得着像防贼似的吗？接下去要到哪里？"

我站起身形，道："黑龙是我的朋友，我只是不希望你们伤害它。接下去？我想先围绕着云那领，把周围几个领地的盗匪都清除掉，再通过你们云那逐渐传授给他们耕种的知识，提供种子，这样，就会逐渐形成以云那为中心的发展趋势。你们说呢？"

金赞许地点了点头，道："这是个好办法，就这样吧，不过，我建议先收拾了撒司这边。蛇人的存在对今后肯定会有阻碍作用的，毕竟他们的毒太具威胁性了。"

我疑惑地道："那你的意思是？"

金想了想，道："只有两个办法，一个就是杀光他们，另一个就是彻底收服他们。"

我摇了摇头，道："杀了他们？难道要灭绝整个蛇人族吗？这肯定是不行的，撒司领和整个兽人国最起码有几十万上百万蛇人，怎么杀得光？如果动用军队，闹得天怒人怨，其他种族岌岌可危就不好了。至于收服就更不可能了，以蛇人的强悍，他们会乖乖地听我们的？"

金嘿嘿一笑，道："办法也不是没有，不过就看你有没有胆量了。"

我哼了一声，道："你不用激我，说出你的办法吧。"

金低声道："你当初是怎么对付我们的，还用同样的办法对付他们也就是了！你应该知道，九头虫在撒司的地位是和我们在云那的地位一样的。"

我愕然道："不是说九头虫是蛇族族长养的吗？怎么会和你们的地位一样。"

银不屑地一笑，道："你从哪儿得来的消息？那都是为了迷惑外人的。九头虫在撒司的地位甚至还要高过我们在云那，他那群蛇子蛇孙们根本就不敢违抗，只要你收服了他，撒司自然就会归属到你的旗下。"

我警惕地看着他们，道："你们是不是和九头虫有仇，为什么要鼓动我去对付它？"

金银尴尬地一笑，金道："仇是有那么一点啦，反正你早晚要去收拾它的，赶早不赶晚嘛，顺便也帮我们报报仇。咱们加起来的力量，收拾它绝对没问题。"

"难道它也和你们一样有那么强的玩心吗？否则，我用什么去打动它？如果只是杀了它，撒司领可不会驯服，反而会有反作用的。"

银道："它对外面的世界也是很好奇的，不过那家伙非常懒惰，而且很好吃，所以才会一直留在蛇族那里。它才不会帮助蛇人发展，哪儿像我们这么大公无私？它和我们一样，都是上古流传下来的物种，实话告诉你吧，我们和它交过手，几乎都是平局，偶尔我们会吃点亏而已。"

听银这么说，我就知道他们打不过九头蛇，否则，以他们的脾气，早收拾掉它了。

我皱眉道："你让我拿什么喂它，让它吃了我吗？我可不能天天用新鲜的兽人来喂它。"

金银靠了过来，金道："如果我猜得不错，你身上应该有能量丰富的矿物吧。那些东西虽然对我们没用，可对九头虫的作用非常大，它每天都需要大量的能量，所以才会不断地吃东西。把你的那些东西随便来一颗都够它吸食上一年的了。有这个还怕它不就范吗?"

我向后缩了缩身体,道:"原来是惦记上我的东西了。九头蛇真有你们说的那么好对付吗?你们怎么知道我身上有珍贵矿物?"我怎么老有一种上当的感觉。

金银连连点头,银道:"放心吧,咱们加起来收拾它没问题的,只要打败了它,再动之以利,那就……至于那些矿物,它们都有一定的放射能量,以我们灵敏的感觉,当然知道了。"

我不得不承认,他们的提议很吸引我,如果再得到撒司全领的支持,我收服兽人的目标将会非常容易实现。

想到这里,我厉声道:"你们可不要骗我,否则的话,你们会后悔的。没有我的带领,以你们的样子根本就不可能到龙神帝国去。"

金忙道:"当然,当然,你可是我们的衣食父母,我们怎么会骗你呢。一想起九头虫那嚣张的样子我就气得不得了。只要你收服了它,让我们威风一回我们就满意了。"

我感觉得出,狼神虽然会经常做些奇怪的事,但他们本性并不坏。

我点点头,道:"那咱们现在就出发吧,去九头蛇那里,你们一定很轻车熟路吧?"

金点了点头,道:"我们带路就好了。对了,你那些属下可不能去,人多了反而麻烦。"

"这个我知道,就让他们在这里等好了,你估计咱们要多长时间能回来?"

金银想了想,银道:"如果顺利的话,有两天就差不多了吧。"

…… ……

"沃夫,猛克,这里就交给你们了,我会快去快回的。如果再有蛇人来骚扰,你们就逃到云那的地界去,尽量不要和他们冲突。"

金银扔给我一块牌子,道:"把它给你的属下吧。有了这个,云那没有人会为难他们。"

我低头一看,是一块褐铁令牌,成六角形状,背面刻满了狼族的文字,正面则镶嵌着两颗和金银很相似的狼头,狼头的四颗眼睛都是用宝石做成的。

在兽人这个宝石匮乏的国度,这块令牌可以称为宝物了。

我顺手扔给沃夫,道:"收好了。不到必要时刻不要拿出来。"

"是,少爷。您真的不让我们跟去吗?"

我点头道："你们就在这里等我吧，如果我不行，你们去了也没用。放心吧，这么多事都经历过来了，我不会有事的。对了，猛克，你放出信鸽，向家里汇报一下，就说云那全境已经成功收服，请他快派人过来帮助云那和这里周边的领地发展生产。但不要派十二兽神使的人了，我已经为云那挑选好了他们的兽神使者。同时，你也问问那边进行得如何了，等我回来向我汇报。如果此行顺利的话，咱们要先回一趟家，毕竟拓展得太快了，我要回去和教主商量一下如何安排后面的事。"

听到可以回家，猛克眼中并没有我预想的高兴："是，少爷，我立刻就去办。"

"怎么，不想回去吗？"

猛克摇了摇头，道："跟着您的这些日子让我知道了什么是真正的生活，不光是我，兄弟们都不愿意回去呢。"

我微微一笑，道："放心吧，即使回去也不会待太长时间的，咱们还有很多任务要去完成，不是吗？好了，我走了，黑龙你帮我好好照顾，它还有些虚弱，再过两天应该就没事了。"

我带上狮人面具，扯着金银向撒司的方向飞奔而去。

一边赶路，我一边问金银道："九头虫的功夫怎么样？"

金道："还凑合吧，和我们差不多，不过那家伙的怪招层出不穷，比较麻烦。"

我心中暗笑，金银真是死鸭子嘴硬，明明是打不过人家，还偏要逞强，道："他有九个头，不会像你们似的也有九个脑子吧，要是一个头一个意见，那还不吵死了。"

金摇了摇头，道："那倒不会，那家伙只有一个脑子，他的主头可以控制其他八个头。他的主头是可以移动的，一般情况下，根本找不到哪个才是，很难对他造成根本性的伤害。他中央的五个头最厉害，分别会四种魔法攻击和毒物攻击，外围的四个则都是物理攻击，你一看到他就会明白的。"

我不禁暗暗叫苦，九个头都可以攻击，要怎么对付？金银只有两个头就弄得我狼狈不堪了。

"那如何才能打败他呢？"我有点畏惧地问道。

银道："只有在力量上整体压制才行，据我们估计，我们俩变成本体，你用那个堕落天使变身，应该就差不多了。实在不行的话，你再变成那个红色的。"

她说得倒轻巧，血红天使是那么容易变的吗？看来，我的判断很正确，金银确实和九头虫还有一定的差距。

"你们的伤怎么样？"我问。

金道："刚刚吃了几个蛇胆，已经好得差不多了，只要到时候你出全力，对付那家伙应该没问题的。"

习惯了云那的繁荣，看到周围撒司领地的贫瘠，还真让我有些不适应。

赶了半天路，我们来到了撒司的一座小村庄，周围的土地别说耕种了，连一丝开垦的痕迹都没有，阵阵秋风吹过，说不出的萧瑟。

这里的蛇人都是比较低级的，见我们到来也没人奇怪，只要出得起钱，别触及他们的利益，也没有人来管我们。

找到一家饭馆，我和金银走了进去。

饭馆里非常清净，一个客人也没有。

金喊道："有人没有啊？"

从柜台旁边的一个小门里走出一个年轻蛇人。他穿的衣服很脏，上面全是油污，肩膀上搭着一条灰黄色的毛巾，满脸倦意地向我们走来，不满地嘟囔道："叫什么叫，跟叫魂似的。"

一看他的样子我就烦了，全身不由得散发出冷厉的气势。

金伸出手拍了拍我，传音道："沉住气嘛，你也算个中等高手了，怎么还这么容易激动？"

我强压怒火，哼了一声。

可能被我的气势所吓，那个伙计清醒了很多，看了我一眼，问道："你们要吃点什么？"

金银抢着道："把菜单上的都给我们来一份。"

那蛇人伙计眼睛顿时亮了起来，知道来了大主顾，顿时殷勤不少，用肩膀上的毛巾给我们擦了擦桌子，招呼道："你们先坐一下，我马上就把菜弄好。"说完，转身跑向后面。

我瞪着金银道："这里不会就他一个人吧。"

金讪讪道："是啊，就他一个人，自己当老板、厨子、伙计，三合一，这样多节省开销。以前我们来撒司的时候曾经在这里吃过一回，还不错哦，尝尝你就知道了。"

我抱着试试看的态度等候着所谓的蛇人美食。

第三十六章 战争赔款

正在这时，进来了七八个兽人，包括三个豹人、两个熊人、三个狐人，衣着虽然不华丽，但却很干净整齐，他们自顾自地找了张桌子坐下。

看他们的样子，都有点功夫，但又不像是盗匪。

一个熊人和金刚才一样，喊道："有活着的没有？"

蛇人伙计端着两盘菜走了上来，"当啷"一声，放在我们桌子上，转身走到新来客人桌边，不耐烦地问道："你们吃点什么？"

熊人道："给我们拿些解饥的东西就行了，要快。我们赶时间的。"

蛇人伙计一听就知道是穷鬼上门，白了他一眼，撂下一句："等着。"就又转身走进了后厨。

我也有些饿了，夹起一块看不出是什么东西的菜肴丢进嘴里，当那东西和我舌头接触的刹那，我立刻就吐了出来，连声咳嗽不止，逗得金银哈哈大笑。

金道："着什么急啊！慢点吃。"

好不容易我才控制住自己，重新坐好，喘着气道："这是什么东西啊，难吃死了，狂咸不说，还辣得要死。"

金道："怎么会啊，我吃着很好啊。"说着，接连吃了几块，真不知他是怎么咽下去的。他还示意我尝尝另一盘菜。

为了我的胃，我拒绝了。管那伙计要了碗白开水，从包裹里掏出沃夫他们让给我的干粮吃了起来。

虽然同样味道不怎么样，但总还可以下咽。

我们的桌子上不断地上着一盘接一盘的菜肴，看上去全是黑糊糊的，金银吃得不亦乐乎，真拿他们没办法，不知道他们到了龙神尝到那里的美味会有什么感想。

当金银将桌子上的菜肴清理到一半的时候，后来的那些人不干了。

一个熊人怒吼道："伙计，过来。"

蛇人伙计不紧不慢地给我们端上了最后一盘菜，晃晃悠悠地走了过去，一翻他几乎没有黑眼珠的鼓眼，舌头不自觉地舔了舔嘴，不屑地道："干什么？"

愤怒的熊人"砰"的一声重重地拍了一下桌子，震得那看上去并不结实的木质结构喀喀作响："为什么我们来了这么久还一个菜都没有上来？"

蛇人伙计又翻了翻眼珠，双手抱在胸前冷冷地道："你们的？再等会儿吧，不知道什么叫先来后到吗？人家是先来的，自然先吃，你们一共就叫那点东西，着什么急？"

熊人拍案而起，那木桌子再也经不起他的巨灵之掌，"喀嚓"一声，变成了一地碎块："你他妈的狗眼看人低，我弄死你个王八蛋。"眼看着就要动手。

左侧的一个狐人赶忙拦住鲁莽的熊人，低声道："别发火，算了。"扭头对蛇人伙计道："快点把我们要的东西上来，这张桌子我们赔。"

蛇人伙计在看到熊人打塌桌子的时候就要发作，见状毫不领情"呸"的一声，吐出一口浓痰，骂道："哇操，跑我们撒司领来威风，我让你们来得去不得。"说完，吹出一声长长的口哨。

那拦着熊人的狐人脸色一变，道："兄弟，不用这样吧，我们也是在外面闯荡的，大家都是为了维持生计，何苦动粗呢？"

蛇人伙计冷哼一声："我管你们是干什么的，只要到我们撒司领来闹事，我们蛇人就不会让你好过。正好我们九头圣缺食物，就用你们几个孝敬他老人家吧。"

听到这里，我知道麻烦了，这群外地来的兽人悬了。

金银好像没听到他们交谈似的，仍在那里自顾自地吃着。

我们来这里是有任务的，我自然也不会去找那些无谓的麻烦，一低头，吃着自己的干粮，全当不知道发生了什么事。

大群蛇人拥入了餐馆，将那些外来人团团围住，蛇人伙计喊道："弟兄们，这些外来人侮辱了我，也侮辱了咱们神圣的蛇神大人，你们说，该怎么办？"

我偷眼看去，这些蛇人全都是周围的平民，一个高级点的都没有，人数倒是不少，足有三四十个。不过我知道，这些外来人也不是吃素的。

后面的一个豹人显然是他们的首领，低声道："速战速决，快走。"

熊人发出一声怒吼，猛扑向饭馆的蛇人伙计，他恨透了这个家伙。

外来的八个兽人和这群蛇人顿时打在了一起，乒乒乓乓地打得整个饭馆热闹非常。

我传音给金道："你们快点吃，赶快走吧，不要在这里惹事。"

银道："这么有意思的事情我们不插一脚不可惜吗？"

我皱眉道："在山上的时候你们怎么答应我的，咱们还有更重要的事要做，以后有你们闹的机会。"

银无奈地道："那好吧，不过对付九头虫的时候你可要尽力啊！我们已经吃好了。"

金、银分别抓了几块东西丢进嘴里。我扔了几个金币在桌子上，率先离开了饭馆。

我们刚刚离开，饭馆的战斗也结束了，那群外来人非常强悍，杀掉了十几个蛇人后，自己也扔下两具尸体冲了出来，大群蛇人在他们的后面追赶着。这些人正朝我们的方向冲来。

我拉着金银向路边靠了靠，让六个外地兽人冲了过去。

蛇人紧随其后，他们都是不用兵器的，尖锐有毒的爪牙是他们最好的武器。

一个蛇人在经过我们的时候，疑惑地瞪了我们两眼。

金道："看什么看，他们都快跑没影了，还不快追！"

那蛇人突然向他的同伴喊道："这里还有两个外来人，可能和刚才那些是同伙，杀了他们。"他的话顿时引了十几个蛇人过来。

金无奈地冲我道："不是我们想要惹事，是人家偏偏不想活了，我有什么办法？"

对于蛇人的蛮横我也是心中大怒，如果不是为了能笼络撒司领我早就动手了。

我冲着围上来的蛇人冷哼道："给你们个机会，立刻在我眼前消失，否则，别怪我不客气了。告诉你们，我们两个是九头圣的朋友。"

刚要动手的蛇人们一听到九头圣的名头，顿时停了下来，其中一个疑惑地问道："你们有什么能证明是九头圣的朋友？"

金嘿嘿一笑，道："当然能证明了。我们现在就要去找九头圣，要不你们跟我们去好了，我们是来给他送礼的。"

听到我们要去送礼，众蛇人不禁信了几分，其中一个问道："那你们和刚才那几个人是一伙的吗？"

金道："当然不是了，要不我们还不帮他们吗？你们还是快去追刚才那些对九头圣不敬的外人吧，咱们都是自己人。"

金的回答我很是满意，脸色也缓和了下来。我厉声道："如果你们耽误了我们见九头圣大人，有什么后果，可要你们自己担待。"

"嗖"的一声，从后面蹿上来一个红色鳞片夹杂黑色斑纹的蛇人，看他的年纪应该不小了，在蛇人中也算得上强壮。他一过来就怒喝道："怎么还不去追敌人，在这里蘑菇什么呢？"

"报告村长，这两个外地人说是九头圣大人的朋友，还说要给大人送礼，我们正在盘问他们。"

蛇人村长上下打量了我们几眼，警惕地问道："你们要给大人送什么礼？"

我冷声道："这个你就没必要知道了吧，东西要亲自交到九头圣的手里，如果出了差错你负责吗？"

蛇人村长被我噎了一句，脸现怒色，但有九头圣压着，他也没敢发作："这里距离族长大人已经很近了，既然你们是给九头圣大人送东西的，那我们就护送你们去吧。"

我心中一惊，现在的兽人智慧怎么都提高了？这个蛇人村长还真有些头脑，不过，凭他们几个还对我们够不成什么威胁。

我哼了一声，道："随便你们，不过我们现在就要上路了。如果你们跟得上就尽管跟好了。"

说完，我双脚一错，飘身而出。

金银哈哈一笑，跟在我身边。我们的速度岂是蛇人可以企及的，只是眨几下眼的工夫，我们就已经消失在他们视线外。

银道："雷，你的忍耐力很强啊。"

我横了她一眼，道："这算什么，他们也并没有威胁到我们，杀之无益。咦，今天咱们是第三次遇到他们了吧，还真是有缘。"

在不远的前方，我们再一次遇到了刚才剩余的那六名兽人。他们正被十几个蛇人缠住，苦斗不休。

这十几个蛇人中有三个高级蛇人，那六名外地兽人正背靠背勉力抵抗着，看样子，他们坚持不了多久了。

银道："一天能遇到三次，也算是有缘啊，咱们救了他们吧。"

金讽刺道："呦，你什么时候变得这么好心了，还会救人？"

银怒道："怎么，我救人不行吗？我今天心情好，看这些人顺眼，怎么着？"

金道："你……"

我打断他们道："行了，你们俩累不累？银，你真的想救他们吗？"

银点头道："看他们也不像坏人，死在这群蛮不讲理的蛇人手里太可惜了。"

我看了看四周，气运双耳，周围三百米内即使是树叶落地的声音也无法逃出我的听觉，除了正在打斗的双方和我们，这片不算茂密的小林子里没有任何其他生物。

我和金银对视一眼，道："出手吧，速战速决。"

银发出一声欢快的狼嚎，带着他们共同的身体冲了出去，银色的斗气包裹着他们全身，我飞身跟进。

我们的到来顿时引起了蛇人的警惕，一个高级蛇人刚想冲我们说些什么就已经挨了银的一记重腿。他反应倒也快，立刻张开血盆大嘴迎来，只要被他的牙划破一点，金银就危险了。

当然，我是丝毫不会为那两个变态的家伙担心的，银的"玉腿"正如那蛇人所料送进了他的大嘴，可还没等他高兴，就已经被狂暴的银斗气炸飞了。

银这个家伙，哪有一点淑女的风范，简直比金还要暴力。

我全身斗气外发，黄色的光芒将我包围，我判断着蛇人们的方位，右脚在地上轻跺。这是我改良过的狂风暴雨，不再需要重拳击地，只需把狂神斗气灌注到地面，就可以控制它在一定范围内任意攻击敌人。

蛇人中央的地面爆炸了，大片的尘土、碎石夹杂着无比强劲的斗气向他们袭去。

我修炼到第四层的狂神诀比以前又上了一个台阶，只用这七成功力发出的狂风暴雨就为我解决了所有问题。

金银看着一地被打得血肉模糊的蛇人高呼道："雷，你也不给我们留几个！"

我爱搭不理地道："谁让你们动作那么慢？明明有实力，却非要耍。"

六名幸存的兽人愣愣地看着我们，一时不知道该说什么好。

我上前两步，问道："你们有没有被蛇人弄伤？"

一名狐人恭敬地道："恩人，谢谢两位恩人的救命之恩，我们都没有受伤，只是有些疲惫而已。"

我摆手道："别叫我恩人，只是适逢其会而已。建议你们赶快离开撒司领，这里的蛇人非常凶悍。"

金银走了过来，金道："雷说得对，你们没事跑到蛇窝来干什么？还不快走!"

狐人叹了口气，道："两位恩人，并不是我们想来这里，实在是因为被逼无奈啊! 我们本来是军队的人，分属不同的兵种。这次战败你们应该也听说了。在会战中，我们是负责和魔族联络的军需官，那些魔族对我们百般刁难。战斗结束了，魔族说咱们兽人拖累了他们，给他们造成了很大的损失，所以要求我们赔偿。"

我惊讶道："赔偿？难道魔族那些高官们不知道咱们兽人有多穷吗？连饭都快吃不上了，还赔偿什么？难道要我们赔几个盗匪过去吗?"

狐人苦笑道："不，他们要金币，要我们赔偿五百万金币。这五百万金币对龙神帝国来说也许不算什么，但对咱们兽人国却是一笔不小的数目。我们刚从魔族的部队中赶回来，为了节省时间尽快报告到陛下那里，我们不得不穿越撒司领以图早日到达皇都，谁知道，却遇上了这样的事情!"

银道："那刚才你们为什么不拿出军人的身份和对方说理呢?"

狐人摇了摇头，"我们那些身份有什么用，除非是比蒙王或者陛下的狂狮军团还有些威慑力，像我们这种小军官，您以为这些地方势力会看在眼里吗？唉，这回的事情如果处理不好，不用人类动手，咱们兽人族也危险了。"

金怒道："他妈的，这魔族也欺人太甚了，打不过人类又不全是兽人的责任，为什么要让我们赔偿他们?"

我脸色沉重地道："这件事情确实非常严重，你们必须立刻赶回去。这样吧，我们俩护送你们一程，出了撒司领应该就没什么危险了。我是兽神教的副教主，我们教的宗旨就是要保护广大兽人能够平安、强大地生活在这片大陆上。回去后，你告诉陛下，就说是我说的，一定要做好完全的准备。魔族那些家伙都是吃人不吐骨头的豺狼。"

我最后一句话说得金银不干了。银怒道："什么叫吃人不吐骨头的豺狼，难道我们狼族就那么坏吗?"

我尴尬地道："对不起，一时口误，金银，护送他们这件事更重要，找九头虫的行动咱们要拖一拖了。"

金道："无所谓，九头虫在那里也跑不了，听你的就是。我们也希望兽人国不要出什么问题。"

就这样，我和金银护送着六名曾经在前线出力的军需官向着皇都的方向出发了。

将他们送出撒司领的范围再返回来已经是五天之后了。我们不知道的是，正是这五天的时间，出了非常大的变故。

"雷，你看，前面那座城市就是撒司领最大的盘城。那条长了九个脑袋的小虫就住在里面的九圣宫。"金为我介绍着眼前这座算不上宏伟的城市。

这座盘城看上去只有四丈高，规模只有兽人皇都的五分之一大。最奇特的地方就是城市的周围是方圆三里的水面，也可以说，这是一座建筑在湖面上的岛城，清澈的湖水成了这座城市的天然屏障。

湖水周围种植着各种高大的树木，看来，蛇人对自己的都城还是很在乎的。

我问道："金，蛇人都很爱水吗？"

金点头道："是啊，要是到了水里，这些家伙就更厉害了，可惜大陆上很少发生水战，否则，由他们组织成一路水军肯定能闻名大陆的。"

银道："别废话了，赶快进去吧。"

看得出，金银对于和九头蛇见面十分盼望，他们的眼中都闪烁着难以名状的兴奋。

来到渡口，这里停泊着十几艘渡船，都是由蛇人士兵把守的。

我上前几步，喊道："这里哪条船可以进城？"

一个壮硕的蛇人士兵走了过来，上下打量我们几眼。当他看到包裹在袍子里的金银时，眼中闪过一道凶光："你们想进城？"

我点了点头，塞给他一个银币，道："麻烦您行个方便。"

他抛了抛手中的银币，道："进城可以，但兵器不许带。"说着，指了指我手中的墨冥。

我眉头一皱，道："我的剑就是我的生命，船资可以商量，但剑绝不能留下。"

蛇人士兵脸色一变，把银币砸到我身上道："这是我们蛇人的规矩，如果想进城就必须遵守这个规矩，否则，就滚——"

我什么时候受过这种气，一股森然的杀气顿时狂涌而出，死亡的气息笼罩了整个渡口。

那壮硕的蛇人士兵顿时全身一颤，色厉内荏地喊道："你，你要干什么？"手一抬，向天上扔出一个信号弹。

一道红芒直升入空，顿时，大批蛇人围了过来。

对于这些蛮横的家伙，我实在是忍无可忍，金一把抓住我的胳膊，冲我摇了摇头。

我运起天魔诀，用暗黑魔力冰冷的气息压下了心中的怒火。

如果在这里大开杀戒，和蛇族就再没有回旋的余地了。

周围的蛇人越来越多，全是彪悍的蛇人正规军，身上穿着带有"凶"字的皮甲。这些蛇人的动作还真是快，在短时间内，最少也有上千人将渡口团团围住。

我心念电转，寻思着如何才能脱出眼前的困境。

金银倒是毫不着急，挨在我身旁毫不在乎地看着周围的蛇人们。

"哈——哈——哈，我当是谁呢？原来是你这只两个脑袋的小狗，怎么，上回输得不服气，回来找揍了吗？"盘城湖的水面在这个声音的震动下不断地转起一圈圈的波纹。

周围的蛇人士兵们突然全体趴在地上，虔诚地祷告着什么。

金一把扯下头上的斗篷，怒喊道："呸，你这条九头小虫，有本事出来和我们一决高下。藏头露尾算什么东西？"

盘城湖的水面震动得越来越厉害，由波纹逐渐变成了一波波的浪花，我大喝一声："小心!"身体上纵飞离渡口。

金银在听到我招呼后比我慢了半个身子连忙跃起，在我们脚下，一个滔天巨浪拍打过去。

虽然它并不能对我们造成什么伤害，但如果被拍到，狼狈的我们还如何有脸面再和九头蛇较量？

飘身落在渡口百米外，银怒吼道："九头虫，你给我出来，突施冷箭算什么本领!"

渡口上的部分蛇人士兵在巨浪的拍击下掉进了盘城湖。所有蛇人都会水，这并不能对他们有任何损害。

他们从水中爬上来，仍然趴在地上不敢动，真是忠实的信徒啊，刚刚的嚣张跋扈没有了一丝踪影。

"手下败将还敢在我的地盘大言不惭，好，就让你们知道我的厉害。"盘城湖的水面沸腾了，在水面中央，不断冒出巨大的气泡，九个巨大的蛇头露了出来，每个都有一人合抱粗细。

虽然看不到他的身体，但他的巨大可想而知。

他中央的五个头都不相同，最中间的那个是紫色的，左边依次是蓝、黄两色，右边是红、青两色，这就应该是金银所说的四种魔法属性加毒气属性了吧。外围的四个头上布满了甲胄和大小不一的尖角，晃悠着挡在五个主头前面。

银传音给我道："小心点，雷，这是九头虫的最强形态。待会儿，你还是变成那个红色的东西吧。现在已经没有任何道理可讲了，如果不打败他，恐怕咱们谁也离不开这里。"

我现在已经意识到金银当初在骗我，以九头蛇所表现出来的强悍，根本不是他们能对抗的，又何谈平手呢？即使加上变身的我也未必能行。

想到这里，我心里涌起一阵愤怒。借着愤怒，我努力回想着蛇人的蛮横、嚣张、残暴。

在这么多人面前，我绝对不能先变成堕落天使，否则，将如何再在兽人立足？狂化是我最好的选择。

九头蛇中央的大头嘲笑道："两头狗，你胆子很大啊，上回留你一命还敢再来。"他看了我一眼，接着道："哦，原来是带了帮手，看样子还有那么两小下。找打吗？我最讨厌有人打扰我洗澡了。"

说完，九头蛇哈哈狂笑不休。

听到九头蛇的命令，周围的蛇人迅速向两旁退走，在远处为他们至高无上的圣蛇加油助威。

金银已经被气得说不出话，两个大头仰天长啸，罩在外面的斗篷被他们狂暴的护体真气撕得粉碎，露出身上的金银长毛，身体在不断地发生异变，体型暴胀，身体向下一伏，变成了高达一丈、长三丈、半金半银的巨狼。

在九头蛇的压迫下，金银不得不变出本体相抗。

九头蛇戏谑道："怎么，要玩命吗？手下败将！"

最郁闷的就是我了，努力了半天，仍然无法让自己狂化。我发现，要想使自己狂化已经变得越来越难了，这可能和天魔诀修为的不断加深有关吧。

我必须要先狂化再变堕落天使才不会被对方发现我拥有魔族的力量，可现在的情况使我根本无法做到。

我传音给金道："我现在狂化不了，你们先上，我伺机而动。"

金并没有回答我的话，怒吼一声，后颈的金色长毛乍起，张口就吐出一颗脸盆大的火球向九头蛇中间的毒气头攻去。

火球在空中不断地变大，灼热的气流即使我这里都可以强烈地感觉到。

九头蛇那蓝色的大头一摆，张口吐出一颗大水球，迎了上去，两球在空中相撞发出"滋滋"的声音，一片白雾从中升起。

九头蛇哈哈笑道："双头狗，你这个笨蛋，我这里都是水，你竟然还用火来攻，看我的。"

九头蛇身体一晃，外围的四个大头飞快扑来，其中三个扑向金银，一个龇牙咧嘴地撞向我。

我凝神静气，双手握住墨冥，狂神斗气狂涌而出，我也想知道，这家伙到底有多厉害。

我将全部心神都集中到墨冥上，双手将它举过头顶，墨冥闪烁着黄澄澄的光芒，等待着敌人的到来。

扑来的这个蛇头见我不躲，立刻加速。在它离我三米左右的时候，我双脚用力，腾身而起，大喝道："狂战天下！"

我体内的狂神斗气疯狂地涌向双手再注入到墨冥里，墨冥在空中带出一道长达一丈的黄芒，斩向巨大的蛇头。

如此异象，我也是第一次看到，这是我将狂神诀修炼到第四层后第一次全力施为，竟然有如此意想不到的效果。

我的对手毕竟只是一个蛇头而已，躲闪不及，顿时被我狠狠地劈在蛇头正中央的地方。

九头蛇的九个头同时惨号一声，被我劈到的大头鲜血飞溅，出现一个深深的血槽。

不过这家伙的防御力确实惊人，即使是比蒙巨兽挨我这一下恐怕也要身首异处，而他这个头只是被重伤而已。

那边的金银当然不会放过这个机会，两个大头同时怒吼一声："金卷银龙波。"巨大的狼身在空中飞快地旋转，金色斗气在外，银色斗气在内，发出一道龙卷风似的冲击波。

九头蛇显然没有想到金银一上来就会拼命，在冲击波的攻击下，三个蛇头顿时遭受重创，最前面的一个轰然爆开，而另两个也是鲜血飞溅。

九头蛇一时大意之下没有使出全力，却被金银抓住了机会。

受到重创的四个蛇头无力地耷拉在两旁，大量蛇血将湖水染红了一片。

九头蛇身体在水中急甩，收回了四个物理攻击蛇头，惨号一声，中央五个头分别发出了攻击。

漫天的冰锥、风刃、火弹铺天盖地而下，但威胁最大的还是中央那个大头喷出的紫色毒气。

金银迅速闪到我身边，身体蜷缩在一起，两个狼头飞快地念叨着咒语，连续三层魔法防御结界出现在我们身前，抵挡着九头蛇的进攻。

银一边操纵着防御结界，一边嘻嘻笑道："这回这条臭虫子可吃大亏了。他肯定没想到咱们进步了这么多，一上来就损坏了一个头，咱们的机会大多了。"

金没有了往日的顽皮，沉稳地道："别大意，这家伙不是那么容易对付的，吃亏还没吃够吗？雷，实在不行的话，待会儿你用堕落天使变身吧。你刚才那一剑很强啊，在没有变身的情况下都可以重伤他一个头。"

我感觉到自己体内的狂神斗气澎湃欲出，大有不战不快之感："金，我出去拼他两下怎么样？"

金道："不行，太危险了。"

第三十七章 苦战蛇王

我们集中在一起，九头蛇的攻击也集中过来，攻击我们正面的防御结界。

毒气的腐蚀性非常大，最外面的土系防御结界已经逐渐地开始融化了。

我突然发现九头蛇的那个会土系魔法的黄色蛇头一直没有攻击，在那里闭着眼睛摇头晃脑地不知道在干什么。

银突然惊叫一声："小心。"天空中突然出现了一块像小山巨石一样的东西，并向我们的头顶砸来。

这是七级土系攻击魔法——陨石术，这个魔法的攻击力非常强，面积也大，如果以我的功夫抵挡的话，结果只能是被压成肉饼。

我瞬间明白了九头蛇的意图，他是用其他几个头的攻击缠住我们，再用那个黄色巨头发出高级魔法，试图一下消灭我们，好狠的心计。

为了抵抗其他攻击，我们现在根本无法闪躲，只能硬生生地抗住。

金银大声怒吼，在我们身前又布下了两层金银斗气防护墙。我飞快地吟唱道："伟大的黑暗之神，以我的灵魂为祭礼，以我的生命为桥梁，赐予我您无尽的神力，形成坚实的黑暗壁垒，保护您的仆人吧——暗黑屏障！"

这是增强型的四级暗黑防御魔法，由于我暗黑魔力的增强，这个魔法还是有着不错的防御力。

陨石轰然而落，重重地撞在我们布下的结界上，我眼睁睁地看着结界一层一层地在它的撞击下不断地碎裂，金银的四条腿已经深深地扎入土里。我一把抓住金银的长毛，用力一挥墨冥，以狂风暴雨的心法向地面发出一道斗气。

我们站立的地面轰然炸开，借着反冲的力量，我拉着金银迅速脱开了陨石术的攻击。

巨大的陨石猛然坠落，将地面砸出一个深坑。

金银的耳鼻都渗出了鲜血，大口大口地喘着粗气。刚才的攻击绝大部分都是他们挡下的，否则，我也没有机会带着他们逃出来。

刚一落定，大量的中、低级魔法和毒气再次袭来，丝毫不给我们喘息的机会。看来，九头蛇真的是发怒了。

金银勉强念着咒语，又一次布下三层防御结界。

银歪头问我道："雷，怎么办，要是再来一次刚才的攻击，我们都要完蛋了。"

果然，那个土系魔法的蛇头已经又一次在吟唱着什么。

现在已经不容我再做保留了，否则，结果只有死。

"黑暗凝聚灵魂，堕落方能自由，觉醒吧，沉睡在我血液中无尽的魔力。"我释放了堕落天使的能量，大片的黑雾围绕着我，黑色的羽翼再次降临人间，我全身都笼罩在黑暗的雾气内，脸上的狮人面具在强横的力量下化为了灰烬，"伟大的黑暗之神，以我的灵魂为祭礼，以我的生命为桥梁，赐予我您无尽的神力，形成坚实的黑暗壁垒，保护您的仆人吧——暗黑屏障!"

同样的一个魔法，在我变身后有着截然不同的威力，顿时将所有攻击暂时抵挡住了。

金银同时感到身上一轻，趁着这个机会赶快调息着体内的斗气和魔法力。

九头蛇看到我们这边的变化也愣了，中央那个大头眨了眨眼睛，惊呼道："魔族!"在惊讶中，他几个头的攻击自然减弱了些。

趁着他的攻击一缓的机会，我大喝一声，双手将墨冥插入身前的大地，狂神斗气和暗黑魔力在我的支配下疯狂地肆虐着。

我喊道："准备攻击。"并将两股能量用狂风暴雨的心法发出，直袭九头蛇的身下。

"轰——"两种狂暴的能量在九头蛇的身下爆发了，整个湖面仿佛都沸腾了，水花足足溅起十几米高。

巨大的力量打了九头蛇一个措手不及，整个身体被震得飞出了湖面，这回我看清楚了，他的身体直径竟然有一丈，长十余丈。

我暴喝一声："上。"一振双翼，身剑合一向九头蛇射去。

金银丝毫不敢怠慢，压住体内的伤势飞扑而起。

变身后的我比金银还早一步飞到九头蛇的身前，墨冥带起一道长长的黑色光芒奋力斩向它中间的大头。

九头蛇的身体大部分还在空中，正向湖面掉落，根本没有机会闪躲，无奈之下，只能催动刚才受到重创的三颗物理防御蛇头冲了上来。

本就受伤的蛇头如何能经得住我变身后的一击？"喀嚓"连声，三颗斗大的蛇头脱离了他们的主体。

金银适时赶到，发出一声欢啸，像一颗金银色的流星一样撞向了掉进水面的九头蛇。

九头蛇临危不乱，五颗大头同时喷出四颗魔法弹和一颗毒气弹。

这些巨大的能量和金银的全力冲撞在空中连续发出轰轰的响声。由于毒气的威胁，使得金银无法进一步追击，但狂暴的力量仍然将九头蛇的本体打得飞出了十余丈。

我避开他们力量相撞的余波，将墨冥收回身后，大喝一声："狂影百裂！"身体一分二，二分四，四分八，八分十六……化作无数黑影向九头蛇投去，这是狂神拳法的第四式，自从学会后，还是第一次使用。

我不用墨冥，第一是因为怕杀掉九头蛇和蛇族结下不解之仇；再一个，由于我还无法完全掌握这一招的奥秘，用拳反而更能发挥出威力。

在堕落天使变身的增幅下，狂影百裂发挥出了巨大的威力，这些身影每个都是虚影，也每个都是实体，闪电般追上了九头蛇的身体，顺利冲破了他布下的四层魔法防御结界。

"砰、砰"……九头蛇的身体被我重击上百下，尤其是五个大头，有三个被我打得皮开肉绽。

狂神斗气加暗黑魔力的攻击力是非常惊人的，九头蛇在被金银重创后根本无法抵挡，身体随着我的攻击不住地扭动，当他没入水中的时候，只有擅长水系魔法和风系魔法的两个头还算完好。

金银闪到我身边，要继续追击，我一把揪住金的长毛，道："得饶人处且饶人吧，我们的目的又不是杀死他。"

九头蛇的鲜血染红了大片的湖水，我搂着金的脖子，不断地扇动羽翼，使我们停留在天空。周围的蛇人士兵在我刚刚将九头蛇的三个头砍掉的时候就已经一片哗然，各个红着眼睛要冲过来找我们算账。

我一挥墨冥，发出一道黑色的能量，在蛇人士兵面前炸出一道长达三丈、深半丈的坑，道："我不想随便杀人，连你们的九头圣都不行，你们上来有什么用？"

其实，我是不得不吓唬他们，刚才和九头蛇的战斗中，我和金银都耗费了大量的体力，如此多的蛇人，已经不是我们现在所能对付的了。

湖水中不断冒出气泡，九头蛇拖着两个脑袋缓缓地浮了上来。

金银作势欲打，九头蛇赶忙一晃身体向后退出十丈，蓝色的蛇头哀声道："别打了，我认输。"

我愣了一下，刚才他还是那么不可一世，现在怎么会如此软弱？

金喝道："让你那群蛇子蛇孙滚得远一点。"

九头蛇无奈地吼道："你们这群废物，都给我滚开。"转向我们，"你们到底想怎么样？只要不杀我，什么条件我都答应。"他不知道用什么方法限制了声音的散播，只有我们能听到。

银嘿嘿笑道："原来堂堂蛇族的九头圣是个懦弱、怕死的胆小鬼啊。"

九头蛇怒道："呸，你打得过我吗，要不是这个魔族，哼，我早把你这双头狗给吃了。"

银大怒，张口吐出一个银色的能量球打去，呵斥道："你还敢说！"

九头蛇不敢硬接，一晃身躲开了，道："好，好，好，我打不过你们，不说就是了，你们想怎么样啊？"

我道："我可不是什么魔族，不过我承认，如果刚才一上来你就用全力的话，是否能打败你对我们来说还是个未知数。"九头蛇得意地昂起头，瞪了银一眼。

金厉声道："到你那里去说，难道让我们在空中这么悬着吗？"

九头蛇叹了口气，掉转身形，向着盘城的方向劈波斩浪而去。

我拍打着双翼带着金银紧随其后，追到九头蛇上方，传音道："你最好不要耍什么花样，否则，我把你最后这两个头也给砍下来。"

九头蛇忙道："让你们打怕了，这里除了我，谁还是你们的对手？我可不想让我的儿郎们白白送死。"

银得意地道："你知道就好。"

九头蛇并没有走正门，绕到盘城侧面，从一个洞穴处钻了进去。

我看了金一眼，他传音道："应该没什么事，跟过去吧。失去了七个头，这家伙已经没什么抵抗之力了。"

我带着金银落到地面，收回了堕落天使变身，金银也变回了狼人的模样。九头蛇看我们跟了进来，身体一晃，变成了一个普通蛇人。搞笑的是，他的九个脖子上有四个没有了头，三个无力地耷拉着，仅剩的两个也满是伤痕。

他剩余的两个头上四个小眼睛谨慎地看着我们道："你们真的不杀我吗？"

我微微一笑，尽量保持出"和蔼"的样子，道："当然不会杀你了，我们这次来，是有事情要借助你的力量。"

九头蛇晃了晃头，愤怒地道："有求于我还打坏我七个头，你们也太狠了吧。"

金幸灾乐祸地道："如果不把你收拾服帖了，你会老实地和我们合作吗？别废话了，这里可不是谈条件的地方。"

九头蛇"嘶"的一声，冲金银吐了一下分叉的舌头，转身向洞穴里走去，道："跟我来吧。"

我和金银相视一笑，跟了上去。

通过刚才战斗中默契的配合，我们间的友谊增进了许多。

在曲折、潮湿的洞穴中足足走了一顿饭工夫，才到了尽头，九头蛇按了按墙上一块不起眼的石头，尽头的墙壁变成一道石门升了起来："里面是我的九圣宫，进去谈吧。这里我埋有大量的炸药，如果你们对我不利的话，嘿嘿……"

这家伙还真是狡猾，虽然我们已经很小心了，还是不知不觉中着了他的道。

虽然佩服于他的狡猾，但嘴上我却不能落了下风，不屑地道："哼，你以为你有引爆炸药的机会吗？快走吧，我们确实没有杀你的意思。"

进入石门，是一条宽阔的甬道，甬道都是用厚实的岩石所砌，两旁墙壁上悬挂着明亮的火把。

通过甬道，我们来到了一座宫殿，没错，就是宫殿。这里布置的奢华程度要远远超过兽皇的皇宫，比起当初我住的那间贵宾房也是有过之而无不及。

看得出，这里还只不过是个寝室而已，因为一张铺着上好毛皮褥子的大床占据了四分之一的地方，这些上古异兽怎么都喜欢把自己的床弄得很大，难道是怕自己睡着觉会自动变身吗？

金敲了敲玉石砌成的台阶扶手，惊叹道："九头虫，你这家伙还真会享受。比我们在云那的家还要豪华很多啊。"

银踩了踩地面的地毯："这不会是白熊皮做的吧？虽然毛不长，但光泽和柔韧程度很像啊。看来你这家伙很有钱。"

九头蛇哼了一声，答道："当然了，你以为我会像你们那样去帮那些平民种地吗？俺要好好享受，尤其是冬天，不好好保暖，我怎么睡得好？在蛇人族中，我就是太上皇，想要什么没有？"

说着，他走到房间中央，一屁股坐到了大沙发上："双头狗，你这回带人来找我究竟有什么事？"

金满脸煞气地怒道："九头虫，你说话给我小心点，要不是看在大家都是上古流传下来的种族，我就杀了你，让你们九头虫族绝后。"

九头蛇委屈地冲我道："喂，魔族小子，你听听，他们口口声声叫我九头虫，为什么我就不能叫他们双头狗呢？太不公平了。上回要不是我放水饶他们一命，这狗屁狼神早就不存在了。"

我皱眉道："我告诉过你了，我不是魔族，而且，我讨厌别人叫我小子。大家都是不打不相识，你们都留些口德。这样吧，他叫你九头蛇，你叫他金银好了，省得再争。"

九头蛇哼唧着道："你不是魔族是什么，不是魔族能堕落天使变身？打死我也不信，你以为我们兽人就没有见识吗？不过你这个方法倒不错。金银？好俗气的名字。"

银道："俗气？最起码我们也有个名字，你呢，不还是叫九头蛇？"

九头蛇气鼓鼓地不理他们，冲我道："你说你不是魔族，那你是什么？"

我脸色一黯，道："我是人族、魔族、兽人族三族混血儿，自然就具备了一些特殊的能力，我们到这里是想和你商量点事。"

九头蛇道："等等，我的伤很重，让我先疗伤，然后再和你谈吧。你比那头……狼有诚意多了。"要不是银瞪他一眼，恐怕又要叫出"双头狗"。

一个苍老的声音在殿内响起："伟大的圣，听说，您受伤了。"

九头蛇从茶几下面拿出一条连接在地面的铜管，声音就是从那里传进来的，九头蛇有些不耐烦地道："我没事，只不过和几个朋友切磋一下而已，你好好安抚儿郎们，让他们把守好渡口就是了。"

苍老的声音恭敬地回答道："是，我的圣，如果您有什么需要尽管吩咐我。"

"行了，你做自己的事去吧。"说完，九头蛇不知从哪里找了个木塞堵住了铜管口，抬头对我道："这是那个什么他妈的蛇族长老。要不是看在他对我服侍得还算周到的分上，就冲他老这么烦我，早把他吃了。啊，不，他的肉太老，不好吃……"

这些上古流传下来的异兽怎么都有絮叨的毛病，我提醒他道："你不是

狂神

堕落天使

要疗伤吗？还不快点，我还有事等着和你说呢。"

九头蛇赶忙正襟危坐，盘起双腿，道："我现在就开始，你们随意。"说着，自行修炼起来。

我传音给金道："看他的样子，好像本身就对咱们没有太大的敌意，否则也不会当着咱们的面疗伤了。你们为什么和他结仇呢？"

金、银对视一眼，两人脸上都有些无奈，也有些失落和自责。

金叹了口气，道："其实，我们本来是很要好的朋友，都是从那个大森林里出来的。不过出了森林以后，被这个繁华的世界所干扰，经常因为对同一事物不同的认识而争吵，久而久之，从争吵逐渐升级到动手。这家伙本身比我们要高一个等级，所以每回打起来基本上都是我们吃亏，一怒之下，我和银离开了他。正是那个时候，我们遇到了狼族的长老，而九头蛇遇到了这里的族长，我们也就自然地成了两族的图腾。但是，这并没有减弱我们的争胜之心，每隔一段时间，我们就会找他拼上一场。由于实力的差距，我们竟然一次都没有赢过，但九头蛇却从来没有真正伤害过我们，直到遇见你。说实话，随你一起下山，我们本身就是有私心的，想借助你的力量压制九头蛇，以满足自己的虚荣心。"

我有些不满地道："原来你们一直都在利用我，如果现在后悔了，你们尽可以回到云那去做你们的土皇帝，但是，我绝不允许你们杀掉九头蛇，那样，会挑起兽人互相残杀。虚荣心真的那么重要吗？你们打得过他会怎么样，打不过又怎么样？"

金苦笑道："我们怎么会杀他呢？更不会离开你。你说得对，经过刚才的一役，我和银都想通了，这件事都是我们的不好，是我们太斤斤计较了，九头蛇从来没有真正伤害我们，可是，今天我们却损坏了他七个头，使他的力量大幅减弱。刚才在空中的时候，我们甚至还起了杀心。你也看到了，即使我们对他起了杀心，他仍然对我们没有什么敌意，连你都看出了这些，而我们却始终为了那一点点小事，一点点面子……比起九头蛇，我们实在是太自私了。等他伤好了以后，我们会向他认错的。不论他是否愿意跟着你，我们都会履行我们在山上的诺言，我们需要学习的东西太多太多了。不过，我和银都希望你不要逼得他太紧，给他一个自由选择的权利，好吗？算是我们恳求你吧。"

没想到九头蛇竟然是一个如此重情重义的家伙，我点了点头，郑重地道："放心吧，我绝对不会为难他的。咱们刚才的消耗也不小，本来我还怕他会偷袭，听你说了这些，我想，现在咱们可以放心地调息了。"

说完，我也学九头蛇的样子盘腿坐好运转起体内的两种能量。

金、银四目相视，点了点头，身影一闪，落在九头蛇身后，各自伸出手掌，将自己残存的斗气缓慢地输入到九头蛇体内，帮助他疗伤。

九头蛇先是全身一震，进而逐渐平静下来，剩余的两个蛇头嘴角都流露出一丝淡淡的微笑。

我体内的两种能量不断按照它们的路线运行着，每一个周天都会带来一些新生的力量汇聚到原有的洪流中。

这种感觉真的很好，当他们各运行了二十一个周天后，我体内又重新充盈着狂神斗气和暗黑魔力了。

我深深吸了口气，缓缓收功。

睁开眼睛第一个看到的就是九头蛇，这家伙还在修炼。让我感到非常奇异的是，原本被毁掉的四个头又都长出了粉红色的新头，被打得耷拉下去的那几个头也挺立了起来，同样合着双目，怪不得他不好对付了，这家伙竟然有再生能力。

微微抬头，我吓了一跳，金银正站在九头蛇的身后，一金一银两条手臂奋力地抵在九头蛇后背上，他们身上的毛发都湿漉漉的，白色的水气不断冒出。金银的脸色灰白，显然是耗损过度。

我身随意走，闪到金银背后，双掌连拍，运起狂神斗气侵入到他们体内。

我吃惊地发现，这所谓的狼神已经接近了油尽灯枯的边缘，体内只剩下微弱无比的能量，但仍然向着九头蛇的身体输入过去。

如果我再晚清醒一步，恐怕他们就有脱力而死的危险。

我控制着狂神斗气，先把他们向九头蛇输入能量的通道切断了，吸着他们的身体飘回原来的位置，脚尖在他们腿弯处连点。

金银"扑通"一声坐倒在地，我吸口气，腾出一只手入怀掏出绿松石放在手心，靠着精纯的狂神斗气填补着他们虚弱的身体。

经过狂神斗气的滋润，金、银同时吐出一口浊气，恢复了部分神志，双手交叉放在腿上，掌心朝上，自行恢复起来。

他们体内的金银斗气是动力的源泉，已经开始缓慢地运转了。

我当然不会重蹈他们的覆辙，推动着他们自己的能量循环一圈后慢慢地收回自己的功力，将绿松石放到他们的掌心上，任由他们自行恢复。

这个金银也太傻了，人家九头蛇明明有能力自己恢复，他们却偏要去帮忙，与其这样显示歉意，还不如等九头蛇恢复后说声"对不起"来得实在呢。

足足过了两个时辰，九头蛇率先从入定中醒来，他已经又恢复了九个头的状态，十八只眼睛连眨几下看着我。

我赞叹道："你的再生能力真是厉害，这么快就可以恢复到先前的状态了。"

九头蛇摇了摇恢复的蛇头，嘿嘿笑道："那是当然了，这是我最厉害的本领了。只要不是所有的头同时被砍掉，身体被完全毁灭，我就可以重新长出来，虽然比不上传说中凤凰的浴火重生，也算不错啦。只不过力量却不是一时半会儿能够恢复的，又不知道要吃多少东西来补身子了。刚才打的时候，你们俩配合得还挺默契，尤其是你那最后一下，差点要了我的老命。刚才是双头狗，啊，不，是双头狼那家伙替我疗伤吧？"

我点了点头，道："是啊，他们觉得自己没有你大度，有些后悔了，算是补偿吧。他们本身也损耗很大，又拼命为你治疗，弄得自己差点油尽灯枯，你说你们这是何苦啊？你也是太大意了，如果一开始就全力以赴，我们未必能打得过你。"

九头蛇的九个头同时摇了摇，道："其实，我从来没有怪过他们，在我心里，他们永远都是我的朋友。像我们这种远古传下来的物种已经非常稀少了，我非常珍惜这份感情，只是经常控制不住自己，想和他们吵嘴，偏偏这两个家伙又那么好强。对了，说说，是什么原因让你和他们来一起找我？"

我微微一笑，将自己的兽神教计划说了一遍。

九头蛇呆了呆，道："你还挺有野心的，不，也不能算是野心吧。不过，你的这个想法非常好。兽人确实太乱了，好吧，我答应你的要求，支持你们就是了。可是，他们应该也告诉你了，我是条懒蛇，已经过习惯了安逸的生活，还是让我留在这里控制蛇人这边的大局比较好。"

我没想到他会答应得这么痛快，虽然他不肯和我们一起出山，但这个结果已经让我满意了："我不会强求你的，每个人都有选择自己喜欢的生存方式的权利。不过，你应该多约束约束你那些蛇子蛇孙，他们简直太强横霸道了，别的种族只要在你们领地稍微有些不敬的语言，立刻就会有灭顶之灾。"

九头蛇惊讶地道："是吗？我怎么不知道？这可要好好查查，别让双头……狼说我管教不好自己的手下。等你们走了，我会注意这方面的，看来，我平常是太懒了，是需要关心一下撒司的时候了。"

"何止是懒啊，简直就是……"银虚弱的声音传了过来，他们也已经行功完毕，刚一睁眼就听到了九头蛇的话，忍不住习惯性地顶了一句。

九头蛇哈哈一笑，道："双头……那个狼，你们醒了。"

金没好气地道："怎么，你还希望我们醒不过来是不是？雷，你的事和他说了吗？"

我点头道："已经说过了，九头蛇决定支持我的决定，但他会留在这里看守自己的手下。"

银道："唉，这家伙就是太懒了，大陆上有那么多新奇的东西不去追求，偏偏喜欢在自己的床上睡觉。雷，刚才谢谢你，这个还你。要不是它给我们提供了大量的生命力，想清醒过来还真不容易。"

说着，把绿松石递了过来，经过九头蛇的时候，银还故意动了动绿松石，使宝石的光芒在他眼前晃了一下。

九头蛇在看到绿松石的时候，十八只小眼睛同时亮了起来，一把抢了过去，上下仔细地看着这颗绿油油的宝石："哇，好纯净的绿松石啊，兽人族也有这么好的东西吗？"

金冲我递来一个奸诈的眼神。

我会意地道："不好意思，这颗宝石我还有很多用处，不能送给你。"

九头蛇贪婪地看着手中的宝石，依依不舍地还给了我。

我心中暗笑，将外衣脱了下来，露出里面的麻西鳄马甲，皱着眉头道："哎呀，我忘记这颗宝石应该放在哪个兜里了，我要找找看。"说着，我走到茶几前，将小兜中的宝石一一掏了出来。

依次是黑色宝石四颗，鸡血石两颗，蓝色钻石三颗，黄色田黄石三颗，绿色绿松石一颗，紫色紫水晶一颗。总共是十四颗宝石，耀眼的宝光将九头蛇的寝室照成了七彩。

金银虽然知道我有不少好东西，但也不清楚具体的数量，骤然见到这么多极品宝石，一时间看傻了。

金愕然道："雷，原来最有钱的竟然是你啊。"

九头蛇更是不济，九个头流出了九条口涎，十八颗眼珠瞪得像快要掉出来似的。

我无视他们的惊讶，挑出一颗鸡血石扔给了金银，道："这个你留着用，能提神醒脑的，对修炼和战斗都很有益处。"

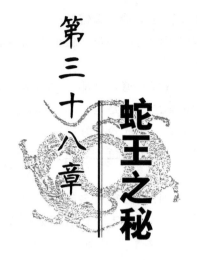

第三十八章 蛇王之秘

银毫不客气地一把接过，在眼前看了又看，赞叹道："好纯净的鸡血石啊，太漂亮了，谢谢你，雷，我会好好保存的。"

金道："什么叫你会好好保存？明明是给咱们俩的嘛。"

我又挑出一颗像水晶冻一样的田黄石扔给了金，道："争什么？这个给你，我也不知道具体有什么用，听说用来做印章不错。"

金瞪大了眼睛道："什么？拿极品田黄石做印章，太浪费了吧？这么好的东西，这个的作用可大了，佩戴在我们修炼者的身上，就可以不怕走火入魔了。它安神的效果非常好，价值绝对要超过那个鸡血石。"

送出两块宝石却让我知道了田黄石的作用，不错。

银撇嘴道："不行，我要那个田黄石，咱们换。"

金赶忙将田黄石收到一旁，像个孩子似的，扭头道："不换。"

我笑道："你们争什么啊，反正带在身上都是你们两个一块享用，在谁那里有什么关系，难道你们还能控制宝石的放射能量不给对方吗？金，你是男性，让着点银吧，要有风度嘛。"

银娇笑道："就是。"劈手夺过金手中的田黄石，把鸡血石塞了过去，满意地看了又看。

九头蛇流着口水傻傻地问道："喂，那个什么雷，你就这样随手把珍贵的宝石送人啊，你难道不知道它们的价值吗？"

我看了他一眼，轻笑道："价值？我当然知道。但金银以后会一直跟在我身边，为了能让他们多做贡献，我总要投资一点嘛。何况这些宝石的价值怎么比得上我们的友情呢，是不是，金银？"

金、银脸上同时露出了激动的神色，银低着头喃喃地道："是啊，什么东西能比友情更值钱呢。"

九头蛇有些尴尬地看着我，道："那，咱们是不是也算朋友？你刚才说过的，咱们是不打不相识嘛。是不是也……"说着，搓了搓手掌。

银道："哎哟，九头蛇，你的脸皮好厚啊，羞羞羞，要人家的东西。"

九头蛇的九个头同时变成了红色，怒道："你懂什么？我，那个，我用钱买还不行吗？"

金取笑道："买？就凭你们穷得有名的撒司领，拿什么买，这里每颗宝石保守估计也要价值一百万金币以上，你有那么多钱吗？"

九头蛇吼道："我……没有。"说到没有，他顿时像泄气的皮球一样蔫了下来。

他们还真是一对冤家，单独的时候都和我说得好好的，真正一碰面，谁也不肯收敛。

我微微一笑，冲九头蛇道："九头老兄，不是我小气，这些东西对我来说还是很有用处的。以后我要做的事情还很多，可能会有很多伙伴，为了能让我的伙伴和我更加强大，我必须保留这些东西送给他们。反正你在这里也没什么危险可言，要之无用，我就不送你了，也不会卖的。恕罪，恕罪。"

九头蛇顿时张口结舌，我说得很有道理，让他一时没了对策。

银取笑道："怎么？不出力还想要人家东西啊。你就在这里懒着吧，早晚身体里面都生锈，和上回见到你相比，修为根本没什么进步。雷翔和你还算不上朋友，就算是的话，也不一定要送你这么贵重的东西吧。"

九头蛇狠狠地瞪了银一眼，九个蛇头不断乱颤，双手攥紧拳头，非常激动地喊道："闭上你的臭嘴，你懂什么，你知道这些宝石对我有多大用处吗？放在你们手上只有增幅作用，如果放到我这里，就可以……"

即使在刚才面对死亡威胁的时候，九头蛇也没用这种激动的语气对金银，现在却为了几块宝石和金银翻脸，可见这些东西对他的重要性。

金瞪了银一眼，不让她再继续说下去，银也觉得如此贬低九头蛇确实有些不对，哼了一声，不再吭声。

为了自己的私利，和金银一起去骗这个看上去很老实的九头蛇出山，我突然觉得很惭愧。我叹了口气，暗下决心，即使没有九头蛇我也未必就不能成事。

我看了看他，道："九头蛇，你别生气，我不希望你们因为这几块石头争吵。这样吧，只要你能说出一个合适的理由，我就从这里面挑一颗送给你。"

九头蛇闻言大喜，上前两步抓住我的肩膀道："真的吗？"

我点了点头，看了一眼金银，道："我不会强求你出山相助，如果这些宝石对你真的那么重要的话，送你一颗又有何妨。"

九头蛇十八颗小眼一起眨动，里面透露出的都是感激："有用，岂止是有用啊？到了这个时候我也没什么好隐瞒的了，这个秘密连双头狼都不知道，现在我就告诉你们。我和金银的修炼方法是不同的，他们虽然总的来说不如我，但却有他们的优势，他们可以像人类一样自行修炼，不断地提升自己，而我却不能，我必须要靠外界的能量帮助才可以。"

金奇道："外界的帮助？怎么帮？我可从来都没有看你让谁帮过。"

九头蛇苦笑道："你们其实看到过的，还记得在森林里我最喜欢干些什么吗？"

金银同时点头道："吃。"

九头蛇转身踱步到门口，抚摩着玉石栏杆，叹息道："是啊，吃！我一天要吃掉比你们多上几十倍的东西，你们以为，我真的是为了满足自己的口腹之欲吗？不是的，我是因为自己本身无法产生催发能量运转和增强的潜能，必须吃，即使吃不下去了还要吃。"

听他说得有点语无伦次，我道："你能不能说得清楚一点。"

九头蛇回过身，缓缓地走了回来，道："我祖传下来的修炼方法，必须要靠着些外界的力量来引发自身的能量，融合后修炼。你们吃东西是为什么？是因为要提供体内所需的各种养分。而我不一样，食物的摄入可以提供大量的热能，我就是靠着这些热能刺激体内的能量激发潜能修炼的。金银，你们试过一天吃十个熊人是什么感觉吗？我试过。吃完后几乎无法动弹，连呼吸都不敢用力。和你们相比，我的修炼要痛苦百倍，为了保持体内能量的活性，我每天都要有三分之一的时间进食。你们知道吗？这也是为什么我要让手下每天给我找些兽人来吃，很恶劣的行为，不是吗？可这是我祖传下来的方法，为了让我们九头蛇一族传承下去，我只能这么做。"

他的九个头痛苦地纠缠到一起，显然对吃这件原本美妙的事深恶痛绝。

银问道："那这和你要这些宝石有什么关系呢，难道它们可以提供你所需要的能量吗？"

九头蛇有些惊讶地看着银，道："你很聪明啊，我说了这么多，就是要告诉你们，如果我能拥有它们其中的一颗，就可以像你们一样做个正常的兽人了，再也不用去多吃那些东西了。"

我恍然道："也就是说，宝石的放射性能量可以刺激你体内本身蕴藏着的能量，让你能够不必再依靠热量的摄入就可以修炼了，是吗？"

九头蛇可怜兮兮地看着我点了点头。

我微微一笑，指了指桌上的宝石，道："为了不再有兽人被你吃掉，也为了让你能够将九头蛇这一脉传下去，挑一颗吧，我的朋友。"

九头蛇一把拥抱住我，九个头缠住我的脖子，那滑腻的感觉实在让人不敢恭维，他巨大的力量险些让我窒息。

我能感觉出他发自内心的喜悦，一块宝石可以换到一个真心的朋友，这简直太便宜了。即使他不能为我所用，将来也肯定不会有损害我的行为。

我挣扎两下，嘶哑着道："快挑一颗你喜欢的吧。"

听到要让他挑宝石，九头蛇这才松开抱住我的双臂，喜滋滋地蹲在茶几旁仔细地挑选起来。

看他那高兴的样子，一股暖流在我心里流淌着。

金银走到我身边，金传音道："雷，你真要白送他一颗宝石吗？"

我点头道："是啊，你看他的样子，多高兴，他是你们的朋友，也就是我的朋友，我这些宝石也都是白得来的，送他一颗又何妨？还能避免他以后吃别的兽人，就算是做点好事吧。"

金看着我的眼睛，确认着我的诚意。

我的眼眸清澈，不带一丝势利和欲望："怎么？不信任我？怕我算计你的朋友吗？"

金道："谢谢你，雷，你是我见过的最好的兽人。"

我嘿嘿一笑，道："别客气，只要你以后帮我多出力就行了。"

银冲九头蛇喊道："九头蛇，你还没挑好吗？不要挑来拣去的了，快一点。我们还等着回去办事呢。"

九头蛇嗔怪地看了银一眼，挑出一颗钻石冲我道："我要一颗这个行吗？"

"当然可以，它能够帮助你修炼吗？"

"能，这个宝石的能量非常纯净，最适合我用了。谢谢你，雷。"

"别客气了，我的朋友，我还有些事情要求你呢。"

得到宝石的九头蛇心情大好，笑道："我知道，不就是那兽神教的事吗？放心吧，包在我身上，反正也没有什么真正的兽神，而且我也确实应该帮助撒司领好好地发展一下，不让他们云那独美于前。你们在这里休息吧，金银，你们消耗得太大，还是修养一天，明天再离开的好，我会尽快处理好这件事情的。"

我颔首道："那就谢谢你了，九头蛇老兄。"

九头蛇小心翼翼地捧着那颗钻石道："客气什么，比起这颗珍贵的宝石，那点小事算什么！你们先在我这里休息，待会儿我让人送点吃的来，我现在就去布置。"

他倒是个急性子，说干就干。钻石看来做催化剂不错。

当晚，我和金银留在九头蛇的宫殿里和他一起修炼。九头蛇说，他已经吩咐手下以后不许再随便为难过往的兽人，同时，也宣布了他是兽神教使者一事。九头蛇在蛇族的地位绝对是至高无上，说一不二的，根本就没有人敢反对，也没有人会去反对。蛇族的成员都相信他们的圣者无论做什么都是最正确的。

这，就是盲目的崇拜吧。

我终于也取得了撒司领的支持，至此，我成功地替兽皇笼络了两个大族。

清晨，九头蛇兴奋地把我叫了起来。

"雷，谢谢你，谢谢你。"他的话说得我有些纳闷，"干吗，九头蛇，你怎么又谢我？我可什么都没做啊。"

九头蛇激动地道："怎么没做，你看，你看我的头。"

我定睛看去，他昨天那四个被毁掉又长出来的头竟然恢复了勃勃生机，受损的几个头也都恢复了原样。

我笑道："恭喜，功力都恢复了吗？"

九头蛇道："功力虽然没有恢复，但我的头已经都恢复了，再恢复功力就会事半功倍的，你也知道，头是我力量的源泉。能这么快地恢复都要归功于你送我的那颗宝石。太神奇了，简直太神奇了，它好像和我是一体似的，我体内的能量被它激发得澎湃异常，比以前吃东西要强得太多了。我相信，用不了多长时间，我就能达到绝地的境界了。"

我好奇地问道："绝地？那是什么？"

"这个问题还是我来回答吧。"金的声音传来，他也醒了。

九头蛇笑道："你也醒了，功力恢复得如何了？"

银埋怨道："你这么吵，我们不醒才怪呢。功力哪有那么快恢复的？虽然经脉没有什么损伤，但也还要一天才能完全恢复。"

九头蛇道："没关系，你们就再多留一天，明天再走好了。"

我摇头道："不，我有些惦记我的那些手下，要尽快赶回去和他们会合才能放心，何况，在路上金银的功力也会逐渐恢复的。对了，金，你还没说什么是绝地呢？"

说到惦记手下的时候，我心里突然有股不祥的预感，弄得心里一阵不舒服。

金看了一眼九头蛇，九头蛇冲他点了下头，金道："绝地是指我们修炼的境界，只有我们这些上古流传下来的种族才会用这种说法形容自己的能力。我们修炼一般分为九个等级，分别是：初窥、粗通、小乘、渐入、了然、绝地、补天、烁今、离尘。我和银现在到了渐入的境界，而这家伙是了然的境界，你没听他说吗？马上就要进入绝地的境界了。我们这种修炼提升一级，力量会得到很大程度的提升，当然，想上升一级也不是那么容易的。"

银插嘴道："要是等九头蛇练到绝地的境界，恐怕咱们加起来也打不过他了。雷，要不，趁现在，咱们再揍他一顿，好不好？"银娇憨的样子逗得我们齐声大笑，九头蛇还装出一副好怕好怕的样子搞怪。

我问道："那等你们修炼到离尘的境界时，会厉害到什么地步？"

金银和九头蛇对视一眼，脸上都露出了向往的神色。

九头蛇像梦呓一样喃喃地道："如果我能到那个程度，恐怕就可以升为九头圣龙了，就不是普通的龙族可以比拟的，恐怕即使兽神复生也不是我的对手。"

银问金道："那咱们到了那个程度会变成什么样子？"

金苦笑道："咱们从来都没有分开过，你不知道，我又如何会知道？"

九头蛇看了我一眼，道："雷，你知道吗？兽人族所谓的兽神就是一只当初修炼到烁今境界的獯，现在这个物种已经灭绝了。所以，你就可以想象到离尘的厉害了，恐怕，到了那时候，就可以和天上的神兽相媲美了。"

我暗暗吃惊，真会这么厉害，那岂不是我要修炼到六翼堕落天使才和他们有一拼之力吗？

其实我想得不对，六翼堕落天使是冥王哈迪司座下第一魔神路西法的境界，岂是一般神兽可以相比的！

"那恭喜你了九头蛇，还差两个境界你就可以达到兽神的水平了，那到时候我介绍你给兽皇当兽神得了。"

九头蛇深深地叹了口气，道："你以为真的那么容易吗？虽然我在历代九头蛇中算修炼得最快的，但绝地境界可能就是我的极限了，撑死了能达到补天的水平我就已经偷笑了。这是我们九头蛇所能达到的最高境界。而金银比我还要差一些，他们最好也就是能达到绝地的境界，这也就是为什么他们会说比我差一个境界了，就差在这个上限。"

我愣了一下，道："难道就没有别的什么办法可以改变这种状况吗？"

九头蛇和金银同时摇了摇头。九头蛇道："我的祖先中达到补天境界的也不超过五个，根本就没有能向烁今发展的，没听说过能有什么方法可以再做突破。"

金道："我们就更惨了，只有三个祖先曾经达到过绝地境界，那还要追溯到几千年前双头狼的全盛时期。像我们两个，能达到了然的境界就相当不错了，这也是为什么我们不知道达到那个境界会有什么现象出现的原因了。"

"原来是这样，那有没有你们上古传下来的种族可以有修炼到离尘境界的呢？"

金道："没有吧，能流传至今的种族已经很少了，我们和九头蛇可以算是里面的佼佼者。"

九头蛇看了一眼金银，又看了一眼我，竟然郑重地点头道："金银，你们错了，那个种族是存在的。"

金银大惊，银道："你说什么？竟然有可以修炼到那个境界的种族吗？"

九头蛇道："他们要修炼到那个境界的可能性虽然极小，但可以肯定的是，他们确实有着离尘境界的上限。"

我和金银同时问道："是什么种族？"

九头蛇道："龙，是生活在龙神帝国的龙族之王，普通的龙只有达到绝地境界的可能，而龙王不一样。他们和我们一样，也是一脉单传的，他们有着可以提升到离尘境界的上限。唉，即使我也达到了离尘的境界也仍然不是龙王的对手，龙王到了那个境界后会飞升入天，成为具有神位的一代龙神。而我，顶多也就是个亚龙神而已。"

金道："不错了你，知足吧，你总还有向上突破的希望，像我们就不行，我们的父母在二百岁的时候就已经达到了绝地的境界，可是直到他们五百四十二岁死去的时候，仍然还保留在那个境界。我早就不抱什么希望了。"

"天上真的有神存在吗？"我疑惑地问。

九头蛇答道："应该有吧，从我祖辈那里传下来说有，不但有神界，还有冥界，他们分别处在不同的空间，而我们大陆正是夹在这个空间内。所谓的成神飞升，无非就是力量达到了一定层次后可以凭借自己的力量打破空间的束缚，到神界去。"

神界，那是一个什么样的地方啊！我向往地道："想达到那个境界，咱们就必须要努力，说不定真有那么一天能够实现呢。"

银"扑哧"一笑，道："我们还有希望，你就别想了，你修炼的是暗黑魔法，撑死了也就是到冥界做个魔神，想到神界是不可能的。"

我无所谓地一笑，道："冥界也不错啊，说不定还没有神界那么多约束呢！到时候我请你们去做客，怎么样？"

金道："那就这么说定了，到时候你可不要后悔哦。"

"不会的，咱们现在都还只是空想而已，只有先在大陆上达到最高境界，成为一个绝世的强者才有希望去实现啊！好了，九头老兄，我们要告辞了。"

九头蛇恋恋不舍地道："这么着急就要走啊，再多留一天吧。"

我摇头道："不了，等我去做的事情实在太多了，以后有机会一定会来这里看你的。你可要好好修炼，向着你的那个九头圣龙的目标前进。蛇族这边就拜托你了，过些时候，我会派些兽神教的人来帮助撒司领的人民发展耕作和工业，你多支持他们。你不是也希望能让自己的领地强大吗？"站起身形，"那我们走了，不用送了，我认识来时的道。"

九头蛇中央的毒气头突然闪过一丝光芒，点头道："好吧，一路顺风。"

金银看着九头蛇还想说些什么，我拉住他们出了九头蛇的宫殿。进入隧道后，我对金道："你不是让我别强求他吗？怎么自己又要去说？"

金叹息道："好不容易算是和好了，还真有点舍不得那个家伙。"

我微笑道："算了吧，每个人都有自己喜欢的生活方法，像你们就喜欢新奇的事物，而九头蛇则喜欢安逸的生活，我都想通了不叫他做帮手，你怎么还看不透呢？有缘自会再相见的。"

金无奈地道："都已经离开了，还有什么看不透的。"说着说着，我们已经走出了隧道。

盘城湖湖面平静，初升的旭日照耀得湖水波光粼粼，我苦笑道："忘记管九头蛇要条船了，这么长的距离咱们是无法飞渡的。"

银神秘地一笑，道："谁说无法飞渡，难道你忘记了风系魔法吗？"

我闻言一愣，道："风系魔法真的能飞吗？那所谓的飞翔术只不过是能增加点速度而已。"

银道："那只是你还没有练到家而已，风系六级魔法中的腾云术就可以飞的。"

腾云术？好像有点印象："大姐，你这不是难为我吗？我最高也就能使个五级左右的魔法，六级可是想都不敢想。"

银听我叫她一声"大姐"，喜滋滋地道："你真是笨啊，你不能用，难道我们还不能吗？"

"不是我笨，我知道你们能用，可你们的状态还没有恢复到最佳，用这么消耗能量的魔法太费力了，何况，还要带着我呢。"

金昂首道："不就是个六级魔法嘛，算什么。这么点距离还能难得住我们？"

正在我们争论的时候，九头蛇的声音从后面传来："别争了，金银，你们那好强的臭脾气还是改不了，以你们现在的状态绝对无法带一个人飞过我的盘城湖。"

金和银异口同声地回答道："你个死虫子，不要小看我们。"

九头蛇熟悉的身影出现在我们视线内，只不过身上罩了一件宽大的斗篷遮住了全身："真是怕了你们了，算我不对，行了吧。可到了我这里我怎么也要尽一下地主之谊，还是我送你们过去吧。"

金道："那我们就勉为其难麻烦你一次了。"

九头蛇苦笑道："你们啊，你们，走吧。"他那颗青色的蛇头吟唱道："伟大的风啊，请听从我的召唤，汇聚到我身旁，抵消我身体的重量吧。"

我想起来了，这就是那个腾云术的咒语，以后有机会要试一试。

一股清风吹过，九头蛇的身体飘了起来，他那颗蓝色的头吟唱道："伟大的水啊，请听从我的召唤，按照我的指示，凝结吧。"

这个我知道，是个四级水系魔法——凝冰术。

蓝色的光晕不断从九头蛇的蓝色蛇头中发出，盘城湖面上顿时浮起一层薄冰。九头蛇一手搂住我的腰，一手搂住金银的腰，大喝一声："起。"

由于有腾云术的作用，我们身体的重量在九头蛇的带动下变得很轻。

三个人腾空而起，不断在冰面上借力，冰非常薄，每次踩到的地方都会立刻碎裂，但这已经足够我们飞渡的了。九头蛇还真会省力气。

十几个起落后，我们顺利到达了对岸一棵大树下。

金不屑地道："我还以为你要带我们直接飞过来呢，原来是用这种办法，我们也行。"

九头蛇伸手拍了金的狼头一下，道："你行，你什么都行，不知道我还没完全恢复吗？哪儿有力气带你们三个死沉死沉的家伙。"

金刚要反驳，我拦住他道："你就少说一句吧，九头蛇，谢谢你来送我们，青山不改，绿水长流，咱们后会有期。"说完，拉着金银就要走。

九头蛇突然拦住了我，嗫嚅道："那个，那个，雷翔，我想和你们一起走。"

我和金银同时一愣，紧接着大喜过望，三口同声道："真的吗？"

九头蛇挺了挺胸脯，道："当然是真的，我想通了，银小妹说得对，我不能老待在这里了，现在我已经用不着食物帮助修炼了，还不如和你们一起上路呢。也许，对我的修炼更加有益。同时，我觉得雷翔你是个可以让我信任的人，所以，我决定跟随你们一起走，一起去看看外边的世界。不过，我有两个条件。"

我笑道："说吧。"

九头蛇沉吟道："第一，你要帮我想个好名字，我不想让你们一直叫我九头蛇；第二，我希望有机会的时候，你能……"说到这里，九头蛇的九个头都变成了红色，我明白，这是他害羞的表现，"我希望你们能帮我找个老婆。"

金银愣道："老婆？"随即哈哈大笑起来。银道："原来你思春了啊，哈哈，笑死我了。"

我强忍笑意道："第一条好说，我现在就可以帮你，可这第二条……我可没有帮别人做媒的经验啊，你想让我怎么帮？"

九头蛇冲着金银恨恨地道："你当都像你们似的雌雄同体吗？我要不找个老婆怎么给我们九头蛇一族传宗接代？"

第三十九章

兄弟之死

　　银道："你这家伙怎么也还可以活个五六百岁，用得着这么着急吗？再说了，你们蛇族不是都听你的，从里面随便找一个女性蛇人还不容易吗？"

　　九头蛇的九个头缠到了一起："我现在倒是不急，不是说了吗？有机会才要你们帮忙。我们蛇族的女人是不行的。"

　　我好奇地问道："为什么不行，不和你是同族吗？难道你要找另一个九头蛇做老婆？"

　　九头蛇苦笑道："我到哪里去找另一个啊，我们是一脉单传。你们不知道，我们九头蛇一族必须要找龙族女性才能顺利地传宗接代，普通蛇人怎么经得住我庞大的能量呢？"

　　金惊讶道："你要找一条龙做老婆，就你这个样子，人家肯跟你吗？"

　　九头蛇恼羞成怒道："我的样子怎么了，不比你们帅多了！我母亲就是龙，现在她还在龙族呢。"说到这里，他赶快捂住自己的嘴。

　　金追问道："什么？你的母亲还在世。"

　　九头蛇放下手，神色黯然地道："是的，母亲还在。当初，是父亲凭借着强横的力量将母亲掳到咱们那个森林的。后来，母亲生下我之后就回龙族了。龙族的生命要比我们长得多，她当然还在世了。"

　　银口无遮拦地道："啊，你父亲是强人所难啊？"

　　出奇地，九头蛇并没有生气，叹息道："我父亲也不想的。父亲曾经对我说，他一辈子最后悔的事情就是强迫了母亲，但最留恋的也是和母亲在一起的日子。"

　　金道："那你也可以像你父亲那样，等你到了绝地的水平后，抓一条母龙还不是易如反掌吗？再过二百年也来得及。"

九头蛇摇了摇头，道："父亲临死前吩咐过我，他说，他这辈子太对不起母亲了，绝不希望再发生类似的事。他要求我，除非得到一条母龙的芳心，否则宁可让我们九头蛇一族灭种也不要去强迫她们。父亲在临死的时候还念叨着母亲的名字，我能看得出，父亲对母亲的爱是那么深。于是，我答应了父亲。"

我道："你父亲真是至情至性，既然他这么吩咐了，你就一定要做到。放心吧，我们都会帮助你的，虽然龙可能不会喜欢你的样子，但我相信'精诚所至，金石为开'的道理，只要你用自己的诚心去打动对方，一定可以达到目的的。我想，你父亲最希望的事情就是可以和你母亲厮守终生吧，这个遗愿就要你来完成了。一切都要建立在强大的实力上，想找条龙做老婆，你就一定要努力。"

九头蛇郑重地点头道："谢谢你的理解和支持，放心吧，我以后不会再那么懒惰了，我一定会努力的。"

我微微一笑，道："那现在我们就先帮你想个名字，好不好？"

九头蛇大喜道："好，好，好，一定帮我想个响亮点的，别像他们的那么俗气。"

银撇嘴道："我们的有什么俗气的？金和银都是珍贵的矿物，谁不希望自己有多多的金币。"

金突然表情非常严肃地对九头蛇道："我帮你想了一个非常适合你的名字。"

我和九头蛇同时问道："什么？"

金的表情仍然严肃，非常郑重地道："小虫。"说完，立刻和银闪电般地逃去。

九头蛇先是一愣，转而大怒道："你们两个混蛋别跑，我跟你们没完。"匆忙追着金银的足迹飞奔而去。

我一边笑着，一边跟上了九头蛇："别生气，他们是和你开玩笑的。"

九头蛇一边追着，一边恨声道："这两个家伙太可恶了，又来取笑我。不过你放心，我是不会真生气的，否则，早就被他们两个家伙给气死了。"说完，加速追去。

通过这两天的接触，我发现九头蛇的脾性非常宽厚，这在蛇族里可是相当少见。

九头蛇的功力毕竟要深厚一些，终于在一个土坡上追到了金银，火球、水弹、风刃铺天盖地地打了过去。

金银没有办法，只得布下结界抵挡。金冲我喊道："雷翔，你还不快来帮忙，就看着他打我们啊。"

我呵呵一笑，道："这回我可不帮你们了。是你们的不对，快向九头蛇认错吧。我想，他会原谅你们的。"

双方足足僵持了半个时辰，金银已经被打得节节败退了。

银道："雷翔，你太喜新厌旧了吧，见死不救啊，快点，我们支撑不住了。"

我这才跑到九头蛇身边道："算了吧，他们应该已经知道错了，我帮你想好了个名字，想不想听听看？"

听了我的话，九头蛇手上一缓，喜道："快说给我听听。"

金喊道："九头蛇，不打了，打不过你。"

九头蛇威胁道："你们要再叫我刚才那个名字，哼，就再扔个陨石给你们尝尝。"

金道："行，行，行，算我们怕你了，行了吧！"

九头蛇洋洋得意地道："知道厉害就好。雷，给我想了个什么名字，你可别像他们两个家伙那样取笑我了。"

"不会的，放心吧。我想，你是从盘城出来的，以你的功夫也算得上是宗师一级的了，就叫盘宗，好不好？"

九头蛇念着："盘宗，盘宗，嗯，不错，行，我以后就叫盘宗吧。谢谢你，雷翔，你比那两个家伙强多了。"

我摇头道："咱们是朋友，说这些就见外了，好了，上路吧。"

金有些不满地道："我被他打得累着呢，还叫什么盘宗，还不如叫盘子呢。"

九头蛇作势欲打。

金道："好了，不闹了，走吧。"

第二天下午，我们已经接近了撒司领和云那领的边界，我心中的那股不祥的预感越来越强烈。金银和盘宗经过一天的调整已经恢复了绝大部分能力。

金道："雷翔，你怎么好像闷闷不乐，是不是盘宗招惹你了？咱们一块修理他吧。"

盘宗一瞪十八只眼睛道："只有你这个爱惹是非的臭狼才会招惹到雷翔。"

我看了看天色，太阳已经逐渐向西方偏移："不知道为什么，我心里老有一种压抑的感觉，好像有什么事要发生似的。"

银道："你太多虑了，凭咱们几个在兽人国还能怕谁？放松点吧。"

我想了想也是，释然道："那快走吧，一定要在日落前赶到地方和兄弟们会合。"

一路急赶，我带着金银和盘宗终于在黄昏时分赶回了那个约定相会的土坡，太阳依依不舍地悬在西方的天际，露在外面的半张脸带来了美丽的晚霞。

但是，现在的我根本没有任何心思去欣赏它，因为，我那不祥的预感应验了。

土坡上空无一人，只有几片已经发紫的血迹。

我愣愣地站在那里，浑身散发着凌厉的杀气。是谁？是谁袭击了我的人。

金银走到我身旁，金搂住我的肩膀道："雷，别着急，咱们好好找找。"

盘宗在不远处叫道："快来，这边也有血迹，还有一具尸体呢。"

尸体？我全力运转狂神诀，用最快的速度"飞"到了盘宗身边。

果然，半人马护卫静静地躺在那里，但他的表情却充满了恐惧和愤怒。他的胸腹被人用利刃剖开，睁大的眼睛完全是死灰色。

我默默地走到他身旁蹲了下来，把手放在他的脸上，缓缓合上他的双眼。我的声音中没有丝毫感情，冰冷得像冬天的寒风："兄弟，如果你有灵魂的话，快告诉我，是谁杀了你?是谁?是哪个畜生竟然用这么残忍的手段使你死不瞑目?"说到最后，我几乎是吼出来的。

这些护卫跟我已经有一段时间了，虽然不能说感情深厚，但我早已把他们看成了自己人，他们都是我的兄弟。

我猛然抬头，死死盯着盘宗："是你，是你的手下干的，对不对？是你。"我一个箭步冲了过去，双手紧紧地抓住盘宗的衣襟。

盘宗先是一愣，转而大怒，一震双臂，将我挥退数步，怒道："怎么就是我？你凭什么说是我手下干的？"

金银赶忙拉住我，金道："雷，别冲动，先弄清楚事实再说。"

我一边挣脱着金银的阻拦，一边凄厉地吼道："还查什么？这里是他们蛇族的地盘，虽然接近云那，但你那边的人不可能对我的兄弟们有敌意，对不对?只有他们蛇族才会这么凶残地杀害我的兄弟。当初他们一群蛇人围攻我的兄弟，难道你忘了吗?"

银突然重重一拳打在我脸上，巨大的力量将我打得飞了起来，猛地撞上一棵大树，轰然坠地，扬起一片尘土。

她怒嗔道："雷，你个混蛋，你就这么不相信我们吗？那为什么还让我们跟着你？还没有调查清楚就武断地下结论。即使真的是蛇族干的，你也要拿到证据再和盘宗算账，你现在这算什么？"

听了银的话，盘宗的九个蛇头同时露出了感激的神色，但他并没有说话。

金努力控制着他们共同的身体，不让银继续上前殴我："雷，你清醒点，你手下那帮小子虽然算不上高手，但二十个人在一起，是一群蛇人能够伤害的吗？"

我捂着疼痛的脸颊，缓缓地站了起来，看了看金银，又看了看盘宗，脸上流露着凄然的神色。

我淡淡地道："银，谢谢你，你这一拳把我打醒了。兄弟的死让我一时被怒气冲昏了头脑。"

上前几步，我来到盘宗身前，先是深深地鞠了一躬，然后盯着他的眼睛道："对不起，盘宗，我刚才太冲动了。不过，如果真是你的手下干的，我是不会放过你们蛇人族的。"

说完，我转身走向了半人马护卫的尸体，又蹲了下来。清醒过来的我，自然要从他的尸体上找到一些线索。

盘宗看了一眼金银，无奈地摇了摇头。

金道："雷翔，你先在这里检查尸体，我们四处找找，看有没有什么痕迹留下。"

我点了点头，仔细地看着半人马护卫的尸体。我突然发现，他的伤口已有些腐烂。从地面上的血迹来看，应该死了不超过三天。

可是，为什么他的伤口会腐烂呢？现在天气已经转凉了，按道理说是不应该这样的。

"雷，这里也有尸体。"金的声音传来。

在距离半人马护卫尸体不到百米处的灌木丛里，我们又发现了四具尸体。他们全部是我的护卫，死状比半人马护卫更惨，有两个稍微好一点的被砍掉了头，剩余两个已经被肢解成了十几块，是金银勉强将他们拼凑起来的，紫色的血迹布满了周围五米。

我将天魔诀运转到极限，用暗黑魔力那冰凉的气流压制着内心的悲愤。

我抬起头，看向盘宗，他以为我又要找他麻烦，下意识地后退了一步，露出警惕的神色。

"盘宗大哥，对不起，我为我之前的行为向你道歉。我想，我的手下并不是你们蛇人杀的。"

盘宗一愣，道："你是怎么判断出不是我们蛇人所为呢？我怎么什么都看不出来？"

我长叹一声，道："我这些手下都是我一手训练出来的，他们有多大本事我非常清楚。你们也看到了，我们直到现在都只发现了我护卫的尸体，而没有任何敌人的踪迹。这就说明他们和对方的差距。能够如此迅速地杀掉我这么多兄弟，而又没被他们的反抗所击杀，那么，这个凶手的功夫恐怕绝不在我之下，而且绝不止一个。我想，你们蛇人之中除了你以外，恐怕还没有这么好身手的。而你，一直都没有出过盘城，所以我断定，这些凶手必然不是你们蛇人，也不会是狼人，甚至不会是任何兽人。在兽人中，只有我父亲有这个实力，可他绝对不会无端到这里杀人的。"

银像金刚才那样，一把搂住我的肩膀，温柔地道："雷，你终于清醒过来了。你的分析非常在理，那你说，会是什么人下的毒手呢？"

金惊讶地道："哇，银，我第一次从你身上感觉出了女性的味道。雷，我可要嫉妒了。"

银收回搭在我肩膀上的手，一拳打在金的肚子上，怒道："本姑娘怎么没有女人味了？"

我感激地看了他们一眼，我明白，金是想分散我的心神，使我减轻一些伤痛，但随我征战的战友、兄弟就这么白白地死了，我如何能不悲伤呢？

我深吸一口新鲜空气，道："我想，恐怕我的手下没有一个会存活了。来吧，咱们找找。看看能不能有些痕迹留下，最起码也要全部找到他们的尸体。"

经过一个多小时的搜索，我们一共找到了十八具尸体，每个都死状奇惨，几乎没有一个是全尸的，但是，仍然没有敌人的线索留下。

而没有找到的，则是沃夫和猛克两个，也没有找到黑龙。

我将他们的尸体聚集到一起，双目通红地看着他们。

金道："雷，咱们再找找吧，从刚才尸体的位置上判断，他们应该是向东边跑了。还有两个没找到的，说不定他们还活着。"

我点了点头，和盘宗、金银一直向东边搜索。金银凭借着灵敏的嗅觉寻着血腥味一直在前面带路。

走出了足有将近十里左右，金银突然停了下来。金指了指左侧道："在那边。"

我顺着他指的方向看去，竟然是一块大岩石。

银指了指石头，我疑惑地看着她道："你说在下面?"

金银一起点了点头。

我力贯双臂，大喝道："开。"狂神斗气疯涌而出，将这重达千斤的巨石轻松地推了出去。

巨石刚离开它原来的地方，一个熟悉的声音嘶吼道："你们这群混蛋，我和你们拼了。"从岩石下面冲出一个发狂的身影带着两束雪白的巨大月牙猛地向我劈来。

我看清了月牙的主人，心中大喜，一边闪躲，一边大喝道："猛克，住手，是我。"

那发狂的身影听到我的声音顿时停止了攻击，"当啷、当啷"两声，猛克手中的两柄大斧掉在了地上，他扑倒在地哀号道："少爷，您怎么现在才回来啊!"

我赶忙一把扶起猛克，把手按在他的脉门上，还好，他只是身上有些轻伤，体力透支再加上长时间没有进食而有些虚弱。

猛克喘着粗气道："少爷，你快救救沃夫吧，他快不行了。"

"什么? 他在哪里?"

"他就在那个洞穴内。"

我把猛克交给盘宗，一个箭步迈进了地穴。

这里的空间很小，只能容下两三人。

沃夫只剩下一条手臂搭在胸口上，鲜血染红了他的武士服，左腿齐根断掉了，眼睛已经露出了死灰色。虽然已经止住了流血，但如果我再晚来一步，可能他就要离我而去了。

我赶忙掏出绿松石，放在他的胸口上，精纯无比的狂神斗气激发而出，沃夫身体一阵颤抖，脸上泛出一丝红晕。

但我却没有丝毫兴奋，他的伤实在太重了，不光外伤严重，而且还有很重的内伤，能撑到现在已经是个奇迹。

金银跳到我旁边，金道："怎么样? 还有救吗?"

我黯然摇了摇头，道："他的伤实在太重了，虽然我给他注入了很多的生命力，但他的内脏已经多处受损，我根本不敢为他治疗，现在只能看是不是能让他清醒过来。"

银把手搭在沃夫的手上，叹了口气，道："这家伙真是条硬汉，受了这么重的伤居然还能坚持到现在没有死，真是奇迹啊。"

听她这么说，我知道已经完全没有希望了。

从怀中掏出鸡血石，我再次运力为他输入能量。

沃夫又是一阵颤抖，咳出几口血沫，缓缓地清醒过来。

当他看到我的时候，眼中充满了神采，精神顿时变得好了许多。但我的心却一直向下沉，我非常明白，这是回光返照的迹象。

沃夫苍白的脸上露出一丝笑容，微弱地道："少……少爷，您……终于……回……来了。"

眼泪不受控制地从我眼中滴落，我抓住沃夫的手，哽咽道："沃夫，我对不起你们，我回来晚了。"

沃夫轻轻摇了摇头，道："这……这不怪……您，您……一定……是……有重要的……事情去做，我……知道，您……是一直记挂……着……我们的。猛克……猛克呢？他……怎……怎么样了？"

"他在上面，他没事，我叫他下来吧。"

沃夫的声音越来越微弱，脸上的红光也在逐渐地消退着。他挣扎了几下，我赶忙搂住他的身体让他坐了起来。

他看了我一眼，道："不用了……少爷，少爷，您知……知道吗？在……我……心里，您……是一个……最好的朋……朋友。是的，我……我不怕您……怪我，我……一直……把您当……朋友看，虽然您外表……冷漠，但我……知道，您的内心……无比火热，尤其是……对我们……这些兄弟。虽然……他们……全走了，但我……相信，他们……没有……一个会……后悔……跟……跟了您。少爷……谢谢……您对我们……的关怀。"

强烈的悲意上涌，我痛哭失声道："不要说了，沃夫，我的兄弟，你要坚强起来，我一定会治好你的。"

沃夫的眼神很平静，他微笑着道："少爷，我……自己的……情况……我自己知道，我……就要……死了。在……我死……之……前，我……能……请求……您帮……我做……两件……事情……吗？"

"你说吧，就算你要天上的太阳，我也会想办法给你摘下来。"

沃夫的声音已经非常微弱，眼睛已经有些睁不开了，我把耳朵贴到他嘴上："少爷，猛克是……我……最好……的……兄弟，以后……麻烦您……帮……我……照……照顾他。"

我点着头，眼泪大滴大滴地掉在他手上。

"少……少爷，您别难过，不论……是……什么……生物，总是……

要死……的，不……是吗？何况，我……就快……可以……见……到……兄弟……们……了，我……会……替您……向他……们……问好的。还有……一件……事，我……有一个……妹妹，她……小……小时候……和我……一起……被……赶了……出来，后来，我们失散了。她……叫……沃玛，我……怀里……有……半块……璞石，她……也应该……有……半块，可以……合……在……一起的。现在……也不……知道……是生是死，帮……我……找……找……她，好……吗？"

我用力地点着头，泣不成声："会的，我会的，只要她还活着，我一定会找到她，像对自己妹妹一样照顾她，你放心吧。"

我突然感到沃夫的手无力地向下滑去，他的头靠到了我的肩膀上。

我晃了一下头，甩掉了眼前的泪水，低头看去，沃夫合着双眼，安详地靠在我肩膀上，一滴晶莹的泪珠挂在他仍然微笑的眼角上。

我全身巨震，我明白，他已经含泪而逝。我将再也无法听到他洪亮的声音。

我仰天怒吼道："不！"我的身体在迅速地变化着，没有任何先兆，我彻底狂化了，头发和眼睛迅速变成了红色，身体的肌肉骤然膨胀，充满了爆炸性的力量。

但我依然很清醒，暗黑魔力在尽量控制着我的情绪，我感觉到这次狂化和以往的不同，它给我带来了更大的力量，而且是源源不绝没有任何枯竭的迹象。

我的声音异常冷酷："告诉我，这是怎么回事？是什么人袭击了你们？我以兄弟们付出的鲜血在此发誓，不论是什么人，我都一定要让他们用生命来偿还。死去的兄弟们，你们英灵不远，用你们的灵魂保佑我找到那些凶手吧！"一道剧烈的红光从我身上发出，直射天际。

猛克将沃夫的头搂在自己怀里，眼中闪过一片恐惧："大约在您走后的第七天，也就是两天前，突然来了五个人类，四男一女。那女人年龄不大，非常漂亮，身材好得更是没话说，好像是他们的首领。他们看上去样子都很亲切。由于他们和您的长相有些相像，我们也没太在意。其中一个四十多岁的男性走过来跟我们说话。一个兄弟告诉他们我们是兽神教的使者，专门替兽人兄弟排忧解难的。那四十多岁的中年人眼里闪过一丝光彩，回头冲他们的人说应该就是他们了。当时，我听了这句话觉得很奇怪，但也没有问。那女人走了过来，兄弟们都被她的美貌迷住了。她突然发现了黑龙，惊呼了一声："难道是他？'一把抓住一个兄弟衣襟问我们的首领是谁。我们当然不会告诉她了。被抓住衣服的兄弟运力一震，将她震出去几步，骂了她几句。那女人的表情顿时变得很阴森，她问我们：'真的不说?'我们当然说不说了。她就说：'那好，既然你们如此执迷不悟，杀了你们，那家伙自然就会出来。我们收到消息说你们兽人有所异动，搞了个什么兽神教，既然你们不肯乖乖地说出来，我就让你们去死。'她对他的手下喊道：'动手。'我们的噩梦就从她这句'动手'开始了。他们五个人同时说了句古怪的咒语，然后全变了样子，后背长出一对满是黑色羽毛的长翼，眼睛和头发也都变黑了。那个女的没有动手，命令那四个男的开始向我们攻击，而她却扑向了黑龙。"

我接口道："他们的咒语是不是以'黑暗凝聚灵魂'这句开的头?"

猛克想了想，点头道："好像是的。"

金银惊呼道："堕落天使。"

第四十章 死亡禁忌

　　照猛克的说法，应该是魔族唯一一个能够进行堕落天使变身的女性——墨月，带人来了兽人国。

　　"猛克，你继续说。"

　　"是，少爷。我们大家发现了他们的异变后立刻拿出兵器准备和他们对抗，可是，他们简直太恐怖了。"猛克眼中闪过强烈的恐惧，"那根本就不是人类能够拥有的速度和力量。"

　　我冷哼道："他们本来就不是人类。"

　　猛克点了点头，道："我现在才知道他们竟然是魔族的堕落天使。半人马兄弟第一个冲了上去，也揭开了我们被屠杀的序幕。我的眼睛只能看到淡淡的黑影一闪，半人马兄弟便发出一声凄厉的惨叫，抛出漫天血雨倒下了。当时我眼睛都红了，我们这些人都是从小一起长大的好兄弟，立刻就抢着斧子要冲上去。是沃夫兄弟阻止了我，他拉住我，同时向其他兄弟喊着：这些人不是我们能对付的，赶快撤退。就这样，我们且战且退，都被打散了。兄弟们一个接一个地倒了下去。沃夫为了保护我也受了重伤，一直到这里。我支撑起这块大石头，在下面打了个洞，我们才勉强躲过了敌人的追击。"

　　"那黑龙怎么样了？"

　　"黑龙被那个妖女不知道用什么方法控制着骑走了。她交代那几个手下对我们不能留活口，后来就再没见到她。"

　　我"嗯"了一声，身体周围的血红色斗气噼啪作响："你休息吧，放心，我们的兄弟不会白死，我要让魔族为他们做出的一切付出血的代价。"猛克的脸突然痉挛起来，眼中充满了恐惧。他抬起右手指着天上，身体向后蹭了蹭，颤声道："是他们，他们又来了。"

我顺着他所指，抬头看去，果然，四个堕落天使拍打着羽翼向我们飞来。

我一挥手，将猛克打晕，强烈的恨意冲走了我的清醒。怒吼一声，我双脚用力，"蹭"的一下蹿了起来："狂龙急舞。"身体化作一条血红的长龙迎了上去。

狂化后的我发挥出了百分之二百的力量，无穷无尽的斗气以墨冥为尖锋冲向对方。

我身上发出的强烈的能量波动使那几个堕落天使感觉到了恐惧。他们反应非常迅速，四个人同时定在空中，围成一个半弧形，用最快的速度各向我发出一个黑色能量球，四颗能量球在空中合而为一，猛地向我迎了上来。

现在的我根本不知道闪躲，硬生生地冲了上去。

"轰"的一声巨响，我被强大的暗黑魔力震得飞了回来，在空中鲜血从我口中狂喷而出。

毕竟是四个堕落天使，哪里是我一个人可以对付的？

盘宗发出一声咆哮，闪了过来，接住了我的身体，强大的冲力将他带得连退十余步方稳住了身形。

他暗暗吃惊于堕落天使的功力，不但我一个回合就吃了大亏，仅仅是余力仍然如此强大，使他无法站稳。

金银一闪身，拦在了我们身前，防止对方的追击。

四名堕落天使降落在我们身前二十米处，他们吃惊地看了看并没有被撕碎的我。其中一个注意到了猛克，嘿嘿一笑，上前一步道："原来这小子躲在这里，怪不得我们找不到了，要不是刚才那道红光指路，就让你们跑掉了，这下正好自投罗网。"他的声音阴沉尖锐，听起来非常刺耳。

由于处在狂化阶段，我体内的经脉迅速愈合着，体内的暗黑魔力在同源的外力刺激下又重新给我带来了清醒。

在盘宗的搀扶下我站直了身体，狠狠地盯着对方，冰冷仇恨的声音从我牙缝中一个字一个字地挤出："就是你们这些杂碎杀了我的手下吗？"

刚才说话的那个堕落天使看到我居然还有再战之力，惊讶地仔细打量着我，另一个岁数大一些的回答道："不错，就是我们杀的。你们是一伙的吧，今天正好一网打尽，这样，我们就可以回去复命了。"

我摇了摇头，阴狠地道："不，你们再也不用回去了。这里，将会是你们的葬身之地，你们必须用自己的生命为我的属下偿命。"

"哦！这么说，你就是公主要找的那个人了，可是公主说……"

我冷哼一声，道："变身是吗？金银，盘宗，我希望你们能帮我一把，可以吗？"

我当然知道即使是变成血红天使的我也不可能对付得了四个堕落天使，如果有金银和盘宗的帮助就不一样了，他们都可以稳稳地收拾一个。再加上我的力量，对付这几个家伙还是有把握的。

金将身上的斗篷扔到了一旁，银恨声道："没问题。雷，这些人渣竟然敢到我们兽人的地方撒野，今天，说什么也要为你的手下们报仇。"

盘宗看我已经恢复了些，松开扶住我的手，一把撩起头上的斗篷，九个头不住地晃动："敢来我的地盘撒野，还险些让我背了黑锅，对付这些败类当然要算我一个。"

金银和盘宗凶恶、奇异的样子顿时让四个堕落天使惊呆了。他们肯定不会想到兽人中居然还有这些种族。

我满意地点了点头，道："那好吧，就让我们一起变身吧，让他们看看，我们兽人是否无人。'黑暗凝聚灵魂，堕落方能自由，觉醒吧，沉睡在我血液中无尽的魔力。'"

我吟唱出变身的咒语，体内的暗黑魔力疯狂地躁动起来，逐渐融合到充斥着我身体的狂神斗气当中，我的身后顿时出现了两只红色的羽翼，体内充满了用不尽的力气，刚才对碰受到的强烈内伤也被压了下去。

金银也开始吟唱，金道："太阳，赐予大地温暖的朋友啊，请将您无尽的力量赐予我吧。"银道："月亮，在黑夜中带来光明的朋友啊，请用您无尽的光华洗涤我的身心。"两个狼头同时吟唱："觉醒吧，沉睡着的狼神血脉。"

金银向天发出一声长长的狼嚎，身体和毛发迅速增长，顿时变成了最强攻击状态。四肢着地，巨大的狼身闪烁着金银两色，强大的能量将周围的灌木撕得粉碎，原来他们本源的力量竟然是吸收日月精华。

盘宗毫不示弱，九个头一个口型，同时吟唱道："水、火、地、风，存在于自然界中最纯净的能量，请点燃我心中的希望，觉醒吧，沉睡着的蛇王血脉。"

他滚倒在地，身体和头迅速变大为原来的几十倍，原来他是依靠自然力量修炼的。四名堕落天使在如此诡异的变身下顿时被吓得飞退出百丈。

盘宗晃动着刚刚恢复的九个巨大蛇头，率先发出了攻击。

无数三、四级别的四系魔法铺天盖地地罩向对方，即使以堕落天使的速度也无法躲闪这样全方位的进攻，顿时被打了个手忙脚乱。

猛克如果不是昏了过去肯定会惊讶非常。

我和金银同时扑出，分取其中两名堕落天使。我冲向岁数最大的那个，变身后的我速度超过金银不少，带着充满死亡气息的红色，挥舞着墨冥闪电般地迎上了我的敌人。

出乎意料的是，那名堕落天使竟然挡住了我强横的一劈，虽然被劈飞了，但我知道并没有使他受伤。我心里明白，这家伙已经修炼到了天魔诀的第六层，否则，绝没有这样的实力。

当初我能一个人杀掉四名堕落天使是因为对方都已经受伤，同时我的变化太过诡异，在他们没有戒备的情况下，以迅雷不及掩耳的速度杀了对方一个措手不及。

但这回不一样，虽然我变身成血红天使，但也只比修炼到六层天魔诀的堕落天使高出一线而已，想杀掉他也不是那么容易的事。

殊不知，那名堕落天使惊讶更甚，他刚刚修炼到第六层天魔诀时间不长，本以为除了龙骑将以外，其他族不会有对手了，可没想到一个照面就被我打得处在下风。

在空中和对方交击数百下后，我取得了绝对的上风，他只能被动地防守。

金银的那种魔法加斗气的进攻打了对手一个措手不及，那名堕落天使只有第五层天魔诀的实力，已经被打得多处受创，眼看就支撑不住了。

盘宗在这次战斗中发挥出了他真正的实力，即使变成血红天使的我也能感到和他的差距。

两个修炼到五层的堕落天使被他的魔法、毒气加四个物理攻击蛇头打得狼狈不堪，背对背地抵挡着。

至此，我们占据了绝对的上风，我想，即使墨月在，也无法阻止我们疯狂的报复。

兄弟们的死不断刺激着我的大脑，我的攻击越来越疯狂，狂神诀连出。

狂影百裂，夜空仿佛变成了红色，无数红影以我的对手为中心疯狂地扑击，那个四十余岁的堕落天使再也无法抵挡我的攻击，身体被红影透过无数次，轰然炸开，化为满天血雨飘洒而下。

与此同时，金银也发动了最后的攻击，再次使出了绝技金银卷龙破。他们的对手根本来不及用出最强的力量抵挡，就已经被撕得粉碎。

盘宗早在我发出最后攻击的时候，就已经开始用上了陨石术，在金银的对手被撕碎的同时，一座小山般的陨石飘然而至。

剩余的两名堕落天使眼中流露出了绝望的恐惧，其中一个突然奋力一甩，将自己的同伴抛出了圈外，狂吼道："快走，回去报信。伟大的冥界之神啊，我愿意用我的血肉、灵魂以及一切一切换取您最强大的力量。来吧，你们这些怪物，同归于尽吧。禁忌——冥王的施舍。"

听到他的咒语，我顿时大惊，这已经不是暗黑魔法了。天魔诀中曾记载着几种企求冥王的魔法，属于禁忌术，没想到竟然出现在这个堕落天使身上。

那堕落天使的身体、羽翼都已经变成了惨灰色，双目由黑变白，身体迅速地膨胀着。陨石术在这时已经到了他的头顶。

我大吼一声："小心!"化作一道血影冲了过去，挡在了盘宗和那名堕落天使中间。

那名堕落天使在小山临身的一刻以自己为中心发生了剧烈的爆炸，出奇地，没有任何血肉溅出，一圈灰色的能量带猛地向外扩散，七级土系魔法陨石术竟然在这股能量下不断地消融了。

我一咬牙，身化血龙，用狂龙急舞迎了上去。

金银距离还比较远，只能不断用魔法支持着我。盘宗怒吼一声，无数魔法防御罩将我包裹起来。

终于，我和那圈灰色的能量带碰上了。

我没有感觉到任何能量的撞击，只是觉得自己仿佛虚弱起来，不知道什么东西在腐蚀着我，狂龙急舞发出的攻击能量被静静地消融了。我难受得几乎吐血，而盘宗在我身上施加的魔法防御罩也一层层地消失了。

灰色能量带从我身上一透而过，我全部的力量仿佛都被它带走了似的。

狂化变身瞬间在我身上消失，死亡的气息笼罩住我的全身，绿松石突然在我贴身的口袋中变得灼热无比，一层浓浓的绿色光芒渗透进了我的身体，绿光猛闪，灰色能量带顿时弱了下来。但是，我却听到了一声碎裂的声音，绿松石为了保护我，已经完蛋了。

我一声惨叫，昏了过去，身体从空中骤然掉了下来。

由于我的抵挡，灰色能量带逐渐消失了，当它到达盘宗身前的时候，只剩下薄薄的一层，被盘宗发出的魔法抵消掉了。

盘宗的大尾巴一甩，卷住了从空中掉下来的我。

灰色能量带一直蔓延过去，周围的树木、灌木、岩石，凡是突出地面的东西，都静静地在那死亡的阴影下消失了。

一切都是一瞬间发生的，由于我和金银、盘宗、猛克都集中到了一条线上，所以他们并没有受到那禁忌的伤害。

那名选择自我牺牲的堕落天使没有想到的是，自己的牺牲，并没有换到同伴的逃脱。

在他将同伴甩出去的时候，他那个同伴愣了一下，惊呼道："不要。"就是这一耽搁，决定了他的命运。当他再想离开时，已经晚了，他和周围的山石、草木一样，都消失在那灰色的能量下。

方圆三百米之内，除了我防守的这一条宽约十几米的区域以外，完全变成了平坦的荒地，找不到一丝生命的迹象。

盘宗变回人形，抱着脸色异常惨白的我，愣愣地说不出话来。

金道："怎么样?雷怎么样啊?"

盘宗全身一颤，灵魂入窍，皱着眉头道："还好，他还有气息，只是伤得很重。那股能量太恐怖了，如果不是雷翔拼命抵挡，恐怕，我……"

想到这里，他不禁一阵哆嗦，心里充满了后怕。

他的判断非常正确，那股力量即使以他的强悍也是无法抵挡的，毕竟那是不属于这个世界的力量。

在刚才的最后关头，如果不是我的全力一击，他的各种魔法防御结界，加上狂化、堕落天使变身以及绿松石的大量生命力释放，恐怕，我也无法为他挡灾。

金银叹了口气，道："雷翔是个重情重义的好汉子，今天他冤枉了你，这就算他补偿了吧。快，先到那洞穴里为他疗伤吧。"

盘宗抱着我走向洞穴："其实，我根本没怪过他，谁遇到那种事情也会控制不住情绪的，他已经做得很好了。"

冥界。

冥王哈迪斯穿着宽大的灰色长袍端坐在王座上，俊伟的脸上露出一丝喜悦的笑容，一圈白色的符号围绕着他的身体不断地旋转，灰色却闪闪发亮的王冠发出一小圈灰色能量，周围的白色符号顿时融入他的身躯。

"太好了，没想到在那个世界居然有人如此诚心地企求我，他坚定地抛弃了自己的肉身和灵魂。很好，这股奉献的能量让我感到很舒服，也借着他的企求看了一眼那个异世界。路西法，那个企求我力量的人身上有你的气息啊。看来，你在异世界的信徒还真不少。"

冥界力量仅次于冥王的大魔神路西法轻轻拍打着六只黑色羽翼飘身上

前，躬身道："所有信奉黑暗和死亡的生物，都是您最忠实的信徒。"心中却暗骂那个堕落天使，他使用的禁忌术又给冥王哈迪斯增加了一些外来的能量，想取代他的希望更加渺茫了。

哈迪斯显然很开心，并没有去注意路西法的神色："嗯，你说得好，这个奉献者我倒没觉出什么异常，可他对付的对手却让我惊讶。"

路西法一呆，问道："是什么样的生物竟然可以让您感到吃惊呢？"

哈迪斯皱了皱眉，脸上露出一丝不易察觉的困惑："你相信吗？那个借助了我力量的你的信徒最后一击竟然被他的对手接下了。"

路西法大惊道："什么？在异世界，居然有人能接下您万分之一的力量，虽然只有万分之一，可是，那也已经相当惊人了。"

哈迪斯点头道："是啊，我也很吃惊，那个挡在最前面的人类身上充满了强大的生命力。同时，他身上具有你和提奥曼迪司的能量，虽然不强，但却让我感到很奇怪。"

路西法脸上流露出黯然的神色，默默念着："提奥曼迪司，难道你在那个异世界吗？你可知道，我是多么思念你啊。"

灰芒一闪，哈迪斯出现在路西法身前："不要抱什么希望了，当年提奥曼迪司被三大天使长全力一击，是不可能存活的，这个你应该比我更清楚。你要知道，咱们在两千多年前和神族签署了不去异世界的停战合约，我不希望因为你而再次发动神界和冥界的战争，毕竟，我们还没有准备好。有空的时候你要多修炼。"

路西法躬身道："是，大人。"

虽然嘴上答应了，可路西法真的那么听话吗？他当初可是从神界叛逃到冥界的。

五大天使长之一，无法用任何词汇形容他容貌的魅力，天使拉菲尔拍打着六只雪白的羽翼恭敬地站在神殿中央。

"神王大人，刚才我突然感觉到冥王的力量入侵到了异世界，不知道是否是冥界要入侵的前兆，特此向您报告。"

一个柔和的声音从神殿最深处的白色结界内传来："拉菲尔，你太多虑了。我也感觉到了冥王的气息，但是，那只是异世界有人借用了他一点力量而已，你不必担心。"

拉菲尔忧虑道："虽然这么多年来一直和冥界相安无事，但我总有一种不好的预感。"

第四十章 死亡禁忌

柔和的声音再次传来："我会注意他们的，再过八年就是三千年一度的两界新秀之战，你要好好准备，多注意对方的动向。同时你去告诉加百列，看紧点我们的小公主，千万不能有差错，我那可爱的女儿是咱们战胜冥界的希望。"

"是，大人。我告退了。"

"嗯。"神王看着拉菲尔离去的身影，自言自语地道："魔界会派遣什么人参加呢？冥王可没有儿子。女儿啊，你可千万不要让我失望啊！"

我从昏迷中缓缓清醒过来，感觉到全身软绵绵的，没有一丝力气。

盘宗兴奋的声音传来："啊！雷翔，你终于醒了。"

我睁开双目，盘宗的九个蛇头凑在我身边仔细地盯着我看。

金银和猛克也跑了过来。金急切地问道："雷，你感觉怎么样？还有没有什么不舒服？"

我明白他是在问我有没有暗伤，我凝神检查自己的身体，暗黑魔力盘踞在我的印堂处，虽然有些能量不足，但却仍然很活跃；狂神斗气却非常微弱，丹田中只能感觉到一丝它们的气息，但我相信，凭借着我的修炼，不需要太长时间，肯定可以修炼回原来的状态。

于是，我摇了摇头，道："放心吧，我还死不了。过一段时间就能完全恢复了。"

盘宗激动地道："雷翔，谢谢你……"

我勉强抬起手阻止他说下去："是兄弟就不用说了，这都是我应该做的。如果互换的话，我相信你也同样会这么做，不是吗？"

盘宗郑重地点了点头，道："当你为我挡下攻击的时候，我就知道自己又多了一个最真诚的兄弟。我盘宗以后一定会把你当做最好的兄弟看待，不论有任何困难，都让咱们兄弟一起去闯。"

我欣喜地道："是啊，什么困难也难不住咱们的，我的兄弟们啊，我终于为你们报了大部分的仇。墨月，你给我等着，你欠我的，我一定会让你加倍还回来。"

金突然道："咱们结拜如何，反正大家都已经是兄弟了，多个名分不是更好吗？"

盘宗喜道："这个提议不错。以后咱们就是三兄弟了，有福同享，有难同当。"

银不满意了，撅嘴道："什么就三兄弟，我没份吗？"

狂神

堕落天使

盘宗赶忙赔笑道："有，有，怎么能落了你呢。那就四兄妹好了。"

我摇头道："不，是五兄妹才对，还有猛克呢。"

猛克顿时张大了嘴："我，我怎么可以?少爷，我是您的护卫呀。"

我冲他微笑道："但同样你也是我的兄弟，这么多兄弟里只有你存活下来。我也答应过沃夫，一定会好好照顾你的。就这样吧，你们有什么意见吗?"

金笑道："当然没有了，那咱们现在就开始吧。"

猛克惊讶道："就在这里吗?"

金点头道："当然，也用不着什么仪式之类的，只要心诚就行了。"

盘宗第一个跪了下来："我盘宗。"金银紧跟着跪下："我金。""我银。"在我眼神的鼓励下，猛克跪倒在地："我，我猛克。"我微微一笑，躺在那里道："我雷翔。"

我们同声道："在世间万物的见证下，愿结为兄弟姐妹，从此相亲相护，有福同享，有难同当，若违此誓，愿受上天诅咒，五雷轰顶而亡。"

发完誓，我们每个人脸上都流露着喜悦的笑容，我原本郁积的心结也解开了，道："既然大家都已经结拜了，那如何排顺序呢?"

盘宗昂首道："我肯定是最大的，我今年一百一十二岁了。"

即使猛克已经猜到了盘宗和金银的身份，却仍然被盘宗的这个年龄吓得身体一晃，险些摔倒。

金银同样昂首挺胸道："我们九十七岁。一百一十二有什么了不起，不就是多吃几年干饭吗?"

猛克喃喃地道："我二十一岁。要是有人知道你们的年龄还不把你们看成怪物……"

盘宗和金银同时怒视猛克。

猛克吓得一哆嗦，不敢接着说下去。

我摇了摇头，道："我今年十八岁。"

盘宗喜道："我这个老大是当定了，哈哈。"

金和银嘀咕道："有什么了不起的，有很多地方老大是王八的意思。"

盘宗闻言大怒，冲着金银就要动手，我赶忙阻拦道："好了，你们别闹了，猛克排行第四，我排第五。金、银，你们怎么排，到底是二哥、三姐，还是二姐、三哥呢。"

金、银愣愣地看着对方，谁也说不出话来，他们是同时出生的，怎么分得出大小?

金突然道："当然我二哥了，我肯定比她先出来的。"

银道："呸，什么你比我先出来的，出来时，你看到了吗？爸妈有告诉过你吗？当然是我先出来的，我是二姐。"

…… ……

两人无休止地争吵起来。

我头大地道："好了，你们别吵了行不行，我有个主意。"

金、银同时问道："什么？"

我道："银，反正你早晚要做金的老婆，也就是我的二嫂了，既然如此，我们就叫金为二哥，叫你为二姐，你们觉得怎么样？"

银撇嘴道："谁要嫁给他？哼。不过你这个主意还是不错的，就这样吧。"

金嘿嘿笑道："不嫁我？你跑得了吗？"

"你……"

"行了，就这么决定吧。盘宗是大哥，你们是二哥、二姐，猛克是三哥，我是你们的四弟。"

盘宗哈哈笑道："好。两个小二啊，快，给大哥捶捶背。"

金银大怒，龇着獠牙冲盘宗走去："好啊，我们就给你捶。"

看到他们凶恶的样子，盘宗吓得后退两步，连连摇手道："算了，算了，我这把老骨头还想多活几年呢。"

第
四
十
一
章

返回兽都

　　我突然低声道："你们别闹了，咱们必须要赶快离开这里，去兽人皇都。"

　　金问道："为什么？"

　　我叹了口气，眼中闪过一道冷芒："魔族为什么派人来杀了我的兄弟，你们想过吗？"

　　金想了想，道："我想，应该和你们组织的兽神教有关吧。"

　　我点了点头，道："我想也是。一直以来，兽人族都是靠魔族的援助过日子，自然就会答应魔族许多不合理的条件。每次和龙神帝国开战，咱们兽人也都是冲在最前面的，给魔族当替死鬼。前些日子对龙神帝国发动的战争，使咱们兽人族损失了三十多万战士，而魔族呢？我想，他们恐怕连五万人都不到吧。而我们兽神教就是为了改变这种现状而产生的，我们要帮助兽人族强大起来。如果我们兽人强大了，不再需要魔族的帮助，那自然也就不用接受他们那些要求。这样，就大大地触动了魔族的利益。所以，我们兽神教才会成了他们的眼中之钉，派出大批高手来劫杀我们。"

　　盘宗道："你分析得很对，一定是这样。这群混蛋，他们就是想压制兽人族，让兽人始终做他们的附庸。雷，啊，不，四弟，你打算怎么办？"

　　我冷哼一声，道："凡是想对付我的人，我都会让他付出代价的，何况我还死了这么多兄弟。魔族，你当我们兽人真的怕你们，你们等着好了。大哥、二哥、二姐、三哥，我决定去和兽皇谈判，让他给我一支部队偷袭魔族。我就不信，他们魔族的城池能够经得起我的进攻。只要让魔族见识到咱们兽人的实力，我想，他们就再不敢乱来了。何况，我兄弟的仇还没有报完，还有一个墨月。黑龙啊，我的伙伴，放心吧，我一定会把你救出来的。"

猛克问道："少……四弟，兽皇会答应吗?"仿佛一步登天的他还有些不适应这个称呼。

我冷声道："不怕他不答应，人家都欺负到门口了，再不回击，那他就不是我认识的兽皇了，我有把握说服他。"

盘宗毅然道："老四，大哥支持你。我手里有一个五千人的秘密部队，绝对都是好手，而且训练严格，只听我一个人的命令，到时候我会带着他们跟你一起冲锋陷阵的。"

我感激地看了他一眼："谢谢你，大哥。"

金惊讶地道："你有一股秘密部队，我们怎么不知道?"

盘宗得意地道："什么都让你们知道还行，我的手下绝对不比你们那个什么圣殿护卫队差。"

银不屑地道："还没看到谁说得准，四弟，二姐那里的三千圣殿护卫队也交给你了，他们的功夫你是见过的。我们云那领的资源也足够支持这场战争的。"

我大喜道："有了大哥、二哥、二姐的这批精锐支持，我成功的把握就更大了。"

猛克疑惑地道："四弟，你真的有把握吗?"

我点头道："相信我，三哥，我绝对不会任由魔族做出损害我们兽人的事而不付出代价。"

猛克坚定地点点头，道："虽然哥哥没有什么实力，但我会一直在你身边支持你，帮助你的，赴汤蹈火，在所不辞。"

"好，那咱们处理好兄弟们的后事立刻就出发。"

盘宗疑惑地问道："现在出发?怎么也要等你伤好了再说吧。"

我摇头道："兵贵神速，我们不能让魔族有了防备。几位兄长，麻烦你们先帮我把手下的兄弟就地掩埋，以后有机会再把他们的遗骸迁回都城。然后你们砍些树木，做成一个担架，辛苦点，抬着我走，一定要以最快的速度赶回去。"

盘宗道："不用那么麻烦了，待会儿哥哥背你吧。到了集市，只要我一句话，立刻就有暖车了。坐车回去不是能更快点吗?我从秘密部队中抽调几个好手负责抬车，速度不会慢的。"

在兽人国中，凡是有身份地位的人都流行坐车。这里的车是一种抬车，可根据身份的不同，由不同的人数抬，如同轿子，但要宽敞、阔大许多。所

谓的暖车，其实就相当于一个可以抬着走的床。

猛克结结巴巴地道："大，大哥，待会儿还是让我背四弟吧。"

盘宗摇头道："我有那么可怕吗？三弟，既然我们都已经结拜了，那么，你就要正视自己的身份，你是我们的兄弟，而不是仆人或者手下，明白吗？你身体刚刚恢复一点，不适宜太劳累。大哥我的身体最好，由我来是最合适的。"

我微微一笑，道："那就麻烦大哥了。"

…… ……

盘宗背着我站在十九名护卫的墓碑前，猛克正在给每个人的墓碑上刻上他们的名字。

说来惭愧，除了几个比较亲近的护卫，大部分人我都用他们的种族称呼，现在，这些兄弟已经离我们而去了。

"兄弟们，安息吧。未完成的大业就交给我们去做，虽然我不见得能让兽人成为大陆上最强的国家，但我一定可以帮助兽人不再受任何种族的欺负，以后，不会再有人看不起咱们兽人。再见了，兄弟们。"

猛克站了起来："四弟，我已经把他们的墓碑都刻好了。"

我点了点头，道："等咱们回到皇都后，我一定找机会把他们都迁回去。"

猛克叹了口气，道："我想，应该不用了。这里的环境虽然不是很好，但也说得上清幽。你以为我们年少时在宫里长大真的快乐吗？每天都是枯燥的训练。比起那里，兄弟们也许会更喜欢这个地方，在这里他们可以看到两个领的发展。有时间的时候，咱们只要在这里把他们的墓地好好修葺一下，也就可以了。"

我看了一眼猛克，他的伤痛绝对在我之上："好吧，既然如此，咱们也该上路了。"

我躺在暖车中，负责抬车的是十六名高级蛇人。

一路急赶，不到半个月的时间我们就踏进了皇都的管辖范围。

经过这段时间的修炼，我的暗黑魔力已经回到了巅峰状态，狂神斗气也恢复了八成左右。

"停一下。"我吩咐着蛇人。

我喊了一声："大哥。"

盘宗身影一闪，来到车前："怎么了，四弟？"

"大哥，我的功力已经恢复得差不多了，现在已经进入了皇都境内，我想，就不用再坐车了。"

盘宗呵呵一笑，道："躺得时间太长，是不是感觉骨头有点生锈了。也好，小的们，把车放下吧。"

暖车落地，我从里面走了出来，深深地吸了一口新鲜的空气。

嗯，好舒服啊，活动活动手脚，全身沐浴在暖洋洋的阳光中，禁忌术的阴影仿佛已经完全消失了似的。

"老四，怎么下来了？"金的声音从身后传来。

这一路上，就数金银最高兴，随便到了什么地方都要找些新奇的东西刺激自己，他们俩那狂吃猛撮的劲头，确实让我自叹不如。

"二哥，我这不已经好了吗？也不能老躺着啊，明天咱们差不多就能回到皇都了，我怎么也要准备准备，我可不想委靡不振地去见兽皇。"

银笑道："你小子这身体恢复的速度真是惊人啊，这才几天，就恢复过来了。当初我们叫你蟑螂还真是叫对了。"

我眼中透出一股忧虑："其实，当初我并没有受什么伤。这些伤都是在战斗中被打的，或者是两种变身让我负荷太大造成的。"

盘宗道："那还不好，要是那禁忌术的能量真的没有阻碍地直接命中你，你还不像草木山石一样从空气中消失吗？"

我沉思道："其实，我感觉当时对我帮助最大的应该是已经成了粉末的绿松石发出的强大生命力，是它的力量将禁忌术死亡的力量抵消掉了。但是，我总觉得身体有什么不对似的，尤其是在修炼狂神斗气的时候，总是有一种说不出的奇异感觉存在，可是，我一转修暗黑魔力，这种感觉就消失了。"

盘宗骂道："他妈的，魔族的堕落天使要是每人都来个禁忌术，我想，恐怕所有龙骑士加起来也不是他们的对手。老四，你最近每天修炼勤着点，要是有什么不对的话，我赶快和老二他们给你治疗。"

盘宗确实有做大哥的样，在我受伤这段时间，他把一切都安排得很好，一点都看不出他以前那懒惰的习性。每天，他都会对我嘘寒问暖，比我的亲大哥雷龙还要好上很多。

我摇头道："大哥，这你倒不用担心。那天的事情不知道应该说是那个堕落天使运气太好，还是咱们命太背。这种禁忌术据我所知，成功率连百分之一都没有，想借用冥王的力量，必须要将这个讯息传到冥界才行，那堕落天使是借助自己死亡时爆发的能量突破的。你们想想，能够封住神冥两界的

能量是何等强大，岂是那么容易突破的？估计是他运气太好，爆炸的能量加上执著的信念，从一个比较薄弱的地方冲了出去。"

盘宗苦笑道："他运气是好了，咱们却撞了个正着，险些全军覆没。一想起那股死亡的气息，我现在还有些后怕呢。"

今天天气很晴朗，阳光普照大地，我看着田间耕作的兽人，对猛克道："三哥，你看，这是不是和咱们离开的时候有很大差别啊？"

猛克赞同道："是啊，刚一回到皇都境内我就发现了。四弟，你看那边，咱们离开的时候还全是灌木丛和荒草呢，现在都已经有绿苗生长出来了，估计再有几个月就能得到不错的收获。生机勃勃的感觉真好。"

金弯腰从道路旁边抓了一把土，和银一起仔细地看了看，又闻了闻，动容道："这里土地非常肥沃，一点都不比我们云那领的平原差。你们兽神教那些负责传授兽人耕作的家伙也确实有两下子，你看，这些兽人种的地长得都很不错呢，这个应该是小麦吧。如果兽人有一半的地方都如此发展，我想，以后就再不会有人挨饿，也不会有人愿意去当强盗了。"

盘宗喊道："喂，喂，你们又不着急了？老四，一边走一边聊吧。小的们，把车抬上，咱们走。"

我笑道："抬着它干什么，扔了算了。"

盘宗笑道："扔了多浪费啊，说不定在路上咱们谁又受伤呢，不是正好吗？哈哈。"

金道："除了遇到上回那种情况，还有谁能随便伤得了咱们兄弟，老大，你可是太多虑了。"

结拜以后，金和银都不肯叫盘宗大哥，就只叫老大，虽然盘宗感觉不是太爽，但也比以前叫他九头虫听着要舒服得多了。

招呼着手下，盘宗率先起程了。

猛克道："大哥、二哥、二姐，你们小心一点，把斗篷遮得严实些，可别被平民看出了什么。"

银嗔道："看见了又怎么了，他们还能吃了我们吗？"

猛克被噎了一句，显得有些尴尬。

金道："老三，别听你二姐瞎说，我们会小心的。"

猛克道："其实我并不是怕你们遇到麻烦，如果让平民看到你们的样子，谁敢来招惹？但是，却很有可能招来一群你们的崇拜者，尤其是狼族的人，见到自己心中的神，你们想想，会出现什么情况？"

我嘻嘻一笑，道："那他们就别想动弹了。三哥说得对，你们都小心一点吧。走啦，大哥都快没影了，快跟上他。"

走在路上，我对猛克道："不知道皇都这边的兽神教发展到什么地步了？"

猛克笑道："那还不简单，找个人问问就是了。"

我挠了挠头，这么简单的办法，我怎么就没想到呢。

我示意大家等一等我，拉着猛克找到一位正在耕作的农民，问道："这位大叔，能问您点事吗？"

农民抬头看了我们一眼，继续干着手里的农活，有些不耐烦地道："没看我这儿忙着吗？再不抓紧点时间，今天日落之前就干不完活了。"

我赔笑道："大叔，我们是外地来的，我是想问问您，咱们这附近有没有兽神教的人。我们听说出了个兽神教，他们都是帮助咱们老百姓的。不会耽误您太多时间的。"

一听到"兽神教"三个字，农民的眼中顿时出现了神采，放下手中的锄头，站直身体，脸上满是崇敬的表情："小伙子，你可算问对人了。要说这个兽神教啊，那真是兽神他老人家派来帮助咱们兽人的救星啊，他们不但帮我们杀盗匪，还专门派人来带领我们这些吃不上饭的平民耕种，连种子都是他们提供的。他们还带来了大量的粮食和蔬菜让我们食用，说是等以后丰收了再还就行。现在，别的地方我不知道，我们村子里老老少少二百多口，谁提起兽神教不竖起大拇指啊！这个兽神教好像还是受咱们兽皇支持的。现在，整个皇都周围有很多他们的人。你到大一点的村子里，就应该能找到他们的身影。好了，不和你说了，我要赶快干活了，这几亩地经过兽神教使者大人的划分，现在已经是我的，我要加把劲，不能落了人后啊。你们如果能加入兽神教绝对是你们的福气。伟大的兽神大人啊，谢谢您赐予我土地和食物。"

一路上，我们问了十多个人，情况基本都差不多。

兽神教在皇都的势力范围内，已经深入人心，不论什么种族的兽人，都对兽神充满了崇敬。

"四弟，我的副教主大人，这回你可高兴了吧，咱们兽神教在百姓中已有了口碑，看样子，皇都这边已经杜绝了盗匪，陛下可真是雷厉风行啊。"

我点头道："是啊，要说兽皇陛下，他绝对是一个非常睿智的君主，知道什么时候应该用什么样的手段。咱们只要好好辅佐他，一定能让兽人族强大起来的。三哥，你说刚才我要是向他们表示我是兽神教的副教主他们会有什么表情呢？"

"不外乎两种情况，一种是相信，一种是不相信。如果是不相信的，顶多就是想揍你一顿，谁让你冒充他们最敬佩的人呢？如果是相信的，那你就更惨了。他们神圣的领袖来了，那还不把你……哈哈哈哈。"

猛克和我同时爆笑出声，我们的笑声顿时引来了身后的金银和盘宗。

"问的结果很满意吗？看你们那么开心。"金问。

"当然满意了。二哥，你信不信？如果这里的人都知道我是真正的兽神教副教主，只要我登高一呼，就能叫所有的人为我卖命。"

越接近皇都，我们看到的平民耕作的地方就越多。

皇都这里的气候非常适合植物的生长，即使到了冬天，温度也可以保持在十度左右，对农作物的影响不是很大。据我估计，一年下来，最好的情况应该可以收获三次。

当我们到达皇都城外的时候，我发现猛克的情绪波动很大，显得非常激动。

我故意落在后面，把手搭在他的肩膀上问道："三哥，你这是怎么了？"

猛克摇摇头，道："四弟，咱们出去的这一趟让我见识到太多的东西，终于又回到家了，这种感觉让我要怎么说呢？四弟，不论什么时候我都会支持你的，我相信，只有在你的帮助下，兽人国才会逐渐强大起来。"

我微笑道："三哥，你太抬举我了，我发现，自从咱们结拜以来，你的性格大变。在我眼中，以前的你是个彪悍跋扈，充满了激情的战士，而现在，你仿佛长大了很多，虽然没有了以前的激情，却增加了几分沉稳。我总感觉，将来的你必非池中之物。"

猛克的脸上露出一丝会心的微笑："这可能和学习了你教的那些魔法和斗气有关吧。别忘了，我现在可主修的土系魔法，那是沉稳的象征嘛。已经回来了，你准备什么时候去见兽皇？"

我沉吟了一下，道："这样吧，你先去一趟皇宫，告诉陛下我回来了。我去把大哥他们安顿下来，然后就去见兽皇。"

猛克笑道："别傻了，还是你直接去皇宫吧。我知道你心里急得很，大哥他们就由我来安排好了，找个好点的客栈，给他们弄点好吃的，我还不会吗？"

我点头道："这样也好。"朗声道："大哥，你们等等我们啊。"

盘宗和金银已经带着十六名蛇人进了皇都城门口，那辆暖车早在路上就被我们给处理了，居然卖了六十个金币，还挺不错。据那些蛇人护卫说，那辆车的成本也就二十个金币而已，那岂不是赚了吗！

皇都守卫看到十六名鳞甲鲜艳的蛇人，顿时将他们拦了下来。

蛇人在其他兽人心目中可不是什么善男信女，一下来了这么多蛇人高手，能让他们不怀疑吗？尤其是还有两个蒙面的怪人存在。

"你们是什么人，到皇都来干什么的？"

金道："我们当然是好人了，我们可是兽人中的良民。官爷，您看，是不是放我们过去啊？"

盘宗嘀咕道："不就是首都吗？说话方式就是不一样。"

常年在蛇人族的他，已经被手下们捧惯了，谁敢拦着他啊？到了皇都就受气，他自然有些不满。

那守卫的耳朵显然很好，怒道："你懂什么，我们这是为了首都的安全。来啊，兄弟们，搜他们的身。你们两个，对，就是你们，把头上的斗篷脱下来，有什么见不得人的，还怕羞吗？"

十六名蛇人护卫不干了。居然有人敢侮辱他们至高无上的神，他们眼中充满了杀机，两叉的舌头不停地吞吐着，尾巴来回摇摆，龇牙露爪地不让皇都城门的众守卫靠近。

在他们争执的时候，我和猛克已经赶上了大队人马。

我急忙凑上去问道："怎么了，大哥？"

盘宗不满地哼了一声，道："你看看你们皇都这些守卫，就是不让我们进城，你和他们说吧，我和老二可不管了。"

我脸色一沉，上前两步，摘下头上新做不久的面具，道："快闪开放行。"

守卫队长看到我人类的相貌，先是一惊，进而疑惑地问道："您是，您是……"

我从怀里掏出一块牌子扔了过去，冷声道："不错，我就是近卫军副统领雷翔。"

守卫仔细地看了看象征我身份的令牌，突然"扑通"一下跪倒在地："参见殿下，请殿下恕臣不敬之罪。"

我一抬手，道："行了，起来吧，你们也是恪尽职守，不怪你们，让路吧，我们还赶着去见陛下呢。"

守卫见我根本不像传说中那么残暴冷酷，顿时松了一口气，带着自己的人闪到两旁，由衷地道："欢迎您回来，殿下。"

我"嗯"了一声，带着众人进入了久违的兽人皇都。

盘宗笑道："老四，你还挺威风的吗！那守卫小子见到你连屁都不敢放了。"

"这里终究是我的地头嘛。不过，怎么也比不上大哥和二哥、二姐啊。在你们的领地，你们比土皇帝还尊贵。我在这里算什么，在我头上，最起码有几十个比我官大的。大哥，我要暂时和你们先分开一下，让三哥替你们安排住处。我要赶着到宫里去见兽皇，把发生的事情禀告给他。三哥，你安排好以后就到宫里和我会合，知道我住哪里吧。"

猛克点头道："知道。"

盘宗道："兄弟，办事快点。我和老二他们的手下已经都准备好了，正在赶来的路上，只要你这边一有消息，我们的人随时可以出发。"

早在我们从撒司出发的时候，盘宗就派了几名得力手下去安排这些事了。昨天早上刚得到消息，他们的手下距离皇都只有五天的路程了。

他们对我的支持，是毫无保留的。

和几位兄长分开后，我直奔兽皇宫而去。

"参见殿下，您回来了？"皇宫门口的护卫恭敬地向我行礼。

我"嗯"了一声，问道："知道陛下在哪里吗？"

护卫道："下午陛下一般都在御书房批阅奏章，可能在那里吧。"

我点了一下头，朝着御书房的方向急行。

果然如那护卫所说，御书房门口足有几十名兽皇的贴身高手守卫着，他们当然认识我，纷纷行礼："殿下。"

"陛下在吗？"

"在。"

"好，快帮我通报一声，就说我有急事要禀报。"

"是，殿下。"为首的侍卫头儿不敢怠慢，赶快进御书房请示去了。

少顷。

"殿下，陛下有请。"

我点了一下头，大步走进御书房。

兽皇亲自迎到门口，哈哈笑道："怎么这么快就回来了，遇到什么麻烦了吗？"

我沉重地点了点头，道："儿臣参见父皇。"

兽皇见我面色凝重，知道事态严重，将我带进书房，屏退了护卫和侍官，问道："怎么了，发生了什么事？推行兽神教不顺利吗？"

我摇了摇头，道："咱们计划的那些虽然在进行中有一定困难，但还不足以让我回来。我已经顺利地和撒司领的蛇人以及云那领的狼人两族达成了协议，他们不但同意全领加入兽神教，还保证毫无保留地支持您这次改革。"

兽皇大喜道："哦！这么短的时间你就搞定了两个领，这太好了。这可比慢慢渗透要强得多，你有把握他们是真心归顺的吗？"

我点了点头，道："在这点上，我是有把握的。"

于是，我把我们如何到云那领挑战金银，如何说服金银，又如何到撒司领和盘宗交战的事完完整整地说了一遍。

我没有隐瞒任何事，因为我知道，兽皇毕竟是兽人之王，在自己的地盘里，肯定有条件搞清楚任何事；如果我做了什么隐瞒，日后被他调查出来的话，恐怕会使我们之间出现隔阂。

同时，除了堕落天使变身以外，我也没什么好隐瞒的，我一直说到盘宗从撒司领和我们共同上路为止。

兽皇叹息道："孩子，辛苦你了，没想到，我们兽人族也有金银、盘宗这么强大的战士，能收服他们，你居功至伟啊。"

我摇头道："这都是我应该做的，让兽人王朝振兴是我一直以来的梦想，这些都不算什么。"

"你这一切不是进行得都挺顺利的吗？为什么你会说有大麻烦呢？"

我眼中充满了悲愤："就在我兴高采烈地带着金银和盘宗返回和护卫们相约的山坡时，不幸的事情发生了。在山坡上，我们先后找到了我那些护卫们的尸体，他们都是被人用残酷手段杀害的。"

兽皇拍案而起，惊怒道："什么？居然有人敢在兽人地界杀掉你的护卫，知道是什么人干的吗？"

我点了点头，道："我手下的护卫几乎全军覆没。他们的功夫您是知道的，在兽人国中如果想全歼他们而不付出代价，那几乎是不可能的。"

兽皇颤声道："什么，你说所有的人都死了吗？难道一个活口都没有留下。"

我长叹一声，道："只剩下狮人猛克存活下来。"

我又把如何在岩石下发现猛克和垂死的沃夫，如何从猛克口中得知敌人的踪迹，如何同堕落天使交手，堕落天使如何选择自爆，险些把我们全都搭进去的经过说了一遍。

听完我的叙述，兽皇全身散发着惊人的杀气。他一掌重重地拍在桌子上，"轰"的一声，坚实的红木桌子寸寸碎裂，惊人的劲气使我都吃了一惊，好强的力量啊。

巨大的声响引来了外边的护卫，几十名兽人高手冲了进来。

"陛下，怎么了？"

"保护陛下。"

"陛下，您没事吧？"

众护卫乱成一团，大部分人都充满敌意地看着我，以为是我袭击了兽皇。

兽皇怒吼道："你们都给我滚出去，这里什么事也没有。"

众护卫互相对视，谁也没有动。

兽皇大吼道："我让你们滚出去，你们没听见吗？想被砍头吗？"巨大的声浪吓得众护卫全都跪了下来。

我劝道："父皇，您别这样，他们也是在担心您的安全。着急也于事无补，事情都已经发生了，咱们就必须要想个妥善的解决办法。"

兽皇毕竟是一代王者，逐渐从暴怒中冷静下来，挥了挥手，道："我这里没事，你们都下去吧，我和雷翔还有些事要谈。"

"是，陛下。"看到兽皇恢复了正常，这些忠于职守的护卫这才退了下去。

兽皇突然像泄气的皮球一样，跌落回自己的座椅，眼中充满了迷茫。

"父皇，您这是怎么了？"

兽皇苦笑着摇了摇头，道："刚刚才有一个好的开始，可没想到就让魔族给这么破坏了。如果我猜得不错，他们还会陆续派人过来暗杀咱们兽神教的人手。雷翔，你说该怎么办，是不是把我们的人都撤回来？人才难得啊，我可不想就这么损失大批的人手。"

我疑惑地道："父皇，难道您没有想过用武力解决吗？"

兽皇自嘲地一笑，道："武力？我们能打得过魔族吗？前次向龙神帝国发动的战争刚刚损失了我们大批人手，我们拿什么和魔族斗？何况，魔族有几十个堕落天使，咱们这边又有什么可以对抗？"

我上前两步，抓住兽皇的两个肩膀，低声道："父皇，您看着我的眼睛。"

兽皇抬起头，当他和我四目相对的时候，他从我眼中看到了坚毅。

"父皇，前些天应该回来了一批咱们的军需官吧，魔族跟咱们要战争补偿的事您应该已经知道了。"

兽皇点了点头。

"那您打算怎么办？"

兽皇苦笑道："还能怎么办？照给吧。"

我猛地冲着兽皇怒吼道："父皇，我看错您了，没想到您竟然是这么一个懦弱的君主，只会在魔族脚下摇尾乞怜。您认为这样能让我们兽人族发展起来吗？"

我的话触怒了兽皇，他双手一分，猛地将我推开，巨大的力量使我一直撞到墙上才止住："雷翔，不要忘记你的身份，你这是在和谁说话？你记住，我随时都可以要了你的命。"

我站直身体，寸步不让地盯着兽皇："我没有忘记我的身份，正是因为你是兽皇我才要点醒你。父皇，如果这回我们就这么认了的话，恐怕兽人族将永无崛起之日。我们必须要给魔族一个厉害，让他们知道，我们兽人并不是可以随意欺辱的。"

兽皇转过身，一拳砸在墙上，带起一片尘烟，痛苦地道："你以为我不想出兵去对付魔族吗？我想得不得了。但是，身为兽人之王，我却不能这么做。你想得太简单了，你以为发动一场战争是这么容易的？别忘了，大陆上可并不是只有魔、兽两族。"

我恍然道："您说的是龙神帝国吧。"

"不错，先不说我们是否能打得赢魔族，只要我们和魔族一开战，只要龙神的人不是傻子，他们一定会秘密出兵坐收渔人之利的。到时候，就不只是受屈辱了，也许，兽人就有灭族之险。我不能让兽人冒这个险，我不能做兽人国的罪人，你明白吗？"说完，兽皇痛苦地闭上了双眼。

我收起先前的激奋，微微一笑，上前两步道："既然您有这个考虑，那咱们就来分析一下吧，看看到底应该如何做？"

兽皇一愣，道："你有办法吗。"

我胸有成竹地点了点头："只要您相信我，我就一定会帮助兽人强大起来。这次的事情对咱们来说虽然是个坏事，但同时也是一个重要的转折点。如果我们能顺利地打一场漂亮的大胜仗，那么，您在兽人心目中的地位将会大大地提高。身为兽人之王，您应该知道我族之人都是最崇尚力量的。这场战争是不得不打，否则，之前的努力就都白费了。兽神教再不能顺利地传播下去，我们兽人也只能作为魔族的附庸，甚至以后会被他们歼灭。至于龙神的事，我在那里的时候曾经发现了一个秘密。有这个秘密在手，我们就可以放心地去攻打魔族了。"

兽皇吃惊地道："什么秘密？"

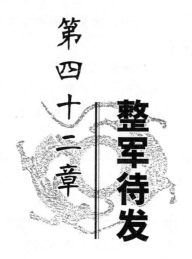

第四十二章 整军待发

　　为了不给自己找麻烦，当初回兽人国的时候，我并没有把龙神帝国那个圣龙骑士团的事说出来。我道："我也是最近才证实的，龙神帝国有一个非常秘密的军团，您应该不知道吧？"

　　兽皇愣道："秘密军团？什么秘密军团？"

　　我沉声道："圣龙骑士团，一个只有十七个人组成的秘密军团。"

　　兽皇皱眉道："十七个人组成的圣龙骑士团，那能有什么作为？就算他们都是龙骑士，也不过给龙神帝国增加一些实力而已。"

　　我一字一顿道："他们不是龙骑士组成的，而是龙骑将。"

　　"什么？龙骑将！啊，你不会是说，除了他们的帝国三大元帅以外，还有十七个龙骑将吧。"

　　我点了点头。

　　兽皇瞪大了眼睛道："十七个龙骑将，十七个龙骑将？！不，这不可能，龙骑将的破坏力有多大，你知道吗？他们可以轻松地毁灭掉一个精锐的千人队。如果龙神有这么强的实力，为什么不把我们和魔族都灭掉？"

　　我微微一笑，道："这就是我为什么说那个秘密可以让咱们放心地去攻打魔族了。为什么龙神不灭了我们和魔族呢？这是有原因的，人类的先祖曾经在偶然的机会下得到了神的指示。神曰：每种生物都有生存的权利，不允许他们凭借自己强大的力量改变大陆的平衡状态，否则必遭天谴。神的指示对于人类来说就是命令，没有人敢违抗这个命令。所以，您发现没有，龙神帝国很少出兵攻打魔族和咱们，一直都是在被动地防守，正是由于这样，咱们才能够偏安一隅。"

兽皇瞪大了眼睛道："你是说，即使咱们和魔族打起来，龙神也不会趁我们两族交战的空当来偷袭了。"

我点了点头，道："对，这正是我的意思。即使龙神真的来偷袭，他们也不会做得太过分，总会给咱们留一条活路的。魔族的实力比咱们强，如果我是龙神帝国的统帅，最多也就是带兵拖拖魔族的后腿，而最好的办法，就是静观其变。"

这时的兽皇，已经被我的自信所感染，眼中射出两道寒芒："你想怎么干？要知道，即使没有龙神的参与，魔族也不是我们所能轻易对抗的。"

"这个我知道，我是这么计划的，我们的目的并不是要去攻打魔族，而是偷袭。毕竟，魔、兽两族始终是合作的关系，我们不能和魔族闹得太僵，只要给他们点厉害，让他们知道我们兽人族不是那么好欺负的也就行了。"

兽皇道："你说详细点，计将安出？"

我微微一笑，从怀里掏出地图，因为桌子已经塌了，只得平摊放在地上。我指了指魔、兽两族边界的一条狭长地带，道："父皇，您看这里。"

兽皇也蹲下身子，道："嗯，这是魔族的敦德行省，有一部分和咱们的豹人聚居地风眼领接壤，还有一部分挨着熊人聚居地讧闻领。魔族的这个行省和咱们这两个领的交往很密切，经常进行一些贸易活动，非常富庶，是魔族的一个商业大省。"

我点头道："魔族的敦德行省有很长的国境线都是和咱们这两个领接壤，又处在内陆地区，不怕会被龙神帝国进攻，所以，这个行省非常富庶，驻军也不会太多。我想做的，就是用最快的速度带人将整个敦德行省占领，席卷他们的各种物资。您看这里——"

我指了指地图上敦德行省境内的一个点："这里是敦德行省的首府斯坦拉城。我打听过了，那是个非常大的的城市，是魔族内陆最大的商业中心。只要我们占领了那里，就可以死守城池和魔族谈判。由于整个敦德行省都在我们手里，我们可以驻兵在斯坦拉城周围的几个城市中，形成犄角之势。我想，可能都不用咱们自己运送补给，光是抢掠得到的物资就足够支撑军队使用的了。只要我们能够守上一段时间，魔族必然不会放弃这么富庶的行省，到时候，我要让他们知道我兽人国不是那么好欺负的。"

兽皇站了起来，在御书房内来回踱步。

足足过了一盏茶时间，他停了下来，郑重地问道："你真的有把握吗？如果魔族在我们攻打他敦德行省的时候，派遣大军攻打我们其他的领地怎么办？"

"这个我也想到过，为了避免出现这种情况，我希望您能将我国各领地的武装力量都调集起来，驻扎到咱们和魔族边界接壤的几个大领。我想，如果魔皇他们不收拾掉我们这些入侵者，绝不会冒着孤军深入的危险来攻击咱们内陆的。"

兽皇苦笑道："你想得太简单了，咱们在攻打龙神的战斗中刚刚牺牲了三十万军队，那些各族的族长如何还肯再派出部队帮助我们攻打魔族？那些混蛋，只会龟缩在自己的领地。"

我微微一笑，道："哼，到时候，不由得他们不出兵，咱们可以直接先朝魔族的敦德行省展开攻击，然后再通知那些族长，让他们集结兵力防守，打仗不用他们出一兵一卒。在给他们的命令中，可以告诉他们，魔族随时有可能攻过来，所以，如果他们还想保住自己的权力地位，那就必须要团结起来守卫住边界。如果我猜得不错的话，这些自私的家伙手里都有一批精锐部队，只要他们不是想背叛整个兽人，我想，他们会知道怎么做对自己最有利。"

精锐部队一说，是我从金银、盘宗那里推断出来的。

兽皇足足愣了半天，才反应过来："可是，这样太冒险了，在战争前不通知各族族长审议通过，我是会受到他们联合起来弹劾的，如果咱们前面打了起来，他们后面就是不肯防守，那怎么办，我们兽人族岂不是……"

我摇头道："不会的。第一，谁也不想自己的家园沦陷；再一个，魔族也不可能会让我们兽人灭族的，如果我们完蛋了，那他们和谁去结成盟友共抗龙神帝国呢？在一开始的时候我就说了，我们的目的并不是和魔族真正开战，我们只是要做一些事，给魔族一个强烈的震慑，让他们不敢再随意欺负我们就行了。只要最后我们给魔族留上一点面子，我想，他们也会乐于接受吧。"

"算你说得有理，但是，如果你不先通知各个族的族长，咱们用什么去攻打敦德行省呢？我们在那边的人向我汇报过，敦德全省足足有五万守军，守军统帅还是一名堕落天使。"

我将地图卷了起来，道："父皇，如果想打赢这场仗，您就必须要给我一样东西，我不要求别的，我只要求'信任'二字，可以吗？"

兽皇郑重道："当然，你是我儿子，我怎么会不信任你呢，你想怎么做？"

我略一沉思，道："您手中的狂狮军团还有多少人？"

兽皇答道："还有三万多，但是，我还要靠他们来防守皇都，不能全给你。"

"不用全部，我希望您能调给我一万精锐；再从比蒙巨兽军团给我抽一千人出来，由我父亲率领，就够了。云那领和撒司领也会派一些精锐来，有这些人，我就足以在最短的时间内拿下整个敦德。当然，最重要的是，这些人必须由我统率，而不是我父亲。"

兽皇皱眉道："狂狮军团的人我可以给你，但比蒙军团你不能动。你要知道，比蒙军团不光象征着我兽人族最强大的力量，同时，也是和堕落天使军团、龙骑士军团齐名的。如果我们动用了他们，那魔族的堕落天使军团自然会参加这场战斗，再想得胜恐怕就难了。"

我摇头道："不行，我需要比蒙的强大冲击力来攻坚，这次行动绝对不能没有他们。至于堕落天使军团，您放心吧，他们未必能危害到我们多少。退一步说，他们参加战斗了，您能告诉我，堕落天使军团有多少人吗？"

兽皇想了想，道："应该有三十多个吧，在上次攻打龙神的时候，他们死掉了两个，但也拼掉了两个龙骑士。"

我沉着地说："我就给您分析一下堕落天使军团现在的情况。据我所知，堕落天使军团一共是三十八个。您刚才说过，已经死了两个，那就是还剩下三十六个。这次我们在撒司领凭借三人联手之力消灭了四个堕落天使，那就是还剩三十二个。我在龙神帝国的时候，曾经听前线的部队侦察人员说过，魔族现在分成两派，魔皇是一派，控制着大部分堕落天使；但另一个势力虽然不知道是谁，但也控制了三分之一的堕落天使。双方曾经秘密交锋过，有四名堕落天使因此殒命。照这样看，除了魔皇和他那个也能变四翼堕落天使的护卫统领以外，就剩下二十八个堕落天使了，魔皇就算能控制所有的堕落天使也不会让他们全都出来冒险，毕竟，咱们的一千比蒙战士也不是吃素的。而且，有我和九头蛇盘宗、双头狼金银，再加上我父亲，我们最起码可以对付十个左右的堕落天使，即使来个四翼的，我父亲也可以对付。我们几个再配合着比蒙巨兽，恐怕他们也讨不了好吧。"

其实我这些话中都是有水分的，当初杀掉堕落天使是在我也同时变身的情况下，可如果带领兽人族攻过去，我能变堕落天使吗？肯定不行。

兽皇显然被我的话打动了："你能不能带蛇人族和狼人族的那两个精神领袖来见见我。"

我点头道："当然可以。我知道您也需要时间考虑，明天一早，我就带他们来见您。父皇，您一定要尽快决定，兵贵神速啊。想减少损失就必须要尽早准备。我知道这次行动要冒上一定的风险，但危险越大，得到的收益也就越大。"

"嗯，我知道了，你先下去吧。"兽皇的神情已经非常疲惫，要马上决定这件事情真的很难，一步不慎，他就会成为兽人族的罪人，所以我也不再逼他。

"是，父皇。儿臣告退。您注意身体。"

我刚要离开，兽皇又叫住了我："啊！等一下，雷翔。"

"您还有什么吩咐？"

"既然你已经回来了，就回家看看吧，因为上回兵败的事，你父亲最近心情不太好，他毕竟是你的亲生父亲。而且，如果你想这次袭击魔族成功，那就必须要说服他，你不是想带比蒙战士去吗？那就要问问你父亲同不同意了。"

"我会的，父皇。"是该回去一趟了，已经好长时间没见过父亲了。虽然我对他并没有什么感情，甚至可以说只有恨存在，但我仍然无法忽视他在我心目中的地位。哪个儿子不因为自己父亲的强大而感到自豪呢？谁不希望自己的父亲是一个人人敬重的英雄？

兽皇见我的眼神有些迷茫，接着道："你母亲在皇宫里住得很好，她的变化很大啊。你刚走的时候我去看过她一次，前些天我又去过一次，虽然只有几个月的时间，但变化却非常明显，我险些都要认不出来了。"

听他说到母亲，我心中感到一阵温暖："父皇，谢谢您对母亲的照顾。我待会儿会先去看她的。"

"那好，你下去吧，唉……我是需要好好想想了。"

看我离开了，兽皇自言自语地道："我到底该怎么办啊？"

黑影一闪，一个看不清的身形飘到兽皇身旁："陛下，这孩子说得很对，这可是一个机会，如果人家欺负到头上来还不反抗，那以后您的威望就更低了。而且，魔族更会变本加厉的……"

兽皇抬起手，阻止黑影再说下去："你觉得雷翔可以完全信任吗？如果这次真的成功了，那他在兽人国的威望也会大大地提升。何况，你也听见了，他只用了这么短的时间，就收服了蛇人族和狼人族，我实在是有些不放心。"

黑影道："陛下，恕我直言，从雷翔这孩子身上我还真看不出什么野心，凭我多年的观人经验，他是完全想帮助兽人强大起来的。'疑人不用，用人不疑'的道理您应该明白。何况，他母亲还在我们手中，他也玩不出什么花样来。最关键的一点就是，他并没有兽人的外表，如何能够服众呢？所以，我劝您大可不必担心。"

听了他的话，兽皇叹了口气，道："功高震主的情况如果出现，恐怕就不是那么好解决了。不过你说得很对，我确实应该重用他。说实话，我还真是挺喜欢这个孩子的，如果他是我亲儿子就好了。"

黑影道："您也不用急着下决定，等我们的人回来后，问问他，雷翔到底值不值得信任，再下决心不是更好吗？"

兽皇点头道："好吧，那咱们就先商量一下，如果进攻的话，……"

正在这时候，一个响亮的声音在御书房外面响起："报告。"

兽皇怒喝道："不是说过不许打搅我吗？"

外面的人回答道："启禀陛下，是魔族那边来人了，非要亲自见您不可，所以，我才……"

"嗯？魔族来人了。"兽皇看了一眼黑影，道："魔族来人干什么？"

"好像，好像……"

"怎么吞吞吐吐的，快说。"

"是，陛下，魔族来的使者好像是管我们要什么钱的。"

兽皇大怒，腾地站了起来，怒哼道："他妈的，这些混蛋没完吗？我们损失比他们要大得多，还来管我们要钱，气死我了。"

黑影低声道："这人还是要见的，陛下，您冷静点。"

兽皇毕竟是一国之君，深吸两口气，低声吩咐外面护卫道："你带魔族使者到亲政殿等我，我马上就过去。"

"是，陛下。"

黑影在兽皇说话的时候，已经消失了。兽皇咬了咬牙，整理一下衣冠，直奔亲政殿而去。

出了御书房，我再也按捺不住对母亲的思念之情，轻车熟路地用最快速度来到了母亲居住的园子。

园子的门是敞开的，里面非常安静，没有任何响动。

阵阵花草的清香从院子里传出来，我最喜欢这种大自然的气息，顿时感觉到心旷神怡。

我放轻脚步，收敛气息，悄悄地走了进去。

母亲熟悉的背影出现在我面前，她蹲在院子里正在整理那些花草。她的动作很认真，也很小心，像生怕毁坏到那些东西似的。

母亲今天穿了一件淡粉色的连衣裙，外面罩着一件不知是什么毛皮做的白色披风，由于已经到了冬天，虽然这里的气候不错，还是有些寒冷。母亲的头发黑亮黑亮的，偶尔一股清风刮过，会扬起她几缕青丝。

见到母亲，我感觉全身的血液在沸腾，这就是血脉相连的感觉吧。为了不打搅母亲的兴致，我一步一步小心翼翼地走过去。

但我却忘记了自己高大的身体，当我来到母亲身后的时候，身体的阴影挡住了阳光，地面顿时一暗。

母亲身手竟然矫捷得很，向前轻轻一蹿，猛然回头喝道："什么人?"

我上前一步，"扑通"一声，跪倒在地："妈，是我回来了。"眼泪不受控制地顺着脸颊淌了下来。

母亲赶忙扶住我的双臂，激动地道："儿子，你怎么这么快就回来了?快，起来让妈妈看看。"

母亲身上传来一股和煦的生命力场，让我感觉非常舒服，前些天那种异样难受的感觉顿时减弱了很多，这可能是母亲身上绿松石的作用吧。

母亲把我扶了起来，仔细地看着我，我也端详着母亲。确实如兽皇所说，母亲和我走的时候相比变化非常大，不光是重新找回了一头乌丝，皮肤也变得更加细腻有光泽，不再像原来那样干枯，脸上的皱纹随着身体的逐渐丰满也淡了许多。

母亲确实是一位绝色美女，虽然已经年近四十，又曾经过于衰老，但现在我却能从她身上看到少女时的风采。

母亲一边帮我擦着脸上的泪水，一边慈祥地道："孩子，你瘦了。在外面这些日子，受苦了吧?"

没法儿不瘦，出去这段时间，大部分都是在床上度过的，不瘦才怪呢。

我握住母亲的手，道："这不算什么，没有付出怎么会有收获呢? 您真漂亮。"

母亲脸上闪过一片红晕，显得更加艳丽了，嗔道："臭小子，乱说什么，拿你妈开涮吗?"

我笑道："怎么会呢?妈，我说的都是实话，您真的很漂亮，您这样健健康康的，我真的很高兴。"

母亲拉着我的手，道："走，咱们到屋子里说去。"

走进房间，母亲把我按到椅子上，自己坐在一旁，但她慈祥的眼神却始终没有离开我的面庞。

"孩子，你知道吗，当初你告诉我，可以帮我恢复容貌的时候，我根本就没抱什么希望，可是，经过这半年来的调养，我想，恐怕用不了三年的时间，我就能够恢复到正常状态了。妈妈真的谢谢你，是你给了我活下去的希望。"说着，母亲的眼圈红了起来。

我深情地叫了一声："妈!"上前一步，蹲在母亲身前。

母亲将我的头搂在怀里，强大的生命力场在母爱的包容下滋润着我的身心。

"妈，这些都是我应该做的，您现在比起同龄人来已经算是最漂亮的了。"

母亲把脸贴在我的头上，不经意地问道："真的吗?"

我微微一笑，道："当然是真的，您忘记了吗? 我曾经去过龙神的。"

母亲道："是啊，你曾经去过龙神的。不知道我这辈子还有没有回去的希望?"

我坚定地道："有，当然有，等我处理好兽人这边的事情，一定会带您回去的，公爵看到您，不知道会多么高兴呢。"

母亲淡淡地道："如果真的能回去，我也只想在暗处悄悄地看上他一两眼，这就足够了，我可不想去破坏人家的家庭。孩子，我不许你告诉他我还活着，明白吗?"

我站了起来，皱眉道："妈，我不明白，这么多年了，您等的不就是这个时候吗? 为什么不和公爵见面呢?我相信林风叔叔他不是那种不念旧情的人。"

母亲苦笑一声，道："我就是知道他不是那种人才不愿意去见他，你明白吗?如果我们见了面，那他的夫人怎么办? 他的女儿，他的家，乃至他现在得来不易的权力也许都会失去。他已经为了我付出了太多太多，我不能让他再痛苦了，已经这么多年都不见了，我何苦再给他添麻烦呢? 啊! 对了，你决定和他的两个女儿怎么样?"

说起紫嫣、紫雪，我眼中闪过一片柔情，浓烈的思念涌上心头，让我一时说不出话来。

"傻孩子，从你的眼中我能看出，你是真心喜欢她们的，但你为什么不能只选一个呢? 你们男人啊，总是希望自己有三妻四妾的。"

我脸上一红，挠了挠头，有些尴尬地道："我其实也不想那样的，感情这方面，有些时候根本就不是自己能控制的了的。妈，我真的不是您说的那种朝三暮四的人。"

母亲笑道："行了，妈妈知道你是个好孩子，只要你把握住自己，不要伤害这些爱你的人，不论你娶几个老婆回家，妈妈都会支持你的。"

我感动地道："谢谢您，妈。"

"对了，你走的时候不是说要好长时间才能回来吗？怎么这么快？"

我叹了口气，道："发生了些事情，我不得不回来啊。您还记得我那些护卫吗？这次出去，只剩猛克一个人跟我回来，其他人全部被杀了。"

母亲惊讶地道："什么？都死了？你当初不是说那些护卫的功夫都很好吗？"

我恨恨地道："他们功夫再好，也对付不了魔族的堕落天使啊。魔族那群混蛋，为了不让我们兽人国发展起来，竟然采取这种卑鄙的手段，我一定不会善罢甘休的。我这回回来，就是为了和陛下商量出兵的事。"

母亲皱眉道："又要打仗吗？"

我拉住母亲的手，道："妈，我知道您不喜欢武力，但有的时候，敌人都已经欺负到家门口了，难道我们还不还击吗？毕竟，我们要保护自己的家园不受侵犯，不是吗？"

母亲突然郑重地道："阿翔，你能不能答应妈妈一件事？"

我欣然点头道："当然可以了，别说一件，就是十件、百件，只要是妈您吩咐的，我都一定帮您达成心愿。"

母亲欣慰地道："那就好，我希望你能答应我，今后不管发生什么事，你都不要带兵去打龙神，好吗？"

不带兵去打龙神？我低头想了想，道："妈，如果一切顺利的话，我们这次给魔族点教训，然后再平定了兽人，我就带您到龙神帝国去。我想，应该不会和他们发生什么冲突吧，何况，龙神那里还有我最爱的人。"

母亲脸色一沉，道："我要你明确地答复我，好吗？"

看母亲有些生气，我赶忙道："好，我雷翔发誓，终我一生，绝对不带领兽人族军队攻打人类龙神帝国，如违此誓，天诛地灭。"

母亲在我说到最后的时候，捂住了我的嘴，怨道："我只是让你答应我，谁让你发誓了。"

我突然想起一件事，问道："妈，我到现在还不知道您的名字叫什么呢，您快告诉我吧。"

母亲微微一笑，道："现在才想起来问啊，记住哦，妈妈叫紫云。"

我疑惑地道："不是紫玲吗？"

"傻孩子，玲玲是妈妈的小名，妈妈的大名叫紫云。"

"紫云也很好听啊！对了，妈妈，我和几个兽人朋友结拜为兄弟了。"

"哦？都是些什么人？"

"算上我一共四个人，我排老四，三哥是我那仅存的护卫猛克。说实话，护卫们的死我有很大责任，当时，我要是能早回去两天，也许悲剧就不会发生了。"说到死去的护卫们，我心中一阵难过，"所以，我一定会好好保护猛克，绝不能让他再受到任何伤害。说四个人，其实应该是五个，因为，排行第二的是双头狼人金银，他们有两个狼头，也有两个大脑呢。"

　　母亲好奇地问道："兽人还有这么个种族吗？以前我怎么没听说过。"

　　我苦笑道："别说您没听说过了，我也没听过，这回不但见到了双头狼，还见到了九头蛇呢。不过，还好他就一个思维，否则就要乱成一锅粥了。九头蛇就是我们的大哥盘宗，他名字还是我给取的呢。"

　　"那他们现在在哪里呢？"

　　"我让三哥带着他们去安排住的地方了，没跟我回来。"

　　母亲道："这就是你的不对了，你怎么不带人家回来？咱们这里有足够住的地方，来个几十人都没问题，反正兽皇也不会怪你的。"

　　对呀，我怎么没想到？我抱住母亲在她脸上亲了一口。

　　"妈，您说得对，我这就去找他们。"说完，我急不可待地跑了出去。

　　母亲慈祥地一笑，看着我离去的背影："这孩子。"

第四十三章 出征魔域

我在一家豪华旅店里找到了盘宗等人，本来他们不想跟我进宫的，但我和猛克都极力相劝，对金银更是用皇宫内的美食诱惑，终于说动了他们，一起到了母亲住的地方。

本来我还想和皇宫的守卫解释一下，可他们根本就没有拦阻我，让我们这些人通过了关卡。

我拉住母亲的手，给他们介绍道："兄长们，这是我母亲。"

母亲微笑地对大家道："你们好，到了这里别客气，就当是自己的家。"

盘宗挠了挠头，看着我的这位人类母亲，道："老四，我们该怎么称呼才对？"

我哈哈一笑，道："按照人类的规矩，你们应该叫我妈伯母才对。"

盘宗"哦"了一声，叫道："伯母您好。"

母亲慈祥地一笑，道："你好，你就是我儿子的大哥吧。"

盘宗点了点头，一把撩起头上的斗篷，露出九个蛇头："是啊，雷翔有没有跟您说，我是九头蛇，没吓到您吧。"

母亲摇头道："怎么会？来，大家进屋坐吧。我给你们准备了吃的。"

一听到有吃的，金银率先冲了过来。金喊道："伯母您好，我是金。"

"伯母您好，我是银，您真漂亮啊。"

我赶忙道："妈，这是我的二哥二姐。"

"啊！你们的毛发也很漂亮。"母亲由衷地赞叹。

金有些不好意思地道："伯母，您那些……"

我哈哈一笑，道："就应该在那间屋子里呢，快去吧。妈，我这二哥、二姐没什么别的爱好，就是爱吃爱喝，还喜欢些新奇的事物。"

银怒道："老四，你说什么呢，我们可是堂堂……"

我接道："对对对，他们还号称狼神呢，狼人都听他们的。大哥是蛇人的精神领袖，蛇人都对他崇敬得不得了。二哥、二姐，你们还不快去，大哥和三哥可已经进去了，我妈做的可是人类美食，连我都没吃过呢。你们不去，我可去了。"说着，我一个箭步蹿进了屋子。

哇，整张桌子上全是各种各样的小点心，我顾不得说话，立刻加入了盘宗和猛克的扫荡队伍。

金银也冲了进来，毫不客气地就往嘴里塞。

母亲站在门口，目瞪口呆地看着我们这群饿死鬼，扭头对跟着盘宗来的那群蛇人道："你们也去吃点吧。"

蛇人护卫头目咽了口唾沫，恭敬地道："啊！您不用客气了，我们不饿。"敢和这群大佬抢着吃，不是找死吗？就算再好的美味他们也不敢上去啊。

只一会儿工夫，桌子上的食物就被一扫而光。由于我吃过人类的食物，再次尝到，除感觉到母亲对我们的关爱以外，并没觉得其他什么。他们几个就不一样了。

盘宗和金银亲热地跑到母亲身边，一人挽住母亲一只胳膊，露出快要流口水的表情。盘宗道："伯母，伯母，那些吃的还有没有？简直太好吃了。"

银道："是啊，是啊，太美味了，我从来没吃过这么好的东西。"

我跑了过来，道："你们这回知道人类的食物有多好吃了吧。二哥，你知道我上次在撒司的时候为什么不吃他们的东西了吧！你们的年龄都比我妈大，别装得那么纯情了。"

金点头道："我们这是在讨伯母欢心啊，不论我们岁数多大，辈分总是在那儿。撒司的那些破食物和伯母的手艺相比，简直就是垃圾啊。伯母，还有吗？我还想吃。"

母亲摇了摇头，道："时间太紧张，我只做了这些，没想到你们胃口都这么好。我这就再给你们做去，材料都是现成的。"

我赶忙拉住母亲，道："妈，别去了，你们几个可不能为了吃东西累坏了我妈。"

盘宗道："伯母，我们给您打下手吧，这样您就不会累了，怎么样？"

"大哥，你别闹了，我还有事要和你们说呢。走，进屋里坐。"

盘宗嘟囔着："什么能比吃更重要啊！"嘴上虽然这么说，人却已经搀着母亲走了进去。

他们简直像是比我还孝顺的好孩子，金银和盘宗分别坐在母亲两边。我皱眉道："我说，你们来这里不是为了和我抢妈的吧？"

银笑道："当然要抢了，我们要是有这么个好母亲多好啊。"

母亲慈祥地摸了摸银的大头，道："到时候我教你怎么做就是了，以后你们就可以自己给自己做饭吃，不是更好吗？"

银喜道："好啊，好啊。"

真拿他们没办法，我正色道："我真的有要紧事和你们说，兽皇要见你们。"

银随意地道："不见，他见我们干什么？"

我哭笑不得地道："二姐，他毕竟是兽人之王啊，我需要你们帮我说服他出兵魔族的，你不见他怎么行？"

银道："有什么不行的？我们可不会冲他卑躬屈膝地当奴才。"

盘宗赞同地点了点头，道："老四，你做我们的代表就是了，我们是不会向他这种低级兽人行礼的，又不想给你找麻烦，还是不去为好。"

他们说的确实有道理，我想了想，道："兽皇是个睿智的君主，他应该不会那么在乎这些俗礼。你们明天和我去见他吧，我保证不用你们行礼，还不行吗？你们只要明确地告诉他，你们两个领都会支持他发展兽人族和对魔族的袭击就行了。"

金道："老四，你说话可要算数。"

我点头道："当然了，如果做不到，就惩罚我一辈子吃不到母亲做的饭。"

金银和盘宗满意地点了点头，在他们心里，现在没有比能吃到母亲做的饭更重要的了。

我转头看了看已经渐渐暗下来的天色，道："你们在这里休息吧，我还要出去一趟。"

母亲问道："阿翔，你要去哪里？"

我叹了口气，道："兽皇让我回去看看，我必须说服雷奥支持我对魔族的行动。妈，你不会怪我吧。"

母亲皱了皱眉头，道："你去吧。注意安全。"

"放心吧，我会的。您也说了，有兽皇的面子在那里，雷奥不会把我怎么样的。"

金喊道："去见比蒙王吗？我也去，我也去。"

"你们去干什么？又去找麻烦啊，我可不会帮你们的。我是去办正事，可不是去玩。"

金道："谁说我要去找麻烦，只是去看看而已。"

这家伙真让我头疼，他们以前找过父亲麻烦，如果要是去了，还能不打起来吗？

正在我犯难的时候，母亲说话了："银，伯母教你做饭怎么样？刚才你们吃的只是普通的点心，晚上伯母给你们做点好的吃。"

银大喜道："好啊，好啊，那咱们什么时候开始？"

母亲笑道："当然是现在了，做饭是需要很多道工序的，要是差了什么，味道会损失很多的。"

银拖着有些不甘心的金一起去了厨房。

我暗暗松了口气，叮嘱猛克看好他们，悄悄地出了皇宫。

我穿街绕巷来到了比蒙王府，王府仍然像以前那般巍然耸立。我深吸一口气，没走正门，轻轻一跃，跳过围墙进入了府邸。

这个时间父亲应该在吧。我看了看四周，王府里很清净，只有少数仆人匆匆走过，根本没人会注意到我。

这里毕竟是我生活了十几年的地方，我来到了父亲寝室外，现在是傍晚，父亲高大的房间内灯光亮着。

我平复了一下自己的心情，上前两步，在房门上敲了两下。

"谁?"父亲沉凝厚重的声音响起。

"父亲，是我。"我的声音稍微有些激动。

巨大的身影在灯光的映照下投在门上。门开了，父亲那熟悉的高大身躯出现在我面前。

只不过几个月不见，我发觉父亲的鬓角有些斑白，他看我的眼神有些复杂，有欣慰，有喜悦，也有愤怒。

他伸出大手，一把抓住我的肩膀："进来吧。"

看得出，这次战争的失败对父亲的打击很大。

父亲的手还是那么沉稳有力，让我觉得仿佛没有任何力量可以反抗他似的。

进到屋里，父亲随手一挥，一股劲风吹过，房门关上了。

他松开抓住我的大手，独自走到自己桌子后面坐了下来。

他抬头仔细地盯着我看，好像从没见过我似的："坐吧。"

我"嗯"了一声，拉了把椅子坐在父亲的斜对面，侧脸朝着父亲。

"你不是替陛下去执行任务了吗，怎么回来了？"

在父亲面前，我始终有些拘谨，恭敬地道："父亲，我这次回来是因为有一些重要的事情要向陛下禀报。"

父亲端起桌子上的大水杯喝了一口："怎么，连一些盗匪你都对付不了吗？"

对于父亲知道我的行动我丝毫没有惊讶。兽皇和父亲的关系是密不可分的，没有父亲的支持，兽皇也坐不上今天这个位子，他是不会对父亲隐瞒什么的。

我摇了摇头，道："几个盗匪不算什么，我已经成功地收服了云那领和撒司领全境，也杀了几批盗匪，只是，我在刚刚收服撒司后，遇到了魔族堕落天使的袭击。"

父亲眼中射出两道精光，巨大的压力使我有些喘不过气来，我的心不由自主地一阵颤抖。

父亲低声问道："在咱们的境内怎么会有堕落天使？他们来干什么？"

我恨恨地道："他们来就是为了破坏我们重整兽人族的计划，五个堕落天使杀掉了我十九名手下兄弟，有一个在我赶回来前跑回了魔族，剩余的都被我全歼了。这个仇我一定要报，所以这回我回来是想请陛下发兵攻打魔族的。"

父亲腾地站了起来，"你说什么？你杀了四个堕落天使？"

我摇头道："我杀了一个，剩余的被我的结拜兄长杀了一个，一个自爆，还有一个被同伴的自爆炸死了。"

"你哪儿来的结拜兄长？是什么人？"

"哦，我和三个兽人结拜成了兄弟，有蛇人族的，也有狼人族的，还有一个是我幸存的护卫。"

父亲哼了一声，道："胡闹，以我们比蒙高贵的血统，怎么能和这些低贱的种族结拜？"

我惊讶地道："那陛下不也是狮人族吗？"

父亲干咳了一声，没有回答这个问题："你说你能杀掉一个堕落天使，那你的功夫应该又进步了不少啊。"

说着，他走到我面前，我也赶快站了起来。

"跟我来。"父亲转身推门，走了出去。

我紧随其后，父亲和我进来时候一样，也没有走正门，带着我跃出了王府。

天已经逐渐暗了下来，夜幕逐渐降临。父亲叫我出来干什么呢？从他刚才说的意思看，应该是要试探我功夫吧。

父亲将我一直带到上回我们交手的地方，他停了下来："让我试试你的功夫进步了多少？"说完，转身一拳向我轰来。

我心中暗暗叫苦，和父亲交手我不能使用堕落天使变身。即使我变成血红天使都肯定不是他对手，何况现在不能变身呢？为了能多坚持一会儿，我努力地让自己想起奶奶的死，想凭借这些，让我的情绪激动起来好狂化战斗。

我一边想办法狂化，一边运起狂神斗气和暗黑魔力，身体发出一圈淡淡的黄色光芒。我知道父亲喜欢什么样的战斗，踏前一步，大喝一声，狂神斗气灌入拳中，以狂战天下的心法挥了出去。

高度集中的狂神斗气凝成一股出现在我拳锋外，一时间，黄芒大盛。

父亲眼中闪过一丝光芒，挥出的拳头上亮起了白光。

"轰！"两拳相击，一股强烈的气流冲天而起，周围的草木被强劲的斗气吹得猎猎作响。

我"噔噔噔"连续退出数步才拿稳桩，右手一阵麻木。好强的力量。

父亲显然还没有尽力，哼了一声，道："告诉你，这才是我三成功力的一击，以你这个水平，是不可能杀掉堕落天使的。放马过来，难道你不想为你奶奶报仇吗？"

我无暇理会父亲如何知道我心中的仇恨，他的话已经点燃了我内心的怒火，但令我奇怪的是，我已经如此愤怒了，却为何还不能狂化？

我眼中露出血丝，狂喝一声，高高跃起，大喝道："狂龙急舞。"身化黄龙全力向着父亲冲去。

父亲也不闪躲，伸出一只手在空中画了个半弧，一个白色的光球出现在他面前。我像飞蛾扑火一般冲了上去，一头扎进了光球。

巨大的力量爆发了，地面上被炸出一个直径三米的大坑，我又被震了回来。但我发现，父亲使的力度刚好，既不伤害我，又可以将我击退。

我没有丝毫犹豫，继续发动了狂神拳的第四招。

"狂影百裂——"随着一声怒吼，我感觉全身仿佛都燃烧起来，速度发挥到极限，无数黄色的身影铺天盖地般朝着父亲冲去。

父亲脸上第一次出现吃力的表情。他左腿向前跨出半步，身体微微下

狂神

堕落天使

蹲，双手掌心向上交叉在胸前，缓缓分开双手，掌心由向上逐渐转向身体，再转向下，最后，当双掌分到身体两侧的时候，掌心已经是朝着我的方向。

我拼尽全力催动着狂影百裂的攻击，但父亲身前仿佛有一道无形的墙，使我每一个撞上去的身影都化作了光点，强劲的攻击炸得父亲身前泛起一圈圈光晕。

父亲始终保持着双掌向前的那个姿势，我经常见他发出的白色天雷卸甲斗气并没有出现，天地间仿佛充满了他无形的力量。

我就像是蜻蜓撼石柱一样不知疲倦地攻击着，却丝毫不能影响到父亲。

父亲突然吐气出声，双掌前推："开。"我剩余的身影完全破碎了，无形的力量重重地击打在我身体上。我被高高地抛了起来，远远地飞了出去，最后，重重地落在地上，身体的惯性在地面上拖出一道长沟。

在月光的照射下，我全身仿佛裂开般疼痛，狂神斗气仿佛都被父亲震散了似的，有说不出的难受。暗黑魔力飞速运转着，不断地恢复着我的体力。

天上的月光突然被挡住了，父亲高大的身躯出现在我面前。

我挣扎着爬了起来看着他。

"为什么不狂化？"父亲皱着眉头问："如果你刚才狂化后再使用那几招，我也不会接得那么轻松。"

我摇晃着站了起来，苦笑道："我也想狂化，可不知道为什么，自从上回和那群堕落天使交手后，身体里老有一种奇异的能量，每当我到了狂化的边缘，那股奇异的能量就会出现，使我无法爆发。"

父亲抬起手，搭在我的肩膀上，一股深厚的斗气侵入体内。

我心中大惊，赶忙用意志控制着暗黑魔力躲避着父亲的斗气，将它们完全压缩到眉心的窍穴。

还好，用父亲的话说，像我们这些武者的能量都在丹田。他发出的能量直奔那里，在他的能量帮助下，将我四散的狂神斗气重新凝聚起来。

半响，父亲缓缓收功，脸上有一丝不解的神色："你的斗气充满了霸气，里面也有天雷卸甲的能量，你是不是学了别的功夫？"

我点了点头，道："是的，我学了另一种斗气，是我从龙神的天都学院学来的，叫狂神斗气，说是只能由具有狂化体质的人学习，所以我就修炼了，感觉上威力还是不错的。"

父亲点了点头，道："这些倒没什么，可你的斗气里有一丝死气，这可能才是你无法狂化的原因，你是不是遇上亡灵巫师了？"

我惊讶地看着父亲，道："亡灵巫师？那是什么？"

父亲叹了口气，道："亡灵巫师是一种非常强大的力量，他们可以说是魔法师的一个分支。"

我疑惑地问道："是黑暗魔法师吗？"

父亲摇了摇头，道："不是，黑暗魔法师主要修炼的是黑暗魔法，而亡灵巫师则修炼的是亡灵魔法或者叫亡灵巫术，两者虽然同属黑暗一类，但本质上是不同的。比起来，亡灵巫师要可怕得多。"

父亲的眼中闪过一丝恐惧，显然亡灵巫师曾经给他留下了不可磨灭的印象。

"大陆上有亡灵巫师存在？我怎么没听说过，我也没见过他们啊。"

"亡灵巫师现在已经非常罕见了，在我年轻的时候，曾经和你爷爷一起遇到过一个高级亡灵法师，他还没到巫师的级别。那时候，你爷爷的功夫已经冠绝兽人族，可是，最后你爷爷虽然杀掉了那个亡灵法师，但也受到了他的诅咒，这才是你爷爷英年早逝的真正原因。你是除了我以外，第一个知道这个秘密的人。没有我的允许，不许告诉其他人。"

"啊！亡灵巫师那么厉害吗？那时候的爷爷和您现在相比，谁更厉害一些？"

父亲看了看我，低声道："恐怕还是你爷爷厉害一些，他的天雷卸甲已经突破最高境界，达到了那些上古神兽所谓的补天层次。"

我惊讶地道："补天？这个我听我的结义兄长盘宗大哥说过，他就快到绝地层次了，这种修炼等级不是只有远古流传下来的种族才会用吗？"

父亲惊讶地道："你那个大哥不是蛇人吗？竟然能达到绝地的层次，这么厉害的蛇人我可没听说过。"

反正他早晚会知道，我也没什么可瞒的，当下，我把这次去剿匪的过程简略地说了一遍。

父亲脸上突然出现了一丝笑容："原来那个滑溜的刺客竟然是狼族的双头狼，等我再见到他，哼！"

我心想，这可怎么办，如果金银和父亲打起来，我到底帮哪一边呢？

我赶快岔开话题道："那您为什么会用补天形容自己的境界呢？"

父亲傲然道："其实，咱们比蒙也是远古流传下来的种族，也是从远古流传下来数量最多的一族。有机会你可以问问你那两个哥哥，知不知道洪荒巨人这个种族？咱们洪荒巨人在远古时仅仅次于龙族，有着可以修炼到烁今的先天条件。"

"龙才有几条？那这么说，咱们比蒙族在远古时是最强的种族了。"

父亲叹了口气，道："你错了，虽然咱们本身的先天条件很好，但是，比蒙族却有一个致命的缺憾。正是因为这个缺陷，使咱们无法和龙族媲美。你应该知道，咱们比蒙一族的寿命是不会超过一百五十岁的，即使功夫练到再高也不行，除非有机缘能突破离尘境界，否则，都会在一百五十岁之前死去。其实，据我所知，咱们比蒙一族，还很少有能活过一百岁的。而有些族类，他们都有着几百甚至上千的寿命，龙族就更不用说了。唉，你知道我为什么不喜欢你吗？就是因为你并不是纯种的比蒙。其实，我也不是。你奶奶是魔族，这个你知道。正是由于这个原因，使我可能永远无法踏入烁今的门槛，所以，我恨你奶奶，这才是我为什么不理她的原因。但是，我从来没想过要杀她，那只是个……"

　　我心中涌起强烈的怒气和腾腾杀意，如果他能对奶奶好一点，他的手下敢伤害奶奶吗？但我现在还不能发作，我还没有和父亲抗衡的实力，我强压心中的怒气，问道："那您的功夫现在达到什么境界了？"

　　"算是刚进补天的门槛吧。雷翔，你要知道，每提高一个级别，变化是非常大的，但即使我现在的水平，也绝对不敢去招惹那些亡灵巫师。我刚才检查你体内的情况和当初你爷爷受伤后的情况有些相似，只是你要轻一些。你真的没遇到亡灵巫师吗？"

　　我想了想："啊！刚才我和您说的那个自爆的堕落天使，他用的是禁忌术，那也是一股强大的死亡力量，只是被我们几个合力削弱了很多才命中我的。"

　　父亲皱眉道："禁忌术，真有这种法术存在吗？不过，以前遇到的那个亡灵法师在最后被父亲杀死前，曾经用过一个咒语，但却没有成功，自己自爆了。也许，他当初也想用这个法术吧。雷翔，暂时看来，你体内那股死气只是让你无法进行狂化，还没有什么其他影响。但你要尽快想办法改变这个状况，否则，任由它潜伏在你身体里，早晚会发作，到那时候，恐怕……"

　　父亲竟然会关心我，这可是从来没有过的事情，但这并不足以减弱我对他的恨意。

　　不过，他所说的亡灵巫师却引起了我的兴趣，我点头道："亡灵巫师有什么特征吗？如果以后我遇到他们我应该怎么办？"

　　"亡灵巫师分为几个不同阶层，最普通的是亡灵法师，但也有人类中位魔导士以上的功力，他们都是由人类普通魔法师转成亡灵法师的；再高一阶层叫高级亡灵法师，如果从人类魔法师来说，应该有魔导师的水平吧，当然，要可怕得多。最后一种，也是最高级的，就是亡灵巫师了，这好像只是个传说，从来没听说哪里出现过。亡灵巫师是真正的亡灵指挥者，他们拥有的力量绝对超过人类那所谓的圣魔导师，到了那个层次，就可以突破咱们这个世界，到达传说中的神冥之界。恐怕，即使我能修炼到离尘也不会是他们的对手。你记住了，亡灵法师的装束一般都是黑色的大斗篷加一根长长的木杖，木杖是他们最明显的标志，其他地方有些像黑暗法师。高级亡灵法师是红色的大斗篷加一根长木杖，亡灵巫师据传说是没有任何形体，只是一片罩着灰色斗篷的烟雾而已。以你现在的能力，遇到任何亡灵巫师唯一的方法就是立刻逃跑。"

"亡灵法师真的有那么厉害吗？"

父亲郑重点头道："是的，他们非常厉害，他们最擅长诅咒术和召唤亡灵，也就是说，如果你和他打的话，只要你这边的人死一个，他那边的人就会多一个，明白吗？而且越高级的亡灵法师可以保留越多亡灵原有的力量。"

虽然父亲说得很严重，但我却有些不以为然，以后有机会，一定要找个亡灵法师较量一下。我问道："那大陆上哪里才有亡灵法师？"

父亲摇头道："我也不知道，也可能他们已经灭族了吧。亡灵法师有一个最大的特点，就是只要你不去招惹他，他一般也不会来招惹你的，所以在大陆上他们才这么默默无闻。他们一般都在深山中苦修，以图能达到更高的境界，这些修炼亡灵魔法的人都是一些崇拜力量的疯子。也许，魔族那边会有吧。好了，今天说得太多了，咱们回府吧。"

回到比蒙王府邸，父亲问我："你说这次回来想让陛下派兵攻打魔族，是怎么回事？"

我愤然道："魔族那群混蛋都已经欺负到咱们领地来了，再不给他们点颜色看看，他们会更加猖狂的，所以，我们必须要还击。"

父亲冷哼一声，道："你还是太不冷静了，难道你不知道魔族有多强的实力吗？咱们刚刚经历过一场战争，消耗非常大；同时，魔族还掌握着咱们的后勤命脉，我想，陛下一定不会答应你出兵的。"

我瞥了父亲一眼，道："不，陛下答应了我的建议。"

父亲猛地站了起来，怒哼道："什么？陛下疯了吗？"

我微微一笑，在今天和父亲的交谈中，我第一次占据了上风："不，陛下他并没有疯，以他的睿智，没有好处的事他会做吗？不错，确实要冒上一点风险，但高风险的结果是高回报，陛下答应我想想，这几天就给我答复。不过，他还是很尊重您的意见，我这不是来告诉您吗？"

父亲瞪了我一眼，他也明白兽皇不会那么冲动，又坐了下来，道："你详细说说，你准备怎么干？"

我沉吟了一下，将今天对兽皇说的战略重复了一遍。

听完我的叙述，父亲陷入沉思当中。

良久，他抬头道："如果魔皇不善罢甘休呢，我们怎么办？难道真的以举国之力和魔族打到底吗？你应该明白，我们终究和魔族有一定的实力差距。"

"这些我都知道，可我刚才说了，魔族内部现在并不像它表面上那么稳定，魔皇不能不考虑到这些。"

父亲点了点头。

我站了起来，道："您多考虑考虑，我先回去了。"

父亲突然问道："你母亲在哪里？"

我心中一惊，父亲也会管母亲的死活？同时，我也奇怪父亲并不知道我们住在皇宫里的事情，看来是兽皇怕招惹麻烦，所以没有告诉他。

想到父亲一贯的作风，我冷声道："母亲被我安排在一个很安全的地方，我会照顾好她的，不劳您费心了。"

父亲眼中寒光一闪："他是我的妾，用得着你照顾吗？"

我哼了一声，毫不示弱地瞪着父亲，道："她也是我的母亲，我当然有权利，也有义务照顾她。"

父亲腾地站了起来，一股强烈的杀气从他身上散发出来。

我全神戒备着，以防他随时出手，虽然我知道，这样未必有什么用。

突然，父亲撤去了身上的杀气，又坐了回去。看他的样子，有些颓然。他好像突然间衰老了许多，挥挥手，道："你走吧。"

我愣了一下，淡淡地道："我会照顾好母亲的。"说完，扭头走了出去。

第四十四章 占领敦德

第二天一早，我带着盘宗和金银直奔御书房。在来这里之前，母亲住的地方差点发生一场火灾。银以为昨天自己的厨艺已经学到家了，很早就起来尝试做饭，结果，厨房被她和金不知道用什么方法烧着了，连他们自己都差点成了烤狼。直到现在，他们身上还有一股焦味。

来到门外，我朗声道："臣雷翔求见。"

兽皇的声音从里面传出："进来。"从他的语调中，我可以听出他的心情非常糟糕。

我看了一眼两位兄长，率先走了进去。

兽皇看到盘宗和金银，强挤出一丝笑容，从座位上走了过来："啊！你们就是翔儿的结拜兄长吧，快，请里面坐。"

兽皇的礼贤下士顿时得到了盘宗和金银的好感，两人也不客气，自己找位置坐了下来。

在落座前，两人主动道："臣盘宗、金银见过陛下。"

我问道："父皇，发生什么事了，您好像很不开心的样子？"

兽皇看了我一眼，怒道："魔族简直是欺人太甚！昨天你走了以后，来了几个魔族的使者，口口声声管我们要战争赔款。他们有没有搞错？明明是盟友，却……"兽皇气得说不出话来。

我心中大怒，道："父皇，该是您决断的时候了。"

金道："陛下，我们狼人族和蛇人族会全力支持这次袭击，一切物资都可以由我们云那领来出，不用动国库一分一毫。"

盘宗道："我们都相信雷翔有能力带我们打赢这场仗，陛下，您应该给年轻人一个机会，也给魔族一个教训，让他们知道，我们兽人并不是那么好欺负的。"

兽皇深吸口气，叹道："看来，这场仗是不得不打了。"

"比蒙王雷奥求见。"外面传来侍官的报告声，父亲来了。他难道也是为了这次袭击的事吗？我们刚刚打动兽皇，如果他反对的话，恐怕就不好办了。毕竟，父亲才是代表整个兽人的勇士，他的决定会对兽皇有很大的影响。

兽皇道："快请。"

父亲那高大魁伟的身形出现在我们面前："臣雷奥参见陛下。"

"贤弟，你来得正好，我有件事拿不定注意，你帮我参谋参谋。"

父亲看了看盘宗和金银。金银都昂着头，做出不屑一顾的表情；盘宗则冲父亲善意地一笑。

"陛下，是不是为了魔族的事？昨天雷翔去找我，已经告诉我了。"

兽皇点头道："是啊，魔族派来了使者，管我们要战争赔款，又派遣堕落天使刺杀我们刚刚组建起来的兽神教成员。你说说，我该怎么办才好？雷翔的意思是出兵，你呢？"

兽皇果然要征求父亲的意见，如果父亲像昨天那样不同意的话，恐怕我这个建议就要被驳回了。

父亲看了我一眼，低声道："打仗的时候，他们龟缩在后方，让我们的儿郎在前面冲锋陷阵。打了败仗又来管我们索取财物，他们是在把咱们当傻子看啊。陛下，我同意雷翔的主意。昨天，他已经把整体的战术和我说了，我觉得可行。"

兽皇听父亲也支持出兵，顿时精神大振，父亲的威望在兽人中是非常高的，有了他的支持，即使以后有人不服也会好处理得多。

他一咬牙，下定决心道："好，既然你们都支持出兵，那就按照雷翔的意思去办。比蒙王雷奥听命。"

父亲躬身道："臣在。"

"我以兽皇的名义命令你，带领比蒙军团一千人、狂狮军团一万人。还有，啊，对了，既然盘宗先生和金银先生同意派兵，我就给你们的部队加一个编号吧。盘宗先生的部队就叫做蝰蛇军团，而金银先生的部队就叫做迅狼军团，你们看可以吗？"

盘宗和金银对视一眼，从对方眼中都看出了满意。两人站了起来，盘宗道："我们同意。"

"好，雷奥贤弟，那我就命令你带领比蒙军团一千人、狂狮军团一万人、蝮蛇军团五千人、迅狼军团三千人，共一万九千人奇袭魔族敦德行省；命雷翔为总参谋，参与指挥部队。"

父亲恭声道："臣领旨。"

我也赶忙上前，跪倒在地："儿臣领旨。"

兽皇走上前，先将我扶了起来，然后对父亲道："贤弟，这次就看你们的了，虽然部队的人数不多，但都是咱们兽人的精英。雷翔的脑子转得快，在行动上，你要多听他的建议。"

父亲点了点头，道："陛下，您放心吧，我们一定用最短的时间占领整个敦德全境。"

兽皇道："至于后勤补给……"说着，他看向金银。

金道："陛下放心，这方面由我们全权负责，我会调遣云那领的军队给我们做好后勤支持。老大，你到时候可得派人保护我的粮车啊。"

盘宗哈哈一笑，道："老二，关键的时候，还要我来吧。行了，到时候我让蛇人族族长派人帮你们护送。"

我微笑道："二哥、二姐，你们可要让手下多准备些。魔族是有马车的，到时候抢了他们的马，就不用推了，也能加快物资的供应速度。等咱们攻破第一道城，我第一件事就是先给你们多弄些马。"

银道："放心吧，待会儿我就叫人回去准备，一定会赶得上的。至于马不马的倒无所谓。我们负责运送物资的手下，都是擅长奔跑的，肯定不比那什么马差。"

兽皇道："你们准备什么时候出发？"

我道："蝮蛇军团和迅狼军团现在都在赶来的路上，两天即可到达，休整一天，立即出发。这两天就是咱们计划和准备的时间。至于那些魔族使者，父皇，您可不要表现出对他们的不满，把他们拖在皇城，等我们开始向敦德发起攻击，再和他们翻脸也来得及。"

由于下了最后决定，兽皇显得轻松了很多，微笑道："这个我明白，那好，兽人国的兴衰就要看你们是否能达到咱们的既定目标。贤弟，我希望你们父子能配合好，完成这次行动。"

父亲当然明白兽皇这最后含有深意的话："我知道该怎么做，我会多征求大家意见的。没什么其他事的话，我就先告辞了。雷翔，狂狮军团的一万人交你指挥，尽快准备好出征事宜，别让我和陛下失望，明白吗？"

"是，雷奥王。不过，我希望这次出征不要看到某些人。"

父亲皱眉道："你们都是兄弟，闹得这么僵以后如何收场！"

闹得僵？那能怪我吗？如果你能早点管好雷虎，我能和他到现在的地步？我强压心中的怒火，平静地道："关系不好可以以后改善，这次的行动如此重要，我不希望出现任何纰漏，也不希望有任何人坏了我的事。"

父亲怒哼一声，转身就走。

兽皇冲我无奈地一笑，道："你父亲就这个脾气，别怪他，不过他是识大体的人，放心吧。孩子，既然我已经同意了你们出战，你就放心去做吧。即使真的失败了，父皇也不会怪你的。"

兽皇对我如此信任也不枉我帮他一场，我有些感动地道："父皇，谢谢你，我一定不会让您失望的。还有，您给各族族长的信赶快准备好，等我们一出发，立刻发出，要做好一切战争准备。还有，咱们的兽神教不能停止行动，可以让他们先从皇都、云那、撒司三块地方开始，逐渐向周边开展。撒司现在还差一些，要尽快派些人过去帮助那里发展耕作。"

兽皇点了点头，微笑道："我就是你们的大后方，这些，我会做好的。你们的任务就是杀敌和掠夺。盘宗先生、金银先生，你们还有什么事需要我做的吗？"

他们一起摇头。

我赶忙道："父皇，那我们就先告退了。"

兽皇笑着点了点头。

等我们走后，黑影出现在他身旁："陛下，雷翔带来的那两个人身上都有很强的能量，确实比单一的堕落天使要厉害一些。"

兽皇望着门口，道："希望我的决定没有错。昨天咱们的人回报的时候你也听到了，雷翔现在对我还是很忠心的。"

黑影喋喋阴笑道："这恐怕才是您今天决定让他们出征的真正原因吧。"

寒光在兽皇眼中一闪而过："当然，如果我不能确定他是否真的向我效忠，又如何会把如此强大的实力交给他们？你立刻去通知我们的人，让他监视好雷翔，一有什么异动立刻向我回报。"

"是，陛下。"

回到母亲的住处，盘宗道："这个兽皇确实有两下子，刚才我们那么无礼，他就好像跟没看见似的。"

金道："是啊，他堂堂一国之主，却对咱们这么客气，我对他挺有好感的。"

母亲端上一盘水果，道："你们呀，千万别太轻信这个人，难道你们不觉得这个兽皇的心机很深吗？我见过他两回，虽然他表面上给人很和蔼的感觉，但却有一种让人看不透的本质。"

我微笑道："妈，没事的。现在我们可都是他用得着的人，我们会小心的。对了，猛克又跑哪里去了，怎么没看到他？"

母亲道："你们都走了，他说一个人不方便在这里，自己出去溜达了。这小伙子挺实在的，你可要好好对人家。"

"我会的。"

金道："老大，咱们是不是也该派人去安排一下了，大话已经说出了，咱们可不要最后弄个虎头蛇尾。"

盘宗有点不高兴地道："什么叫虎头蛇尾？为什么不叫虎头狼尾？现在就去吧。"

银一边吃着水果，一边嘟囔着道："也要等我吃完这些东西啊。"

三天后，比蒙、狂狮、蝰蛇、迅狼四个军团一万九千人悄悄地从皇都出发了。父亲虽然当时没答应我不带雷虎，但却表现在行动上。他只是一个人带了一千名比蒙战士，连雷龙大哥都没有带。

五天后，魔族敦德行省最靠近兽人族的塔尔城外三十里密林中。迅狼军团派出五百人在周围警戒，只要遇到魔族的人就立刻扣留。

"二哥、二姐，你们的物资部队和后续部队到了吗？"我低声询问着金银。

金道："应该明天就到。这回我们和老大可是下了不少工夫，分别从领地中调出了五万人，其中包括三万的后勤部队，剩余的是帮咱们占领城市的后续部队。我们两族的精锐可谓倾巢而出，这个小城不算什么。"

我微笑道："你们办事我当然放心了，这小城虽然不算什么，但我们必须要悄悄地把它拿下，不能走漏任何风声。敦德行省一共有大小十一座城市，我们必须秘密地一个一个拿下来，所以，等明天后续部队上来再开始进攻吧，这样更加保险。"

盘宗道："老四说得有道理，就这么着吧。"

父亲并没有和我们在一起，他带领着一千比蒙战士驻扎在侧面不远处。

刚一出发的时候，父亲就差点和金银打起来，但父亲还是很注重大局的，在我和盘宗大哥的劝阻下，没有再理会金银的挑衅。他把指挥权完全交给了我，得到了他的信任，我感觉非常好。

其实，就算父亲不让，真正的指挥权也在我们这边。虽然他是比蒙王，但蛇人族和狼人族的人是不会听他指挥的，加上后续部队，父亲所能控制的兵力还不到十分之一。

如果无法顺利地指挥战斗，会对整个突袭有很大的影响，父亲的作风让我第一次感到佩服。

当断则断，确实不愧当了多年的统帅。

我和金银带着一百名蜂蛇军团的战士，悄悄地摸到了塔尔城下。这一百名蛇人族战士都是族中的佼佼者，属于水蛇一类，手脚上都有吸盘，可以顺利地攀爬这并不算高的城墙。

我冲金使了个眼色，轻轻一跳，跃到了城墙中段，力运双掌，猛然插入城墙，坚固的城墙在我手下像豆腐般软弱。

我挂住身体，向下面一挥手。金银跳到我身旁，用同样的姿势挂住身体。银低声道："咱们先上去冲杀一番。"

一百名蛇人战士也悄悄地开始向上攀爬了，他们鲜艳的鳞片被黑色的外套遮盖住，加上夜色，不注意根本无法发觉。

我点头道："记住，一定少杀人，让他们失去战斗能力就可以了。"说完，我用力一蹬城墙，蹿了上去，金银紧跟着蹿出。

城墙上的士兵懒散地三个一群、五个一伙地聚在一起聊天，有的已经打起了瞌睡。

我连续用手刀劈倒六个魔族士兵的时候，被发现了。

"什么人？"

金哈哈一笑："要你命的人。"金芒一闪，那士兵顿时摔了出去，城墙上像炸了锅一样热闹起来。

我们的蛇人族战士也已经登了上来，我喊道："快，朝城门的方向杀过去。"虽然都是好手，但我们毕竟只有一百人，绝不能让对方围攻。

众人聚合在一起，向城内杀去。

我和金银像一柄尖刀一般，所向披靡。

这个时候，我们逐渐控制不住手上的力度，一时间杀得魔族士兵血肉横飞。

在他们毫无准备的情况下，我们很快杀到了城门。

我飞身上前，一拳轰断了门闩，金银踢出两脚，巨大的城门顿时缓慢地张开了。

我对金银喊道："二哥，放信号。"

金哈哈一笑，抬手向空中释放了一个火球术。火球飞到上空猛然炸开，化作一片火星。

银雀跃道："好漂亮的烟火哦。"

收到信号，父亲和猛克带领着四大军团的精锐士兵迅速掩杀过来。

这个小小的塔尔城，只有不到五千名守卫，如何是我们这批精锐的对手？只用了不到一个时辰，我们就攻占了整座城市。

我下令道："快，派人把守好城门，不许放一个魔族出城。大哥，你去统计一下伤亡情况。"

父亲大步走到我面前，眼中充满了赞许："雷翔，干得好，原来魔族也不过如此。"

我对金银道："二哥、二姐，麻烦你们带人去把后勤部队接进来，然后立刻开始抢夺城里的一切财物和粮食。注意，一定不要杀人，给每家都留下够吃的。只要有吃的，我想，他们是不会冒着生命危险反抗的。除了粮食，掠夺来的东西连夜送回国。咱们也当一回盗匪，嘿嘿。"

银兴奋地道："抢东西吗？太好了，我们现在就去。"

金却瞪了父亲一眼，流露出些许敌意。

我心中暗笑，还好把他们支开了，我可不想父亲揍他们一顿。

由于成功地夺取了城市，父亲很是高兴，也就没再和金银计较什么。

我对猛克道："三哥，你带人去吩咐手下，告诉兄弟们一个城里人都不能放出去。还有，等后续部队上来后，你挑选两千狼人族士兵、三千蛇人族士兵，准备驻扎在这座城市里。"

"好的。"

"父亲，咱们的比蒙战士没有什么伤亡吧？"

父亲傲然道："就这么个小城如果还能让比蒙受伤，那我们就不是大陆上最勇猛的队伍了。"

我微微一笑，道："那好，麻烦您让咱们所有的精锐部队今天晚上好好休息，明天一早上路，城里的事务完全由后续部队负责就行了。希望明天晚上，咱们能占领另一座城。"

父亲点了点头，转身去了。

整个城市里在一片昏暗中掀起了躁乱的狂潮，那些普通魔族百姓如何敢和我们这些正规军抗衡，挨家挨户都被狼人、蛇人两族的军队洗劫，只留下了一点口粮。有意思的是，很多人还想打着盟军的旗号阻止我们，可我们这些手下怎么会买账呢！

狂神

堕落天使

金银的手下动作最迅速。蝰蛇军团是由银箭带领的，已经去休息了。后续部队由狼人族族长银毛亲自率领。在他的指挥下，塔尔城所有的马匹都被集中起来，一批批财物被不断运走。

这些抢来的东西，都直接运送到云那领，毕竟那里比较平静，不容易出什么事。云那领也有一小块地方是和魔族敦德行省接壤，距离塔尔城不过几十里。

清晨，我正在原本塔尔城主的床上做着梦，盘宗风风火火地跑了进来，双手抓住我的肩膀，叫道："老四，快起来，咱们该出发了，不是说好一早就走的吗？"

我迷迷糊糊地睁开眼睛："大哥，你怎么起这么早啊？"

盘宗的十八只眼睛同时闪过一丝狡猾的神色，蓝色的蛇头轻轻一抖，一个小水球猛地打在我的脸上。

"哎呀，好凉，好凉。"我"噌"的一下从床上蹿了起来，拍打着被水球命中的脸，怨道："大哥，你这是干什么啊？"

盘宗呵呵一笑，道："谁让你不起来的，你不知道，咱们这是在打仗吗？还那么贪睡。"

"这你就不懂了，我负责全面的指挥，所以必须保持清醒的头脑，否则，一旦出错就麻烦了。"

盘宗挥手在我头上敲了一下："你总有的说。我们几个都没睡，就你睡得最香。好了，快走吧，弟兄们都准备好了。下一个目标昆特城。"

我惊讶地道："你们都没睡吗？"

"城里因为咱们的抢掠，乱得很，我们不维持秩序怎么行！对了，昨天你让我统计的伤亡数字已经出来了，比蒙军团完好；狂狮军团死十六，重伤二十四，轻伤一百零三；蝰蛇军团死无，重伤十四，轻伤二百七十一；迅狼军团完好。金银这家伙的手下都贼得很，拼命的时候都躲在后面，偷袭的功夫倒不错。你别看他们完好，但敌人的死伤有一半是在他们手里。至于你父亲的比蒙军团，还没冲进来，战斗都已经结束了。"

我皱眉道："那是为什么？"

"比蒙的速度慢啊，狂狮军团和迅狼军团的人都出奇地能跑；我的蝰蛇军团虽然差一点，但也慢不了许多。虽然比蒙战士个头大，可也笨得很，硬拼他们就最牛，可说到速度就差得远了。"

原来是这样，看来，以后我要注意利用各个军团的优势，才能将伤亡人数减少到最低。

占领塔尔城的伤亡对我们来说可以忽略不计，取得这个成果我还是很满意的。

穿好衣服，我和盘宗大哥来到西城门。四大军团的战士们阵容严整，分成四个大小不一的方阵集合在城墙外，每个人眼中都闪烁着兴奋，一场战斗的胜利，让他们信心大增。

我站在城头，大声喊道："弟兄们，你们辛苦了，但你们的辛苦并没有白费，我们取得了一场轻松的胜利，不是吗？魔族多年来对我们兽人的欺压，我们一定要加倍还给他们。我们要占领敦德行省全境，这对我们来说只是一件很容易的事情。我要求你们一定要听从指挥奋勇杀敌，你们能做到吗？"

"能——"巨大的声浪吓了我一跳。

我满意地点点头，回身对父亲道："父亲，麻烦您先带领四大军团去昆特城外埋伏，我在傍晚前过去。这边的事情我要先安排好，先留好后路，一旦前方出现对咱们不利的情况，也可以平安地撤回来。"

父亲点头道："放手去做吧，以后都是你们年轻人的天下了。"

由于要处理的事情太多，我也没太注意父亲说话的神情，轻轻地点了点头，拉着猛克去安排了。

我的方法其实很简单，占领一座城市后，立刻派遣后续部队去围剿周围的村落，无非就是抢掠。但我们既不杀人也不放火，只是每个村落都派个一两百人驻守，让他们无法发生骚乱，无法向外传递消息，这就足够了。

在我这种稳扎稳打的战术和四大军团强大的攻击力下，只用了不到一个月的时间，整个敦德行省包括首府斯坦拉城在内的十余座城市完全被我们占领了。斯坦拉城的城主、敦德行省总督沃顿·路西法被父亲亲自擒获，他的堕落天使变身在父亲面前就像萤火之光，根本无法抗衡。但毕竟战线拉得太长，我放弃了大部分占领的土地，只保留几座城市，可以维持从后方送来的补给。精锐主力四大军团齐聚斯坦拉城。我知道，现在只是完成了第一步而已，要想真正取得这场战斗的胜利，还要看魔族那边的反应。

而在我们刚开始发动突袭的十天后，兽人国所有种族的族长都接到了兽皇的通知。各个种族反应不一，有的支持，有的反对，到了最后，他们基本上都抱着观望的态度，想看着兽皇怎么收尾。

反正这场战斗不会动他们一兵一卒，为了维护自己家园的和平，兽人各大种族不得不将部队集结起来，尤其是和魔族接壤的各族，更是严阵以待。

　　这一切，似乎都在我们的计算之中。

　　我又让金银告诉银隼长老，将抢来的物资分出一半上缴到皇都，其余的和撒司领平分。我才不会将战利品送给不劳而获的人。

　　兽皇在得到捷报和战利品之后大喜，分别加封我为睿亲王，盘宗大哥为忠勇王，金银为智德王。父亲的官位已经到了顶峰，就没什么可加封的了。

第四十五章 魔族出击

我们的胜利也让兽人其余各族大跌眼镜，纷纷上书请求出战，想趁此机会捞些便宜。

兽皇也乐得如此，将各族部队都调到边界线上修建防御工事；同时也利用这个机会派遣兽神教的大批使者到各族的领地传授技术，施以恩惠，笼络人心，增加兽神教的影响。

我在斯坦拉城囤积了大量的粮草和防御器具，驻扎着两万狼人族士兵、两万蛇人族士兵，再加上其他两个军团，兵力达到五万五千左右。就算魔皇派来几十万部队，我也有把握凭借城池的防御坚持上几个月。

在我们积极准备防御的时候，魔族内部也乱成了一锅粥，他们做梦也想不到我们兽人族竟然会有胆子进攻他们。

虽然我们的突袭很隐秘，但当我们占领第六座城市的时候，风声也走漏了，斯坦拉城早早派出使者请求增援。谁知消息传递到魔族内部负责军务的大臣手上时，那家伙正好喝多了，信笺无意中掉到了一边，斯坦拉城自然就没有了援兵。

等我们攻打到斯坦拉城下时，魔族的军务大臣收到了第二封告急信，他这才明白过来，赶快向魔皇汇报。

等魔皇知道这件事的时候，我们已经控制了敦德行省全境。

魔皇殿。

魔皇头戴八宝紫金冠，身穿黑底金边蟒袍，身后披着同样质料的披风，阵阵冰冷的杀气从他身上一阵一阵地向外散发着，手指有节奏地敲击着皇座的把手。

他身旁站着一名和他模样有些相像的中年人，中年人没有穿官服，只是一身雪白的素衣。

这个人，就是古风和古云的父亲，古川·路西法，也是除魔皇以外，唯一一个拥有四翼堕落天使的人。他已经将近七十岁了，但看上去仍然很年轻。

由于魔皇为墨月打通经脉传授天魔诀，到现在功力还没有恢复，古川自然就成了整个魔族现在的第一高手。

他对魔皇的忠心是无可置疑的，否则魔皇也不会冒那么大风险为女儿传功了。

墨月则站在父亲的另一侧，不时把玩着自己的长发。

军务大臣全身颤抖地跪在地上，两侧分别站着魔族的文武官员。

在最靠近魔皇的文官中，有一人穿着几乎和魔皇同样的蟒袍，只是没有金边，此人脸上总是挂着些许笑容，但眼眸深处却不时闪过一丝异芒。

这个人就是权力和地位都仅次于魔皇的素察亲王，也就是上回派人去对付古风和古云的幕后黑手。

"别告诉我，沃顿是昨天才把消息传递过来的。"魔皇的声音像冰碴一样冷冷刺进军务大臣的耳朵。

军务大臣颤声道："陛下，陛下恕罪啊，前些天是曾经送过一封告急信，只是，只是……"

魔皇怒喝道："只是什么？"

军务大臣嗫嚅道："只是当时我没有注意……"

魔皇从皇座上站了起来，眼中射出两道寒光，凛然道："你没有注意？你知道你没有注意的结果是什么吗？整个敦德行省被一群弱智兽人给占领了，你还跟我说你没有注意。好，古川——"

穿着白袍的古川·路西法面无表情地迈出一步，仅仅一步，他就站在了军务大臣身前。他一把抓住军务大臣的顶门。

军务大臣虽然也有些功夫，但在他的面前，却丝毫无法反抗，只能哀求道："陛下，陛下，您饶我这一回吧。陛下……"

魔皇根本没有理会他的哀求，独自坐回了自己的皇座。

古川看军务大臣的眼神就像在看一块死物一样："伟大的黑暗之神，我请您，用最严酷的方法惩罚眼前这个罪人吧。"他的声音低沉而清晰，每个字都重重地敲击着在场人的心扉。

素察脸上的肌肉微微波动了一下，这个军务大臣，正是他派系的人。

一股浓浓的黑气从古川身上不断地涌出，再输入到军务大臣的身体里，军务大臣发出凄厉的惨叫，整个魔皇殿被他的叫声渲染得仿佛炼狱一样，每个大臣都寒毛竖起，心中充满了恐惧。

军务大臣的叫声渐渐微弱了，整个身体逐渐瘫倒。古川松开了手，轻轻吹了口气，黑雾四散飘去，吓得那些文武大臣顾不得礼仪纷纷闪开。

军务大臣原本魁梧的身体和他的衣物一起化成了一摊黑水。古川一挥手，地上的黑色液体猛地燃烧起来，黑色的火焰让大殿的气氛更加诡异了。

素察脸上的笑容骤然消失，他阴狠地盯了古川一眼，没有说话。毕竟，这次军务大臣犯的错误太严重了，如果他是魔皇也不会原谅的。

古川的身体像没有重量似的，轻飘飘飞回魔皇身侧。

魔皇森寒的目光扫过下面每一个大臣："你们谁能告诉我，现在应该怎么办?一向唯我们马首是瞻的兽人竟然敢反抗了!"

素察横跨出一步，躬身道："陛下，对付这群没脑子的家伙，我认为应该集结大军，以迅雷不及掩耳的速度，将他们一网打尽，收复失地。"

下面的大臣们低声议论起来，素察派系的人纷纷支持这个建议。

素察继续道："陛下，只要您给臣二十万大军，臣保证可以在一个月之内收复失地。"

魔皇眼中闪过一道寒芒，道："今天先到这里，明天再决定怎样应对。斯特尔斯，命令各个行省全面动员，集结兵力随时待命。另外，调第一、第三、第六三个军团入驻敦德行省的邻省，加派侦察人员，随时汇报前线情况。"

一个铁塔似的大汉从武官队伍中走出，躬身道："是，陛下。"

魔皇带着古川和墨月回到自己的书房。

一进书房，魔皇脸上的阴沉顿时消失了，对古川道："贤弟，这件事你怎么看?"

魔皇比古川大一岁，两个人是从小一起玩大的。正是在魔皇的帮助下，古川才能修炼到四翼堕落天使的境界。

古川微微一笑，道："兽人小儿能有什么作为？只要咱们大军一到，他们还不被立刻赶回去吗?如果我们想灭掉兽人族早就动手了。"

墨月娇声道："那咱们为什么不把他们灭了呢，现在不是养虎为患了吗?"

魔皇看着自己这个最宠爱的女儿，笑道："傻丫头，哪儿有那么简单?

如果没有兽人在前面做炮灰，每次我们向龙神发动攻击要增加多大损失啊！何况，如果我们向兽人发动攻击，那龙神肯定会来偷袭的。这次让我最奇怪的是，兽人居然不怕龙神吗？没道理啊！贤弟，你刚才的判断是不正确的。你想想，兽人能在一个月的时间里将我富庶的敦德行省全境占领，这说明了什么？这说明他们有着强大的攻击力和优良的指挥。"

古川微微一愣："我听说老比蒙亲自带人出来了。"

魔皇摇头道："老比蒙虽然厉害，但他脑子还没这么好使，肯定有人相助。如果是他，早就打得全大陆都知道了，如何还能无声无息地占领我们的领地。来人，把敦德行省的信使带上来。"

"是，陛下。"

一会儿工夫，一名短小精悍的普通魔族被魔皇的近卫军带了上来。

"参见魔皇陛下，愿我皇万岁，万岁，万万岁。"

魔皇"嗯"了一声，道："好了，你起来说话。"

那信使低着头，缓缓站了起来。他第一次见到魔皇，弯曲的双腿在不断地筛糠，显然非常紧张。

魔皇冷声道："听说你是城破时逃出来的第三个信使，告诉我，是什么人袭击了你们？"

信使努力平复着自己的心情，尽量让自己的声音恭敬平和："禀告陛下，是这样的，当我们收到消息的时候，我行省已经有六座城市几十个村落被占领了。总督大人立刻就派小人向内陆求救……"

魔皇不耐烦地道："谁问你这些了，我是问你什么人袭击了你们。"

信使吓得"扑通"一声，又跪了下去，颤声道："是，是，陛下，是大批的兽人。"

"有多少人？都是些什么种族？"

信使想了想，道："听我们的人说，好像敌人有两万人左右，包括比蒙巨兽、狮人、狼人和蛇人四个种族。"

魔皇看了一眼古川。

古川皱眉道："如果我没记错的话，你们的斯坦拉城最起码有四万守军，凭借着坚固的城池，连两万人都抵挡不住吗？即使有比蒙也不应该那么容易攻陷吧？"

信使颤抖得更厉害了，他抬起头，眼中充满了恐惧："那两万兽人和以前我们见过的不一样，大部分都是兽人狂狮军团的人。那些蛇人部队和狼人部队竟然比狂狮军团还厉害。尤其是那些蛇人，他们竟然可以贴着城墙向上爬；而且，兽人那边还有好几个厉害的家伙，他们都是先飞到我们城上的，我们的普通士兵根本无法抵挡住他们的攻击。太厉害了，一个兽人最起码就能杀我们十个人啊。"

古川和魔皇面面相觑，虽然魔皇已经想到了这批兽人不好对付，但也没预料到居然有如此实力。

魔皇道："这么说，除了比蒙王之外，对方还有高手存在了。"

信使连连点头，道："还有三个人也非常厉害。比蒙王就把总督大人擒拿了，其余的根本就没出手。那些蛇人士兵爬上城墙，一会儿就把我们上面的守卫都收拾掉了。如果不是我跑得快，恐怕到现在消息还传不过来呢。"

魔皇点了点头，道："好了，你下去吧。"

"是，陛下。"信使几乎是贴着地面爬出去的。

"贤弟，听到了吧，这回的事情没有那么简单，如果没有一定的把握，兽人如何敢来招惹我们？"

古川攥紧了拳头，道："让我去吧，我就不信老比蒙那手下败将能打得过我。"

魔皇摇了摇头，道："你要走了，素察那家伙还不趁机作乱吗？今天他不是向我请命吗？他可没有信使这些消息。我想，他和你一样，都会觉得兽人好对付。既然他要二十万人，那我就给他二十万人。"

古川恍然道："您是要趁机削弱他的实力。"

魔皇点头道："上回他派人袭击你两个儿子的事，你没忘吧，这回正好是报复的机会。既然这块骨头这么难啃，就让他去好了。我会把他的人全调给他，我倒要看看他有多大本事。即使他收拾了兽人，恐怕也会实力大减，何况他还未必有那个能耐呢。我根本就不用怕他拥兵自立，现在他还没有这个胆子。古川，等素察带人一走，你立刻开始招集士兵训练，人数不用多，十万就够了。同时，在我们和龙神的边界多加派人手，以防止他们偷袭。"

"是，陛下。"

龙神帝国皇宫。

龙神国王紫炎看着自己最信任的几名臣子："据我们的探子回报，兽人向魔族发起了进攻，在很短的时间内已经占领了魔族一个行省。这件事情你们怎么看？"

紫风公爵和蓝迪司龙骑将互相看了看对方，又看了看太子紫炙。

这件事情他们早就知道了，也感到非常奇怪。

紫风道："陛下，我觉得这次行动有可能是魔、兽两族摆出来的陷阱，等着我们去偷袭；然后再利用埋伏，将我们的部队掩杀在他们的地界内。"

国王赞许地点了点头，道："有这个可能。紫炙，你怎么看？"国王在任何时候都不会忘记锻炼自己未来的继承人。

太子道："父皇，我觉得公爵大人说得很有道理，但也有可能是另一种情况。魔族对兽人族的压迫已经不是一天两天了，会不会是他们忍受不住，突然爆发了呢？"

国王"嗯"了一声，道："这个可能也存在。不过，我不认为兽人会为了一些事情就冒着灭族的危险去进攻魔族。首先，他们未必是魔族的对手；其次，他们不怕我们出兵去搅和吗？兽皇这个人我还是比较了解的，他和其他兽人不一样，头脑非常清晰，而且也有些保守。"

蓝迪司道："陛下，臣赞同公爵大人的说法。"

国王点了点头，道："那好，蓝迪司，你通知里沃，让他注意那两边的动静，多派些探子出去，一有消息尽快传回来。"

"是，陛下，那臣先告退了。"

紫风上前一步："臣也告退了。"

紫炎点头道："嗯，你们下去吧。"

看着两位位高权重的大臣退了出去，太子低声道："父亲，您真的认为这是魔、兽两族的一个阴谋吗？"

紫炎神秘地一笑，道："你说呢？"

太子道："那个可能是有，但我觉得他们应该不会搞出这么大手笔来引我们上当吧。是不是应该……"

紫炎抬起手，阻止他继续说下去："还记得先祖传下来的遗训吗？"

太子恍然道："哦，原来您是……"

紫炎点头道："你明白就行了，不论是不是阴谋，他们两边要闹，就让他们闹去好了，我们何必插手呢？不论他们是不是阴谋，静观其变都是最好的选择。如果他们是真的打起来，那双方必然会有损失，我们不就可以多清净几年了吗？"

太子躬身道："是，儿臣受教了。"

我和金银站在斯坦拉城的高墙上。

我看着远方的景色，道："二哥、二姐，你们有没有觉得这几天有些太安静了，有一种'山雨欲来风满楼'的感觉？"

金凝望着远方的一片树林，道："据我估计，魔族怎么也会发动一轮进攻的，而我们则必须要顶下来。银箭！"

"狼神大人，您有什么吩咐？"

金指了指斯坦拉城前的几小片森林，道："你带咱们的人去，把城前三千米之内的所有树木都给我砍掉。木材都运进城。要快，给你两天时间。"

银箭丝毫没有质疑："是，大人。"领命去了。

我恍然道："我怎么没想到，二哥还是你思虑周全。"砍掉城前的树木就不怕对方的埋伏了。

斯坦拉城现在最让我们担心的地方，就是它是一座孤城，周围既不依山，也不傍水，如果敌人兵力强大，将我们围起来的话，恐怕就危险了。

银道："雷翔，我觉得你的计划有点问题。"

"哦？二姐，您说。"

银道："我觉得除了咱们现在城里的人以外，可以让其他物资供应和后续部队都撤回兽人国。"

我皱眉道："那咱们不是成了孤军吗？"

银微微一笑，道："你还是太嫩了。如果我是对方的指挥官，一定会考虑到你把所有主力都安排在斯坦拉城了。我会派大军将这里包围，先断了你的补给线，然后再派兵去围剿你那些后续部队和物资供应部队。等全收拾完了，把敦德行省夺回来，再慢慢收拾你这座孤城。你说，你有赢的希望吗？"

银的话顿时点醒了我，感觉自己的后背马上湿透了，有点茫然地道："那，二姐，您说应该怎么办。"

银道："其实也容易，咱们在斯坦拉城已经囤积了大量的粮草和防御用具，除非魔族倾全国之力来攻，否则，怎么也能抵挡些日子。我的意思是，从后续部队中再挑些人，补充到斯坦拉城里，凑六万军队，其他部队撤回兽人国；然后要兽皇在兽人国距离咱们最近的边境布置大军，随时准备支援咱们。同时，也可以威慑魔族部队不敢过境袭击。"

金点头道："银说得对，其实，如果咱们真的想和魔族开战的话，那就用清剿战略，每到一处，就将那里的魔族清干净了，以咱们手里的实力，完全可以在魔族集结足够力量之前占领大部分地方。"

我苦笑道："这个我也想，可为了今后兽人国的发展，我却不能这么做。就照二姐说的吧，我现在就去安排。"说完，我转身走了。

银对金道："老四的个性我喜欢，知道自己有错，很快就能接受别人的意见，将来必成大器。"

金道："是啊，而且他的功夫进步得也很快。自从咱们和他一起离开圣殿，还真是麻烦不断。就要面临魔族的反扑了，我感觉自己的血液都要沸腾了，看来，当初我们选择和他一起离开云那，是正确的。精彩、刺激的生活让我感到很惬意。"

五天后，探子发现了大量魔族军队在向我们不断靠近。

我和父亲、盘宗、金银站在城墙上凝视着远方逐渐迫近的大片尘烟，猛克让我派回兽人国负责接应了。

金银的目力最好，金道："大概有二十万人啊，魔族真是下了不少本钱。"

我喝道："传令兵，命令所有将士全体待命，进入最高战备。"

父亲低声道："不用太着急，他们离这里还有些距离；等他们到了，也不会立刻进攻的。二十万部队并不算很多。雷翔，你看，前面尘烟散乱的必然是魔族的魔兽部队，虽然攻击力强但却不好指挥，后面的才是魔族正规军。不知道有没有黑暗法师军团过来，如果有的话，就不好对付了。"

果然如父亲所说，魔族军队在距离我们二十里左右的地方驻扎下来，修建防御工事。我知道，现在他们的警惕性很高，并不是偷袭的好时机。

盘宗突然笑道："送他们点见面礼怎么样？"

我愣道："什么见面礼？"

盘宗神秘地一笑，对金银道："你们两个帮我。"

金银先是一愣，但马上就明白了盘宗的意图。

他们站到盘宗身后，金银两色光芒暴涨，源源不绝地输入到盘宗体内。

盘宗从怀里拿出我送他的那块蓝色钻石，双手合十在胸前，其余八个头都缩了回去，只留下了那颗黄色象征土系魔法的蛇头。

他是要用魔法攻击吗？看来，盘宗大哥最喜欢用土系魔法了。

父亲眼中一亮，提醒道："打他们部队的左侧，那里好像是黑暗魔法师的营盘。"

我们都明白，如果黑暗魔法师加入战斗的话，我方的损失就大了。

毕竟，只有比蒙巨兽的魔法免疫力才能完全对抗黑暗魔法，而其他兵种虽然有一些抗力，却难保不受伤害。

盘宗那黄色的蛇头蒙上一层神圣的光辉："远方的山啊，远方的地，你们经过千万年，沉睡在那里。我知道，你们是寂寞的，你们是孤独的，我愿意启发无尽的力量帮你们改变这乏味的生活。山，崩塌；地，龟裂。大地之神，请敞开您的怀抱，接受我的乞求吧——山崩地裂！"

周围的空气突然凝缩过来，魔法力在金银和盘宗周围疯狂涌动，巨大的压力将周围的士兵逼迫得不断倒退，连我和父亲都不得不让开几步。

盘宗手中的钻石发出幽蓝色的光芒，土黄色的魔法能量不断聚集到钻石周围。

足足过了一顿饭工夫，盘宗手上仿佛拿着一个土球。

盘宗大喝道："老四，快帮我把土球送过去。"

我并不知道该怎么做，赶忙上前一步，将狂神斗气全力催发进盘宗体内。

盘宗大喝一声："去。"那不起眼的土球顿时被抛了出去，朝着远方的魔族营盘飞去。

土球一飞走，盘宗和金银都像泄气的皮球一样软倒在地，我赶忙上前扶住他们。

父亲也走了过来，一手一个将他们托住，白色的光芒不断从父亲的身体里涌出。

金银已经昏了过去；盘宗的眼睛却始终睁着，一丝阴笑出现在他嘴角上。

我趴到城头，看着刚才那个耗费如此大能量的土球究竟有什么用。

土球已经没入了土地里，并没有什么动静，难道大哥那个魔法失败了？从他刚才的咒语中我知道，那是个八级魔法，否则，也不会耗费他们三个人的力量来完成了。

正在这时，魔族营盘那边好像摇晃起来，连我们这里都能感觉到地面的微微颤动。我知道，来了。

"轰——"魔族营盘的左侧地面突然爆裂了，一条巨大的裂缝将营盘猛地切成两半。周围的地面开始不住地晃动，裂开，魔族大营顿时乱成了一锅粥。

不断有黑色的光芒在营盘中晃过，显然是有人已经发现这是魔法攻击，试图用黑暗魔法阻止大地的继续崩裂。

自然的力量是伟大的，盘宗也只是用魔法力引发它而已。

我传令道："四大军团准备，当敌人营盘稳定后立刻出发。父亲，这里就麻烦您了，我去冲杀一阵。"

父亲叮嘱道："记住，一击即退，对方恐怕有堕落天使在。"

我点头道："明白。"

我带领着一万五千余人，冲出了斯坦拉城。当大地平静的时候，我军向着魔族吹响了死亡的号角。

比蒙巨兽在最前面开路，其余三个军团分别护卫在两侧。就这样，我们像一把尖刀刺进了魔族还算完好的右侧营盘。

离得近了，我才真正明白刚才那个魔法的威力。

魔族的左侧营盘处变成了一个巨大的坑，仿佛被陨石撞击过一样，虽然看不清对方有多大损失，但我估计，黑暗法师军团是肯定完蛋了。

想到这里，我心情大好，挥舞着墨冥率先冲进了对方的阵地。

双方刚一接触，这些所谓的魔族正规军顿时被我们杀得人仰马翻，毫无抵抗之力。

由于进攻得顺畅，我有些过于兴奋，带着四大军团奋勇前进，直到我们杀进营盘一半的时候，才遇到了真正的阻力。

魔族统帅确实有两下子，这么短的时间，魔族部队已经组织好阵型迎接我的攻击了。

我当机立断，大喝道："后队变前队，比蒙军团断后，向回冲。"

我可不想让自己的队伍陷入包围之中，这些手下都是我最精锐的部队，他们如果被杀伤得多了，我会很心痛的。

四大军团在这时候发挥出了非常高的控制力，在我的命令下，竟然真的迅速掉头，向着来时的方向撤去。

空中突然传来一声大喝："既然来了，还想走吗?"周围的空气仿佛都凝结了似的，巨大的压力从上空传来。

不用看，我也知道是堕落天使到了。

我凝神聚气，狂神斗气通过墨冥划出一道长长的黄色光芒，反手向空中撩去，身体却不停留。我可不能被对方缠住，否则，就真的回不去了。

由于没有变身，我的力量根本无法和堕落天使抗衡。堕落天使发出的巨大能量将我身体轰得骤然前冲，冰冷的暗黑力透体而入。我赶忙运转体内的暗黑魔力将这股入侵的能量化解，巨大的冲击力使我难受得险些吐血。

那堕落天使被我发出的剑芒一挡，速度顿时慢了许多。

一股同样强大的力量从我右侧袭来，我马上判断出，这是另外一个堕落天使。我暗暗叫苦，大吼一声："快撤!"狂影百裂，双脚点地腾空而起，无数带着强劲狂神斗气的身影从空中向后面飞去。

不光两名堕落天使被我挡住了，反扑的魔族士兵也被我发出的斗气炸得爆起一蓬蓬血雾。

落在后面的比蒙军团在我的掩护下顿时撤离了危险地带，配合着其他三个军团不断回冲。

狂影百裂的能量逐渐弱了下来，两名刚才用羽翼包裹自己的堕落天使露出狰狞的面孔，黑色的雾气在他们身体周围弥漫，眼睛里充满了疯狂的杀意。

与此同时，又有两名堕落天使飞了过来，他们成半弧形飞在我前方的上空，气机隐隐将我锁死。

我心底发凉，真后悔没有听父亲的话。在这种情况下，我是没有机会的，除非我现在变成血红天使，还有可能利用速度冲出去，可我现在无法狂化，更不能直接变堕落天使。

狂神

堕落天使

第四十六章 素察求援

一个阴冷的声音从魔族部队中传来："不要再追了，把地上这个小子杀掉。没想到啊，兽人居然会和人类联合。"

一个不算魁梧的身形在大量护卫的簇拥下走了出来，他身穿蟒袍，脸色有些发青，看上去五十多岁，狠狠地看着我。

我手下的四大军团已经冲出了魔族营寨，在不远的地方集结兵力，整理阵型，显然是要冲回来救我。

围过来的四名堕落天使都蓄满了暗黑魔力，随时可以向我发出致命的一击。

我冲着蟒袍中年人傲然道："你就是这里的统帅吗？"

"不错，我就是魔族的素察亲王。你好大的胆子，居然敢联合兽人跑到我们魔族的地界来撒野。看来，你就是在指挥兽人的那个家伙了，给我杀了他，没有他，我看兽人还能不能兴风作浪。"原来他就是当初派人袭击古风、古云兄弟的那个幕后黑手。

对方已经不允许我多想，接到他的命令，空中的四名堕落天使化做四道黑色的烟雾闪电般向我扑来。

这时候，即使我想使用堕落天使变身也已经来不及了，我心想："老子要归位，没想到一时不慎，竟然落得如此下场。"

我暗叹口气，集中全部狂神斗气和暗黑魔力。就算死，我也要拼力一击。

就在对方四人距离我还有不到五米的时候，从我身后传来一股无法形容的巨大能量，我只觉得全身白光一闪，身体就已经向后抛飞出去。由于白光的保护，我顺利脱出了对方锁定的气机。

父亲浑厚的声音响起："谁说他是人类了，他是我的儿子！"一颗白色的流星在我愣神的工夫已经从我身后冲了出去，直袭对方四名堕落天使。

"轰——"黑、白两股能量在空中相撞，四名堕落天使像天女散花一样被撞得四散抛飞，父亲神威凛凛地站在对方统帅面前五十米处。

我一挥墨冥飘到父亲身边，低声问道："父亲，您怎么来了？"

父亲横了我一眼，道："我不来，你还回得去吗？"

素察看着四名狂喷鲜血的堕落天使，脸色一阵发白："老比蒙，你们兽人竟然背信弃义，攻击我们的敦德行省，你有什么好解释的！"

随便一个人都能看出，素察的心里已经有些怕了。毕竟，被他倚为靠山的堕落天使被父亲一个照面就重伤了四个，他自然会心里紧张。

这回素察带兵来攻，一共就带了八名堕落天使，全部都是他自己的亲信。

父亲冷哼道："没什么好解释的，什么叫背信弃义？如果不是你们魔族的压迫，我们会反抗吗？在和龙神的战斗中我们死了多少人，你们又死了多少人？居然还和我们要赔款。我懒得和你多说，今天就到这里。能不能拿回敦德，就要看你的本领了。儿子，咱们走。"

很少听到父亲直接叫我"儿子"，我心里竟然感觉到一丝温暖。父亲也能给我带来这种感觉，这是我从来都不敢想的。

我紧跟着父亲向外走去，偌大的魔族营盘，竟然没有人敢来拦截我们，自觉地闪开一条通道，任我们离去，显然都被父亲刚才那绝世一击吓倒了。

出了敌人营盘，会合了我们的四个军团，迅速撤回了斯坦拉城。

在回来的路上，父亲没有和我说一句话。

刚一进城门，父亲突然"哇"的一声，喷出一大口鲜血，身体一阵摇晃。

我吓了一跳，赶忙扶住他，急问道："父亲，您怎么了？"

父亲看了我一眼："扶我回房间，我要立刻疗伤。"

我顿时明白了，父亲在对方面前一直压制着自己的伤势。

…… ……

我坐在父亲对面缓缓收功，在刚才战斗中耗费的体力已经恢复了。

父亲的脸色仍然有些发白，白色雾气不断从他顶门散发出来，从小到大，这是我第一次看到父亲受伤，而且还是为了救我。

良久，父亲长出一口气，收功了。

他睁开眼睛，脸色仍然一片灰白："老了，真是老了，几个小兔崽子就差点让我回不来。”

“父亲，您怎么样？”

父亲摇头道：“还死不了。不过，恐怕暂时无法和人动手了。你去吧，城防还需要你去指挥。你那两个哥哥也没什么事，只是有些脱力而已。我要闭关几天，不是城被攻破了，就别来吵我。那四个堕落天使恐怕就算不死，功力也会大幅度减退。有你们几个和城里这些部队，足可以防住对方的进攻了。”

我明白，父亲的伤非常严重，否则，他也不需要闭关了。

没有说什么，我从房间里退了出来。

我的心里很矛盾，一瞬间，我竟然再也无法对父亲产生以前那么强烈的恨意。父亲啊，你到底是怎么一个人呢？

三天后，魔族部队重整阵营，虽然他们的黑暗魔法师损失惨重，但仍然让剩余的黑暗法师军团在营盘正面布下了几层结界。

可能是由于人手不够或者怕我们再突袭攻击，魔族并没有包围斯坦拉城，而是将部队完全集结在正面，并且建造了大量防御工事。

“大哥，你说那天的攻击，魔族有多大损失？”

盘宗挠了挠头，对我道：“那天用过那个魔法后我没挺多久就晕了过去，我怎么知道他们死了多少人？你都去了前线，不是应该比我更清楚吗？听我手下人说，你那天差点回不来了，是怎么回事？”

我叹了口气，道：“那天我太冒进了，险些被围在里面，要不是父亲及时救援，打退了那四个堕落天使，你们就看不到我了。”

金笑道：“谁让你那变身不能用的？否则也不至于那么狼狈了。”

我恨恨地看着魔族大营，道：“大哥，你能不能再像那天一样给他们一下？我看，就他们现在那点防御魔法，根本就无法抵挡。”

盘宗连连摇头，道：“算了吧，那天差点把我们体内的能量抽干了，要不是你父亲，恐怕我们现在还恢复不了。这八级魔法和七级的就是不一样。七级魔法我自己都可以比较轻松地使用，可这八级的，我和老二他们俩合力都费劲。咱们只要守在这里就可以了，至于魔法攻击，还是算了，保留点力量应付对方的高手。否则再来几个堕落天使，我看你一个人怎么应付？”

我叹了口气，道：“还是自身的力量不足啊，有空的时候，还是要多修炼才行。”

银笑道：“书到用时方恨少。现在他们又没进攻，你现在可以就去修炼啊。”

盘宗突然道："银，你这个乌鸦，谁说他们没进攻？"

果然，敌人的营盘中冲出几个大方阵，迅速在斯坦拉城前列好阵型，各种攻城器具一应俱全，显然是要发起攻击了。

今天的天气非常晴朗，在阳光的普照下，十万魔族部队列出的队伍气势上确实很惊人。

我命令道："全军待命，准备防御。比蒙军团城头就位。"我就不信，有攻击防御都一流的比蒙巨兽在这里，他们能攻得上来。

魔族无非就是人数比我们多，如果论战斗力，我手里这四大军团稳稳占据着上风。

倚城而守，即使是对方来十几个堕落天使我都不怕，十个比蒙怎么也可以缠住一个堕落天使了吧。

我指着敌人最后面一个全是器具的方阵，问金银道："二哥，你看那是什么？"

金银凝神望去，金惊讶地道："哎呀，没想到魔族居然还有投石车。你看，就是那长方形的缓慢向前移动的东西。"

我苦笑道："我哪儿有你们眼神好？根本看不清楚，你就说那是干什么用的就行了。"

金道："投石车按道理说应该算是防守用具，可以投出大块的石头，如果从城上向下砸，威力相当不错。可他们攻城用它干什么用，就不知道了。难道要直接往上砸吗？"

等敌人几个方阵推近后，金吃惊道："啊！恐怕真的要直接向上砸了，魔族真没少下本钱啊，这是强力投石机，人家可以直接砸进来。你看着吧，他们的战略肯定是先用投石机狂砸一通，然后再命令部队攻击。"

我愕然道："那咱们要怎么对付，这投石机的威力如何？"

金道："威力还可以吧，虽然砸不坏城墙，但肯定会让咱们乱一阵子的。"

我默念咒语，向着魔族部队中发出一颗火爆弹。

当火爆弹飞到魔族方阵上空时，一个黑色的能量球飞了出来，顿时将火爆弹吞噬了。

盘宗伸出手，试了试风向，哼了一声，道："没事，看我的。"九个头吟唱道："水、火、地、风，存在于自然界中最纯净的能量，请点燃我心中的希望，觉醒吧，沉睡着的蛇王血脉。"

周围的战士赶忙散开，留出一大片空地。

盘宗的身体骤然变大，九个巨大的蛇头轻轻摆动着。中央的紫色蛇头慢慢变大，猛地，一张大口，一团紫色的浓雾喷向空中。青色的蛇头张开大嘴，一股柔和的清风顿时将紫色的毒气团吹了出去。

　　紫色气团在空气中逐渐变得越来越稀薄，渐渐的，已经看不到颜色了。

　　盘宗就这样不断地喷出毒气，再用风系魔法将毒气送出，一连喷了十几口才停了下来。

　　我疑惑地看着他道："大哥，你这有什么用啊，还没到人家那里早就被风吹散了。"

　　盘宗嘿嘿一笑，道："你以为我的毒气是那么好对付的吗?我刚才喷出的是我的本命丹毒，即使稀释几十万倍，仍然有一定的威力。当初要是拿这个对付你们，嘿嘿……不过，这玩意喷一次就需要一个月的时间恢复才能再喷。不过，十万人值得了，你们等着看好戏吧。"

　　城外的素察亲王亲自坐镇，准备攻城，我们三天前的偷袭让素察引为奇耻大辱，今天，他下定决心要一鼓作气拿下我们。

　　正在他调兵遣将的时候，旁边的一个堕落天使鼻子动了动，道："殿下，您觉得没有，空气好像有点不对?"

　　素察皱了皱眉头，道："有什么不对的?"深吸口气，果然，空气中竟然有一股淡淡的甜味，闻起来非常舒服："咱们军营里有女眷吗？这是不是胭脂的味道？"

　　那名堕落天使道："咱们军队里怎么会有女眷呢？胭脂我倒是没闻过。"这名堕落天使由于一直苦练天魔诀，到现在都没有接触过女性，当然不知道胭脂是什么味道了。

　　素察身体突然一晃，手掐了掐太阳穴："我怎么有点晕？看来，最近我是太操劳了。"以他修炼到第六层天魔诀的实力，操劳能使他晕眩吗？

　　他身旁的堕落天使突然惊恐地道："亲王大人，不对，您快看兄弟们。"

　　素察定了定神，一看周围的手下，各个摇摇晃晃的，就像喝醉了酒一样。

　　"怎么会这样，快，这是毒，大家运功逼毒。全军后退。"说完，他立刻凝神运气，用暗黑魔力清除着体内的毒素。

　　毕竟盘宗的丹毒过于稀释，对于这些魔族高手是起不到什么作用的。

　　一会儿，素察就清醒过来，掉转马头大声喝道："快，撤退，先回营寨。"

　　我站在斯坦拉城上，看着魔族部队正散乱地后撤，扭头对金银道："二哥、二姐，咱们去冲杀一阵怎么样？"

盘宗道："上回的教训你还没吸取，又要去。这回可没有比蒙王救你了。"

我笑道："放心吧，大哥，我这回小心就是了。你那毒气能起什么作用，能把他们毒死吗？"

盘宗摇了摇头，道："释放的面积太大了，除非是体质太差的，一般应该毒不死，不过让他们失去战斗力应该问题不大。咱们在斯坦拉城可是稳守为主，你不要过于冒进了。"

"我知道。我保证一击即退。"

银道："放心吧，有我们看着他呢。"

盘宗莞尔道："你们？自己别跑丢了就行了。要去就赶快，等他们撤回建好的营寨就没机会了。毒气现在应该已经散尽了。"

我和金银带领着迅狼军团和狼人族一万战士杀了出去。

狼人的速度是非常快的，当对方刚有四分之一的部队撤回了营寨我们就赶上了。对方各种兵器扔得到处都是，显然这些人虚弱得已经没有力气拿起兵器了。

我命令银箭带五千人负责把那些还没向我们发过一炮的投石车运回要塞，而我和金银则带着狼人族士兵纵横疆场，杀得全身无力的魔族损失惨重。

等到素察反应过来，派生力军追我们的时候，我们已经带着部队撤了回去。

素察这个窝火啊！几天过去了，还没一次正式攻城，他的队伍就已经损失近半了。打了这么多年仗，还从没有遇到过这种情况。

当晚，我连夜命令部队把抢回来的三百辆强力投石车架到了城墙上，并亲自带人在城里到处搜罗石块。

金银则带着他的手下联络物资部队，从城外不断运回石头。

从第二天开始，我们就和素察打起了消耗战。经过前两次的教训，素察攻击得极为小心，亲自带着几个堕落天使在前面打头阵。我发现，这三百辆投石车还真好用，石块在巨大的引力作用下，砸得魔族军队损失惨重。

但是，魔族部队的攻击力确实很强，我军的伤亡数字也在不断上升。尤其是对方的几名堕落天使，给我们带来了很大的麻烦，如果不是我和盘宗、金银在大量比蒙战士的支持下拼死抵抗，恐怕，早就让他们攻进来了。

一个月后，魔族皇宫。

魔皇将素察求援的信交给古川。

古川将信展开，低声念："兽人对手实力强横，且有不明生物相助，致使我军损失惨重，请陛下速派援军。"

古川抬起头，看着魔皇，魔皇也盯着他。

少顷，两人同时哈哈大笑起来。

古川道："陛下，您真是料事如神啊，素察真的吃瘪了。"

魔皇点了点头，道："不到山穷水尽，这家伙是不会向我求援的，看来，这回他损失不小啊。据我布置在他身边的探子回报，素察带去的二十万大军，现在只剩下五千多残部了。可他们的对手，六万兽人部队，损失比例比素察要小得多。"

古川皱眉道："这可有些奇怪，素察的指挥能力还是很强的，虽不说用兵如神，但也不会犯什么大错，为什么会损失这么惨重呢？除非对方全是比蒙巨兽和狂狮军团组成的。"

魔皇从书案上拿起一张纸递了过去："你看看吧，这是探子回报的，素察这回是真的遇上了麻烦。"

古川接过，越看，他的脸色越沉重："地震？毒气？人类？这……"他抬起头看向魔皇。

魔皇叹了口气，道："看来，兽人的强大是我们无法阻止的了。看得出，兽人对我们并没有真正的敌意，只是被逼急了而已。上回派去刺杀他们那个新兴兽神教的人除了月儿，其余的到现在都没有回来，估计是被他们发现了，以四个堕落天使的实力都没有回来，对方的实力可想而知。这次向我们发动偷袭肯定有那兽神教的原因在内。贤弟，你发现没有？咱们和兽人接壤的行省只有敦德受到袭击，其他与我们接壤的兽人领地虽然也集结了大量部队，但没有一丝动静。而且，他们在斯坦拉城阻击素察也没有派遣大部队。这么看来，兽人并无意与我们为敌。对素察，咱们也不能做得太绝，毕竟，他手下还有不少人才。你收拾一下，我再给你二十万部队，你带上些人手亲自去一趟。只要兽人的条件不太苛刻就答应他们好了；如果没有他们帮助，下次对龙神发动战争，我们的损失会大大增加。以和为贵。"说完，魔皇深深地看了古川一眼。古川点头道："我明白了，陛下，您放心吧。"

一个清脆的声音响起："叔叔，叔叔，我也要去。"墨月蹦蹦跳跳地跑了出来。

魔皇宠溺地道："月儿，不要胡闹，叔叔是去办正事。你的天魔诀有没有进步啊？待会儿我可要检查啦，如果没有进步，我可要打你的小屁股了。”

墨月拉着魔皇的手，撅起小嘴，不满地道：“父皇，你就让我去吧。人家天魔诀不论怎么修炼都进步不了，您也是知道的。您就让我去吧，我保证不捣乱还不行吗？”

魔皇刮了墨月娇巧的鼻子一下，微笑道：“你呀，上回受重伤就差点把父皇吓死。问你是谁伤的你，你也不说，要是你出了什么事，我如何对得起你死去的娘啊。”

提到母亲，墨月眼圈一红，趴到魔皇腿上，哽咽着道：“父皇，月儿知道您疼我。”

魔皇抚摩着墨月的长发，叹息道：“你母亲是我最宠爱的妃子，可惜啊，她生了你以后血崩而亡，这么多年了，我始终无法忘记她，不过，也正是她的死刺激我突破了第六层天魔诀。宫里是太憋闷了，既然你想去就去吧，不过，你要保证，一定要听古川叔叔的话，行吗？还要你古叔叔同意才行。”

墨月猛地直起身子，漂亮的大眼睛闪烁着亮光连连点头道：“父皇，您放心吧，我一定特别听古叔叔的话。”说完，挨到古川身旁，用可怜兮兮的目光盯着他。

古川无奈地道：“好吧，月儿，叔叔带你去。不过，你要保证一定听话，可不能瞎跑。如果你出了事，叔叔可没法向你父皇交代了。”

墨月高兴地跳了起来，在古川刚毅的脸上亲了一下，雀跃道：“太好了，那我先去收拾东西了。”

看着墨月离开了，魔皇冲古川道：“贤弟，又要麻烦你了。”

古川摇了摇头，道：“陛下，说实话，帮你看着这丫头比让我杀一千人还累啊。这回我去带犬子就够了，其余的堕落天使都留给您。”

魔皇道：“用不着，我的功力已经恢复到第六层了，突破到第七层只是时间问题。除了素察谁还有逆反的胆子，他现在恐怕也不好过，放心吧。你多带点人去，更有威慑力，省得对方漫天要价。”

“是，陛下。”虽然嘴上这么答应了，但古川仍然只带了古风、古云两兄弟以及公主墨月。

斯坦拉城。

“快，那边有个缺口，修补一下。”

"石头放那边，对，就是投石车那里，小心点。"我正在城上不断指挥着手下增强防御线。

"啊，大哥，伤员都送走了吗？"

盘宗道："伤员已经送回去了。猛克来信了，他说陛下知道我们以微弱的兵力将魔族二十万军队拖在这里非常高兴，过几天援军就到了。"

我看了看满目疮痍的城墙，叹道："是援军该来的时候了。要不，魔族援军一到，就是咱们倒霉的一刻，希望魔皇有我想象中的睿智吧。"

"担心有什么用，咱们只要做好防守就行了。"金的声音传来。

"二哥，你们怎么不多睡一会儿？这些天太累了。"

银道："生命是精彩的，都睡过去怎么行，敌人又进攻了吗？"

我摇了摇头，自从三天前魔族发动了一次大规模攻击以来，一直就没有什么动静。

我们原先的六万部队现在只剩下不到四万人了，损失最惨重的就是普通狼人族和蛇人族士兵。

四大军团虽然也有损失，但相比起来就要小得多了。

为了抵抗对方的堕落天使，共牺牲了三十多名比蒙战士，这让我痛心不已。

金道："雷，你那比蒙老爸都睡一个月了，怎么还没有醒过来？不是睡过去了吧。"

盘宗瞪了他一眼，怒道："你胡说些什么，人家比蒙王哪里招惹你了！那天你帮我施放魔法，还是人家用斗气帮你恢复的体力，你都忘记了吗？再怎么说，他也是老四的父亲，就算你年龄大，在礼貌上也要注意点。"

很少见盘宗真正发火，金银吓得不敢说话了。

我上前拉住盘宗道："算了，大哥，二哥不是有心的，他们就这个性格，我不会在意的。父亲上回受的伤不轻，估计应该快出关了吧。"

我其实也觉得挺奇怪的，以父亲的功力，对付四个堕落天使应该还是可以的，可为什么他会受那么重的伤，而且迟迟没有恢复呢？

银突然瞪大了眼睛看向城外，喊道："你们快看。"

我赶忙快步趴上城头，魔族大营那边尘烟滚滚，大批魔族军队出现了。

我倒吸一口凉气："妈呀，这是多少人啊！坏了，大哥，咱们的援军什么时候能到啊？"

盘宗看到大批敌人进驻营寨也有些犯傻："具体什么时候到我也不知道，应该快了吧。好多敌人啊，魔族的人还真是多。老四，你看，对方的部队比第一批的素质高得多了，连行进间的烟尘都是整齐的。"

素质当然高了，古川这回带来了皇家近卫军团四个中的两个，还特意调来了三个黑暗法师团。这五个军团是他们的主力，其余的也都是久经战阵的老兵，自然不是素察那帮人所能比的。

盘宗安慰我道："没关系的，老四，我的丹毒已经恢复了，到时候再喷一次怎么也能减缓对方进攻的速度，只要再拖几天，咱们的援军就应该到了。"

我点了点头，现在，也就只能寄希望于此了。

魔族大营。

古川带着古风、古云、墨月三人走进了素察的帅帐。

素察是第一次看到古川感到兴奋，这些天的战斗把他的气焰已经打得完全熄灭了。

斯坦拉城宛如一个刀枪不入的铁桶，他想尽了各种办法，仍然无法突破对方的防线，还弄得自己损兵折将，他手下的部队已经不足以再发动一次有规模的攻击了。在实在没有办法的情况下，他才向魔皇求援的。

虽然他知道这样做，自己的声誉将遭受到前所未有的打击。

古川微微探身道："亲王殿下。"

素察客气地道："都是兄弟，别客气，古川老弟，咱们里面谈吧。啊，小墨月，你也来了。"

"素察叔叔，您好，父皇对您最近的表现可有些不满意哦。"墨月这毫不留情面的话让素察脸色一变，他尴尬地一笑，道："唉，叔叔已经尽力了，可对方实在太强，叔叔也没有办法啊。"

古川点了点头，率先走了进去。

素察赶忙跟上，古川脸上没有一丝表情，站在帅帐中央，从怀里掏出一个黑色的布卷，高举过顶，沉声道："魔皇陛下圣旨到，素察亲王接旨。"

素察神色有些慌张，赶忙跪倒山呼万岁。

古川摊开手中圣旨，念道：

奉天承运，魔皇召曰。亲王素察带领二十万军队与敌人几万人交战，不但未能将对方消灭，还损兵折将，使我圣族遭受巨大损失，特此撤除素察亲王爵位，指挥权交皇家近卫军团团长古川，立刻率领手下将领返回魔都听候发落。

素察神色连变，几次想要发作，但面对古川强横的实力，加上二十万生力军，不由得他不屈服，最后只能泄气道："臣素察领旨谢恩。"

第四十六章 素察求援

第四十七章 四翼天使

　　古川将圣旨交到素察手中，低声道："亲王，您这回做得太差了，陛下震怒，大发雷霆，您回去可要小心些。"

　　说完，古川自言自语地喃喃道："陛下这回恢复了四翼以后，怎么脾气变得暴躁了？"

　　素察追问道："什么？"

　　古川赶忙掩饰道："啊，没，没什么。亲王殿下，您赶快把兵符交给我，然后回魔都吧。您放心，陛下应该不会太为难您的，毕竟都是兄弟嘛。"

　　素察苦笑道："希望如此吧。古川兄弟，你可要小心了，比蒙王也在斯坦拉城呢。自从那次他打伤了我四个手下以后就一直没有出现，不知道他们有什么阴谋？"

　　古川点头道："谢谢亲王提醒。"

　　素察叹了口气，明白自己暂时无法再和魔皇争一时之短长了，走到帅案，将帅印托了起来，交到古川手里："兄弟，这边就拜托你了。"

　　古川点头收下。

　　素察再叹口气，带着自己的亲信转身走了。

　　看到素察离开了，古风狠狠地道："这老匹夫，他也有今天。"

　　古云道："就是，真想把他碎尸万段。"

　　古川皱眉道："好了，你们先下去吧，把素察的部队接收过来，然后将我们的部队安顿好。公主，您……"

　　"古川叔叔，您不用为我担心，我和两位哥哥一起去接收素察的部队。放心吧，我不会给您添乱的。"

"希望如此吧。"功力高绝的古川就是拿这小丫头一点办法都没有。

出了帅帐，古风拉住墨月道："小公主，上回的事你还没和我们说清楚呢。"

墨月一愣，道："什么事啊？"

古云道："就是上回雷·路西法那件事啊。当初我们见到你的时候，和你说了雷救我们的事，你让我们不能告诉父亲和陛下，我们可都做到了，你又为什么让我们隐瞒呢？而且，为什么他的马会跑到你这里来，难道你们兄妹相认了不成？"

墨月呸了一声，道："谁和他是兄妹，这件事你们就不要管了，我自己会处理的。记住，要守口如瓶哦。这件事我要自己解决。雷，我一定会让你知道我的厉害的。"

就在几十里之外的我全身忽然打了一个冷战："怎么回事，最近太累了？连御寒的能力都差了很多。"

由于魔族后援部队到来后一直没有进攻的倾向，只是将所有部队驻扎进原来的营寨中，不断地修补和增强着防御工事，我也乐得逍遥，和金银、盘宗在斯坦拉城墙上围坐在一起吃着晚饭。

金吃的时候，银道："他们都来三天了，怎么一点动静都没有啊？"

听到银这么说，金赶忙放下手中的美食，一把捂住银的嘴，哀求道："亲爱的，你可别说了，他们不来进攻还不好，你的乌鸦嘴我们可都怕了。"

想起银那百说百中的超级乌鸦嘴，我也打了一个冷战，赶忙站起来，看了看魔族大营的方向，还好，魔族大营仍然没有动静。

银拉开金的手，道："不说就不说。老大，你说的援兵在哪里？我手下的兄弟可都疲惫得很，而且，防御物资也越来越匮乏了。敌人来了这么多生力军，如果连续狂攻几天的话，我们恐怕就顶不住了。实在不行，咱们就撤吧，反正现在还有退路。"

盘宗叹了口气，道："我已经派人去催了，还没有回音呢，再等等吧。都到这一步了，半途而废太可惜了。"

我点头道："是啊，再坚持坚持吧，如果实在无法抵挡咱们再考虑这个问题吧。"

"报——"

盘宗腾地站了起来，是他手下的蛇人探子。

"报告，圣大人，援军已经到城外五十里。"

我们几个顿时大喜，我拉住那蛇人问道："来了多少人，都是什么种族的?"

蛇人恭敬地回答道："来的人可真不少，怎么也有二十万以上，包括狂狮军团一万人，还有其他各族的军队。几乎都是由各族族长亲自率领的。"

我们几个面面相觑，这时候其他种族的族长亲自带人来，明显是抢功嘛。

盘宗怒哼一声："最艰苦的战斗我们打完了，这些其他族的混蛋来捡战功吗？真想将他们扔在这里走人。看他们怎么对付魔族大军。"

我拍了拍盘宗的肩膀，道："大哥，别生气，来了总比没来要好。放心吧，他们是得不到什么东西的。难道你忘记了？敦德全省的物资有四分之一都进了你们撒司领。"

一想到大批物资，盘宗顿时喜笑颜开，九个蛇头一阵扭动："说的也是，好了，咱们准备迎接他们吧。"

我想了想，道："不能让他们进城。大哥，你要知道，斯坦拉城虽然不小，但如果容纳几十万军队的话，会超负荷的。而且，这些各族的士兵肯定良莠不齐，他们进了城，指不定会干出什么来呢。这样好了，让狂狮军团的一万人进城，其余的就都驻扎在城外好了。"

盘宗疑惑道："他们会同意吗？"

我冷哼一声，道："他们可以不同意吗？部队的指挥权肯定还是在咱们手里，如果他们不服从咱们的指挥，以后在兽皇面前怎么交代？兽皇的权力现在越来越大了，他们总要顾忌一些。何况，父亲还在城里，咱们可以假传圣旨嘛。比蒙王这三个字在兽人中还是有些威慑力的。"

果然，虽然各族族长对于我们不让他们的部队进城都很不满，但碍于兽皇和父亲的面子又不好发作，只得将部队驻扎在城外。

为了安抚他们，我将各族族长都请到了斯坦拉城内，用最好的酒食款待他们。

这次共来了四个大族，分别是虎人族、豹人族、熊人族、半人马族。

这四个族在兽人中也算是中坚力量了，虎人、豹人的凶猛，熊人的重装甲军团，半人马的神射军团，在兽人中都是非常有名的——虽然比不上我手中的四大军团精锐。有了这股力量，我完全不需要再惧怕魔族军队了，即使让我去攻打魔族全境我都有信心。

斯坦拉城下突然多了二十万大军，顿时让我方部队士气大振。

招待完各族首领，我刚回到城墙上，猛克就来了。

"老四……"猛克双目通红，一把抓住我的肩膀。

"三哥，你这次回来得太及时了。我没想到你真是带来了兽人的大量精锐。"

猛克哈哈一笑，道："是啊，老四，你知道吗？以往每次陛下让那些家伙出兵，他们都推三阻四的，要不就以次充好。这回，听说咱们在前线得了不少甜头，连家底都带来了。这二十万人，绝对是咱们兽人族精锐中的精锐。本来我还想让陛下派些狮人族的部队来，可陛下说，这些人足够你指挥的了，还说你会明白他的意思。"

我点头道："陛下说得对，我是明白了，本来我也不想和魔族拼得两败俱伤，这些部队用来威慑一下对方就可以了。"

猛克道："陛下说，在名义上，所有部队依然由比蒙王殿下统领……"

我打断他道："我明白的，嘿嘿，父亲现在在闭关，我就是他的全权代表嘛，哈哈。"

魔族大营。

"什么？这么快兽人族的援军就到了，我们只到了三天而已啊。父亲，怎么办？"古风在听过传令兵汇报后沉不住气地站了起来，在帅帐中不停踱步，眼中充满了担忧。

古川瞪了他一眼，道："你给我老实坐下。也三十几岁的人了，怎么还那么毛毛躁躁的？一点小事，有什么可大惊小怪的。"

"小事，父亲，您是不是……您没听刚才探子说吗？敌人的支援部队都是兽人族中的精锐，如果正面交锋我们是占不到便宜的。虽然有黑暗法师团支援，但您别忘了，兽人族天生的抗魔性是很强的，如果再不赶快想对策，恐怕我们就会步素察的后尘。回去后，您怎么和魔皇陛下交代啊？"

古川瞥了他一眼，道："我自有分寸，用不着你来操心，我等的就是他们的后援部队，不过，却没想到他们会来得这么快。看来，素察说得没错，对方阵营中确实有优秀的指挥人才，他能先一步想到咱们这批援兵。"

清晨，我和盘宗、金银、猛克站在城墙上，观察着下面的形势。在我的调遣下，前来支援的四个种族分别在斯坦拉城前排列成四个方阵，虎人族、熊人族、豹人族在前，半人马族在后。

前方三族中又以熊人族居中，虎人、豹人两族在两侧为翼。

我手下这些残部现在需要休息休息了。这些日子以来，他们始终处于高度警惕中，现在，胜利在望，他们需要休息。我相信，虽然这次的战斗使我带领的这四个精锐军团损失不小，但他们的战斗力一定会得到很大的提升。

从对方军营中突然升起一个黑点，直向斯坦拉城迅速飞来，今天的天气很晴朗，眼神最好的金银在黑点刚一升空的时候就发现了。

金道："飞过来一个敌人，应该是堕落天使吧。怎么只有一个？"

我冷静地喝道："传令，当敌人飞到斯坦拉城前五百米时，半人马神射手齐射。"

半人马族天生就是优秀的射手，其中的神射手更是战场上最强的狙击手，他们用的长弓不但威力惊人，射程极远，而且几乎可以达到百发百中的水平。但是整个半人马族中，神射手的数量也非常稀少。这回，他们的族长带来了五十名。

银惊呼道："好惊人的速度，你们快看，四只翅膀的堕落天使。"

我凝神望去，果然，这次飞来的堕落天使和以往最大的不同就是他有四只翅膀。

虽然看不清他的容貌，但我知道，这个人一定是古风兄弟的父亲，魔族除魔皇外唯一的四翼堕落天使，因为，魔皇是不可能出现在这里的。

很快，他已经飞进了半人马神射手的射程范围内，接到命令的神射手们虽然惊讶于敌人的速度，但他们是丝毫不会手软的，五十条黑色闪电破空而起，直袭空中的古川。

这五十箭射得非常有学问，没有一箭是直接射向古川的，而是分布在他前、左、右三个方向，以他的速度，现在是不可能后退的，而无论怎么闪躲，最起码都会有二十支箭射到他身上。

古川在空中朗笑一声，赞道："好箭法。"身后的四只羽翼猛地向后展开，然后向下扇去，一股淡淡的黑色能量下扫。虽然半人马神射手发出的劲箭穿透力惊人，但仍然被这股暗黑能量轻易地破解了，五十支箭原路返回，直接去寻找射出他们的主人。

在半人马族长大惊的同时，金银聚力喷出一颗能量球，金银两色能量在空中猛然爆开，形成一片金银色的光网，将五十只箭完全拦了下来。

金银在我身侧同时发出一声闷哼，显然在气机的接触下吃了亏。

我暗暗心惊，古川只是随手一击就有如此威力，看来，四翼堕落天使确实不是浪得虚名。

见到自己兄弟吃了亏，盘宗不干了，暗念咒语，摇身一晃现出了本体。

这时候，古川已经飞近城头了。他看到盘宗的异象惊疑道："还真的有这种种族存在吗？怪不得素察要吃瘪了。"

盘宗虽然在愤怒中，但依然知道敌人不好对付，中央的紫色大头暴涨，猛地喷出一股浓浓的紫色烟雾，直逼古川。

古川在烟雾距自己尚有两丈时，就已经闻到一股甜香扑鼻，身体不由得晃了一下，顿时明白毒气的厉害，身体猛然后退，四翼大张，双手合十在胸前，默默地念着咒语。

随着咒语的吟唱，古川眼中黑芒大盛，身后出现了一个黑色的魔法六芒星。他大喝一声："暗魔封印——没有间隙的防御！"一股粗大的黑色能量光柱从他身后的魔法六芒星发出，顿时将盘宗发出的丹毒罩了起来。

盘宗还想再喷，我赶忙喝道："大哥，不要，没有用的。"

古川双手上托，包含丹毒的能量柱猛然向上，转瞬间化为一颗黑色的能量球飘落在他手中，能量球内还隐隐地有着紫色的烟雾缭绕。

这颗包含着丹毒的封印魔法弹，如果一旦爆发，足以抵御千军万马。

他并没有向我们进攻，只是悬浮在空中，定定地看着我们。

当他眼光扫过我的时候，脸上现出一丝惊异。我知道，他也把我当成人类了。

最让我惊讶的是，魔族的军营竟然没有丝毫动静，难道古川想凭自己之力来消灭我几十万大军不成？如果是这样的话，那他也太自大了。

盘宗见自己辛苦积攒的丹毒竟然被敌人收去了，顿时大怒，九个蛇头同时怒吼，无数三四级魔法铺天盖地地向古川袭去。

古川面带冷笑，浓浓的黑雾从他身上不断涌出，将自己的身体罩在其中。

三四级魔法对他根本造不成什么伤害，无论是风刃、火球、水弹、冰柱，一碰到那黑色雾气，就会立刻消融掉。

斯坦拉城下的二十万兽人已经看傻了，这华丽的攻击给他们带来了强烈的震撼。

他们兴奋地发现，原来自己所在的兽人族也有人可以和魔族的堕落天使相抗衡。

不知是谁起的头，"兽人必胜"喊声充斥着整个战场。

在巨大的助威中，盘宗又一次用出了陨石术，一颗巨大的陨石从天而降，直奔空中的古川。

古川一皱眉头，怒喝道："没完了吗？"全身黑芒暴涨，在空中形成一个直径达到十米的巨大黑球，黑球中还隐隐现出紫色的闪电。在斯坦拉城墙上的我已经看傻了，原来，堕落天使的能力还可以这样用。

古川形成的巨大黑球骤然上冲，竟然正面地迎向了陨石，一个是实体，一个是能量体，两种性质不同的攻击在空中相遇了。

"轰"的一声巨响，陨石竟然化成了大片大片的尘烟四散分开，盘宗有些惊讶地看着自己发出的七级土系攻击魔法就这么被抵消了。

从他到达这个境界以来，还是第一次有人从正面击溃了他的陨石术，当然，上次堕落天使自爆时用的禁忌术除外。

有些灰头土脸的古川又飞了回来，他一脸怒气，显然被不断的阻击激怒了。

古川双手掌心相对放在胸前，猛地向着盘宗推来，一股深厚的暗黑能量柱笔直地冲向盘宗。

我脸色一变，大喝道："大哥，躲开。"但是，我从盘宗的脸上看到的是拼死的决心。我突然明白，刚才，他的绝招被正面挡住了，为了自己的荣誉和尊严，他是绝不会闪躲的。

已经没有时间考虑了，我将狂神斗气用全力以狂战天下的心法发出，直接袭击暗黑能量柱的侧面。金银来不及变身，也全力发出金银斗气，袭击暗黑能量柱的另一侧。盘宗四颗物理攻击头在前，无数魔法结界附在上面猛地撞向了暗黑能量柱的正面。

古川见我们三人全力施为，顿时将自己的暗黑魔力催向巅峰，暗黑能量柱瞬间又粗壮了几分。

巨大的反震力将我高高抛起，重重地撞在身后的城楼上。还好我身体强韧，再加上是侧面的反震力，虽然一阵气血翻涌，却只是受了一点外伤。

金银比我好一点，但也被撞得向后退出十余步，一屁股坐在地上。

盘宗用自己最强的防御接下了正面攻击。

虽然我和金银的攻击使古川发出的能量减弱了不少，但绝对强度太高，盘宗巨大的蛇身被重重地击飞，撞塌一小片城楼才止住，四个物理攻击蛇头完全碎裂了，溅起漫天鲜血。

古川虽然重创了盘宗，但他自己也不好受。在我们几个合力一击下，他也受了一定的内伤。他知道，这个时候绝不能示弱，运起体内浩然澎湃的暗黑魔力将伤势压了下去。

古川站在城墙的箭垛上，冷声道："现在，我们是不是可以好好谈谈了?"

"我当是谁敢到我兽人这里登门欺人，还制造出那么大的能量波动，原来是古川兄啊，好久不见，雷奥在此有礼了。"父亲雄壮威武的身躯出现在城头，所有兽人部队同时激动地高喝着："比蒙王、比蒙王……"

看到父亲及时出现，我顿时松了口气，像古川这么变态的家伙，也只有父亲可以和他对抗了。

我和金银跑到盘宗的身边，检查着他的伤势。盘宗的毒气蛇头苦笑道："这次比上回被你们打还惨，身体里的经脉被他的暗黑力入侵了，恐怕老蛇我要归位啊。"

听到这里，我二话不说，冲金银使了个颜色，坐到已经恢复人形的盘宗身后将暗黑魔力汇聚成球，逼入他的体内。暗黑能量球像吸铁石一样，吸收着入侵的暗黑魔力。

盘宗脸色一松，赶忙催动着自己体内的余力，将入侵的暗黑能量都趋向我处。

金银站在我们身前，俨然一副护法的模样，一向喜欢搞怪的他们，也严肃了起来。

父亲抬起手，阻止兽人们继续喊下去。他脸色平和地看着古川，道："古兄这回独自一人到我们这里来有何贵干啊？"

早在父亲出现的时候，古川就知道今天的行动恐怕要告吹。他没有想到兽人中除了父亲居然还有人可以和他抗衡一会儿，并让他受伤。

古川邪恶地一笑，道："雷兄，好久不见啊！贵我两族一直是盟友，为何会闹成这样？这里恐怕不是你们的地盘吧，你们兽人无端入侵我们魔族领地还强加霸占，是不是有些太过分了？"

父亲哼了一声，道："过分？过分的是你们，如果不是你们逼的，我们会兵戎相见吗？敢问，上次在对龙神的会战中你们魔族死了多少人？有多大损失？"

古川皱了皱眉头，道："这个我不太清楚，我又不是上次出征的统帅。"

父亲语调升高，道："你不清楚，那好，我来告诉你，你们魔族损失不大，死亡将士不超过十万，回去你可以调查。而我们呢？我们兽人有多大损失你知道吗？三十多万名勇敢的战士永远留在斯特鲁要塞前的战场上。相比起来，你们魔族的损失就轻得多了。可是，你们却以种种借口来向我们索要钱粮。我们兽人穷，你们是知道的。既然是友好盟国，为什么还要这样敲诈我们，还不是怕我们兽人强大起来不再受你们魔族控制吗？为了阻止我们发展，还派遣堕落天使来刺杀兽神教的使者，这些就是你们对盟国的友好吗？"

古川听父亲说完这些，脸色丝毫不变，淡淡地道："俗话说得好，非我族类，其心必异，我们也必须要为自己的国家、民族着想。我承认，这些是我们做得不对，不过，你们已经霸占敦德行省近两个月了，难道，这些还不够吗？你们只不过死了几十个人而已，而我们却损失了四名堕落天使，相比起来，还是我们损失要大一些。"

父亲怒哼一声，道："你们堕落天使是生命，我们的兽人战士就不是吗?如果你今天来就为了说这些，那么，你可以回去了。咱们战场上见吧，看看是你们魔族厉害，还是我们兽人族更勇猛。"

古川皱了皱眉头，他知道以自己受伤的身体未必打得过比蒙王，忍气吞声道："那你们要如何才肯撤兵呢？你们有什么条件?"

比蒙王凝视着古川，道："我们的条件很简单。首先，这次的战争错在你们，所以，我们绝对不会有任何补偿给你们。至于我们抢掠的东西也是绝对不会归还的，就算是这些年以来你们魔族压迫我们的赔款吧。"

古川早就想到了这些，微微点头道："这个可以，我还能做主。事情都已经发生了，为了不使贵我两族的仇恨加深，我代表魔皇陛下答应你这个条件。还有其他的吗?"

父亲一边试探着古川的诚意，一边继续道："其次，我希望能和你们魔族签署一个在以后三年之内互不侵犯条约，也就是说，你们绝对不能因为这次的事情对我们做出任何报复的行为。"

古川苦笑道："本来我们魔族对你们就没有什么恶意。上回的事情，完全是素察亲王在背后挑拨造成的。现在，魔皇陛下已经把素察亲王收押了，签署这个停战协议，我代表魔皇陛下也同意了。我们的共同敌人是龙神帝国，不是吗?如果贵我两军在这里消耗太多，龙神选择这个时候进攻，那我们将如何自处呢？你我双方都不想被灭族，不是吗?结盟是我们唯一的出路，虽然这次的事闹得有些不愉快，但我保证，我们绝对不会记恨你们兽人族的。"

父亲满意地点了点头，道："第三，如果以后没有我们兽人族允许，你们魔族不许踏入我们领地一步，以后，我们不再需要你们的物资。同样，你们以后也不要想再剥削我们，我们兽人将完全独立成为一个主权完整的国家。"

古川愕然道："你们不需要我们支持，不让我们再……剥削，我都能理解，可如果不让我们踏入你们的土地，要是发生战事怎么办，我们也不援助你们吗?"

父亲冷冷答道："现在说这些还为时过早，最起码，现在我们不想在自己的领土上见到你们魔族。"

古川想了想，道："好吧，这个条件我也答应了。但是，雷老弟，为了能够和平共处，我们付出了这么多，你们又如何表示出诚意呢？"

父亲道："我们兽人从来都是说一不二的。这样吧，明天正午，咱们在两军战场中央正式签署互不侵犯协议后，你部后撤五十里，然后我军会撤出斯坦拉城，然后逐渐撤离敦德全境。同时，也将抓住的敦德总督放还给你们，你看如何？"

古川身体缓缓飘起，微笑道："那就这么定了。雷老弟，明天见，希望你们能信守这个约定。"

父亲没有回答，看着古川的身影逐渐消失了，他才松了一口气。

金银上前一步，金问道："他一个人来，在刚才我们合力攻击下肯定受了暗伤，你为什么不留住他？要是杀了他，魔皇势必会失去左右手。"

父亲横了金银一眼，不屑地道："你懂什么！你以为古川是那么好对付的吗？即使我在全盛时期，也无法留住受伤的他，何况，我们的目的已经达到了，何必做得那么绝呢？如果真的杀掉了古川，魔皇很有可能会失去理智和我们死拼到底，那可不是我想见到的。"

坐在不远处的我深吸一口气，缓缓收功。盘宗大哥体内的暗黑魔力终于被我清除干净了，他已经可以自行疗伤了。

我清醒过来的时候，正好听到金银和父亲的对话，为了让他们不起冲突，我赶忙插嘴道："父亲，您打不过古川吗？"

父亲扭头看了我一眼，道："我们比蒙战士是不会因为想得到荣誉而编造谎言的。不错，我确实打不过四翼堕落天使，即使在我全盛时期也不行，何况……"父亲脸色有些黯然。

我一愣，追问道："何况什么？"

父亲摇了摇头："没什么，有些事情还不是你现在应该知道的，等你该知道的时候我自然会告诉你。你大哥怎么样了？"

我回头看了看盘宗，他正宝象庄严地运功呢。刚才金银看我过来，就知道和父亲吵不起来了，已经回到盘宗身边为他护法了："大哥的伤很重，不过已经没有生命危险了。古川那家伙的功力太可怕了，原来四翼堕落天使真的和两翼相差这么多。"

父亲遥望着远方的魔族大营，有些自嘲地道："你知道吗，我在年轻的时候曾经先后六次和古川交手。那时候，我们年龄都还很小，你爷爷还在世。由于你奶奶是魔族，我们和魔族的盟友关系在那个时候又很牢固，所以，我们经常去魔族。我的身体条件异常出色，即使在比蒙巨兽中也算得上是天赋异禀，功力进步得比一般人快得多，在像你这个年龄的时候，两翼堕落天使根本就不是我的对手。年轻时候的我，即使魔皇和古川两个人一起上，都不是我的对手，我可以轻易打败他们。古川那时曾经发誓说，一定会打败我的。他这个誓言在三十年后才实现，他们的年龄都比我要大一点，现在恐怕都六十多了吧。就在大约十年前，那时候你爷爷已经去世了，我也成为了比蒙第一勇士，正是春风得意的时候，正在那时，古川一个人从魔族赶来找我。他说，他已经修炼到天魔诀第七层，达到四翼堕落天使的程度了。我向来好斗，能有一个对手和我拼上一场，是最让我高兴的事。于是，我们就找了个僻静的地方打了起来。那次，我败了，而且败得很惨；也是那时候，我知道自己的巅峰已经不再了。虽然这么多年来我一直努力练功，但也只能将自己的功力保持住，再想寸进都是不可能的。堕落天使变成四翼以后，功力绝对是几何倍数地增强，如果你以后和古川对上，一定要在第一时间逃跑。"

狂神

堕落天使

第四十八章 深夜造访

"逃跑？"我以前从来没想到这个词会出自父亲之口，可这已经是几个月以来第二次听他说这个词了。自从这回再见到父亲以来，我总觉得他有什么不对。

父亲点了点头，道："是的，逃跑。与其白白送死，还不如暂时回避，找个地方刻苦修炼等以后功力够了再图报复。雷翔，你的选择是对的。如果你仅仅修炼我传授给你的那些东西，恐怕连我现在的境界都到不了。在身体上，你是不如你两个哥哥的，可现在看来，你也是唯一一个有机会超越我的。如果你的能力能够达到和四翼堕落天使相抗衡，那么就替我挑战古川或者魔皇，我无法完成的事情只能等待你去完成了。这是我对你唯一的要求，当然，如果你没有那个能力，也不要勉强。"

我皱眉道："父亲，您这是怎么了，是不是发生了什么事？"

父亲"啊"了一声，神情落寞地摇了摇头，道："我没什么，记住我刚才说的话。对了，你觉得，你两位哥哥哪个更适合继承我的王位呢？你是不行的，毕竟，你没有比蒙高大的身体，我必须要让比蒙一族的王者之位血统纯正地流传下去。"

虽然我早就知道以后会有这个结果，但心里仍然有些不舒服："我从来没想过要做比蒙王，也不会和两个哥哥去争。父亲，您现在春秋正盛，着什么急决定继承人呢？"

父亲看了我一眼，道："没什么，我只是想听听你的意见而已。这次向魔族发动突袭，我在你身上发现许多他们不具备的素质。我想知道，在你心里，谁继承比蒙王这个爵位更合适，更有可能带领我们比蒙一族顺利地发展下去。"

我想了想，沉吟道："我觉得大哥更适合一些，并不是因为我和二哥有仇才这么说的。父亲，您应该最清楚他们的性格，大哥淳朴老实，虽然有些木讷，但我相信，比蒙一族在他手上虽然不见得会兴盛，但也绝对不会衰败的。而二哥则不一样，虽然他现在的功力比大哥要高上一些，而且头脑更加精明，但他为人太跋扈、嚣张了，而且他没有开阔的胸怀。说实话，我非常讨厌他。也许，将来比蒙一族要是落在他的手上，会出现些意想不到的变化。我认识的雷虎，可是一个什么都敢干的人，他是不会事先想好后果的。"

父亲眼中射出两道精光，轻轻点了点头，道："以前也许是我太偏心了吧。雷虎更像年轻时候的我，所以，你们三兄弟里我最喜欢的就是他。可这几年，他让我太失望了，除了争强斗狠，我没从他身上发现其他的优点。你的话点醒了我，我会考虑的。"

看着父亲现在的样子，我心中的疑虑越来越重，他一定有什么事情瞒着我，但如果他不想告诉我，我问也是没用的。我岔开话题道："父亲，古川能相信吗？他会不会在签署合约后，趁咱们放松警惕偷袭我们？"

父亲摇头道："不会的，到了我们这个级别，根本就不屑于说谎，尤其是在信守承诺上，虽然我和他之间互相都没什么好印象，但我知道，他绝不会做出那种卑劣的事。何况，当初你不也分析了，魔族只有求和才是最好的选择吗？"

我点头道："希望明天能够顺利，这样，我们回去就可以向陛下交差了。"

父亲站直身体，他巨大的身躯将我的视线完全挡住："我要去休息了，这边的事情你们注意吧。"说完，转身走了。

父亲高大而落寞的身影在我脑中留下了不可磨灭的痕迹。我暗暗发誓，即使我怨恨他，也一定会替他完成心愿，挑战四翼堕落天使。

魔族营地。

古川从入定中清醒过来，身体周围的黑雾被他缓缓吸收入体，眼前出现古风、古云兄弟焦急的目光。墨月娇声道："古川叔叔，您好了，比蒙王出手了吗？居然把您打伤了。"

古川一回到魔族营地就开始疗伤，并没有把情况告诉他们。

古川摇了摇头，叹道："怪不得素察会吃亏，兽人那边确实有几个优秀的人才。看来，想阻止兽人发展起来是不可能了。"

古云问道："父亲，到底发生了什么？"

古川道："在敌方的阵营中出现了双头狼和九头蛇。"

古风吃惊地道："双头狼和九头蛇？那是什么，很厉害吗？"

古川点了点头，道："很厉害，一对一，你们都不是他们的对手。"

古风有些不服气地道："没打过怎么知道不行，再怎么厉害不也还是兽人吗？他们这回胆敢侵略到我们的地界，明天我就带人杀得他们片甲不留。"

古川脸色一变，怒喝道："胡闹。你年纪也不小了，怎么还这么不冷静？如果这次让你带兵过来，结果未必会好过素察。我已经按照陛下的意思和兽人达成协议了，明天就签署合约，今后我们仍然是盟友。你们给我记住，谁也不许胡闹，我可不想到兽人阵营中去营救你们。我说你们打不过人家就是打不过人家。我今天的伤并不是比蒙王造成的，而是双头狼和九头蛇加上一个人类青年合三人之力硬拼的结果，而对方只有九头蛇受到了重创。你们说，你们有能力和对方拼斗吗？"

墨月听到有个人类，眼中大放光芒，问道："古川叔叔，您说那个人类长什么样子？"

古川转向墨月，脸色顿时缓和下来，想了想道："那个人类大约有两米高，身体健壮，有一头淡绿色的头发，会使用斗气，有一定的威力，模样倒是挺英俊的。当时的情况，我也就注意到了这些。怎么，你对他有兴趣吗？素察说得对，很有可能就是那个人类给兽人带来了翻天覆地的变化。虽然名义上是比蒙王统领兽人部队，但我刚到斯坦拉的时候，却只有那个人类和双头狼、九头蛇在。兽人实力的增强真不知道是好事还是坏事？"

古风兄弟对视一眼，都看出了对方心中的疑惑。墨月瞪了他们一眼，显然在提醒他们当初的约定，道："古川叔叔，明天咱们真的要和他们签署合约吗？咱们死的人就白死了不成？"

古川微微一笑，道："小公主啊，你对政治还是不了解的，必要的时候，即使是杀父仇人都可以合作。何况，兽人这次做得并不算绝，给我们留了余地，我们还有共同的敌人龙神帝国。所以，兽人那边也不得不停战，毕竟，他们这次是冒着有可能被龙神袭击的危险发动的这场魔、兽之战。虽然敦德的经济肯定损失了不少，不过，再打下去，我们的损失会更大。兽人只是为了一口气而已，我们何苦非要和他们拼个死活呢。多学着点吧，丫头。"

墨月娇嗔道："知道了，叔叔，本来还以为有仗可以打，谁知道就这么完事了，真没意思。你们商量军国大事吧，我出去转转。"

古川提醒道："公主，你可不能乱跑啊。你应该还记得当初是怎么答应陛下的吧?"

墨月撅起了小嘴,道:"知道了,叔叔。"说完,扭头跑了出去。

古川看了看两个儿子,脸色又沉了下去:"我知道你们最近练功一直很刻苦,但是,你们的能力还非常有限。在短时间内,我们已经损失了十名堕落天使,这就证明,堕落天使并不是无敌的。所以,你们给我小心点,千万别去招惹不该招惹的人,明白吗?还有,看紧公主,我们的任务就要完成了,我可不想在最后关头闹出什么事来。"

"是,父亲。"

"嗯,你们下去吧。"

古风、古云两兄弟出了帅帐。古风道:"兄弟,你说父亲说的那个人类会不会是雷?"

古云点头道:"从父亲说的身材相貌来看,很有可能。可既然雷是陛下的私生子,为什么会在兽人那边呢?当初他不是说去龙神执行任务了吗?公主也说他不是魔皇陛下的儿子,难道他骗了我们?"

古风摇头道:"应该不会吧,如果他不是陛下的私生子,那怎么有修炼天魔诀的体质呢?而且,当初雷也说了,公主是不会认他的,毕竟他是私生子。其实,就算雷是冒充的,我们又能怎么样?如果当初不是他救了咱们,恐怕,咱们已经见到魔神他老人家了。再怎么说,他也是咱们的救命恩人。"

古云叹了口气,道:"看看吧,只要他不和咱们发生冲突,就像和公主约定的那样,就当从来没有遇到过这个人就行了。"

一边说着,两兄弟向着自己的营帐走去。

在他们身后,一个娇媚修长的身影缓缓出现,她嘴角上挂着一丝神秘莫测的微笑。

入夜。

我一个人在有些荒凉的斯坦拉城内溜达着。这么多天了,这是我唯一闲下来的时候,我还从没好好看过这座敦德行省最繁华的城市。

盘宗大哥又长出了新头,自己回去修炼恢复了;金银也不知道跑到什么地方找新鲜事物;猛克带着人在城墙上守卫着,对于我来说,这是难得的清闲时光。

一阵寒风吹过,地面上枯黄的叶子沙沙作响。我的心现在很安宁,什么都不愿意去想,只是一个人静静地溜达着,所有战火仿佛都与我无关。

对于战争,我突然有种说不出的厌恶。

直到走得有点累了，我才腾身蹿上一栋比较高的民房，就那么躺在瓦面上，看着美丽的星空。

就在我快要进入梦乡的时候，一缕冰冷的寒气突然朝我袭来，虽然我全身放松，但警惕性丝毫没有松懈，身体侧滚躲开了这一下袭击。

我一挺腰，站了起来，一个全身包裹在黑布中的人出现在我身前十米处。

我上下打量着这个打搅我清梦的人，从她修长丰满的身材上，我判断出，这是一个女人，而且还是我熟悉的女人。

我厉声喝道："你是什么人，竟敢偷袭我?"

女子看我的眼神很复杂，明亮的大眼睛仔细地盯着我。我见她不回答，心中有些恼怒，黄色的狂神斗气包裹着我的身体，随时准备给对方致命的一击。我可不会因为对手是女人就手软，那样，我将会陷入万劫不复之境。

女子突然发出银铃般的笑声："你的胆子好小哦，用得着那么全身戒备吗?"

她的声音是那么熟悉，我突然惊醒道："你是魔族公主墨月?你是怎么进来的?"认出了她的身份，我立刻凝神审视周围的情况，但静静的夜告诉我，这里只有她一个人。

墨月扯下脸上的蒙面纱巾，露出光彩照人的面庞，嘻嘻笑道："不错嘛，从人家声音里就能听出来，说明你还没有忘记我。进来还不容易，不过，我不告诉你的，嘻嘻。"

沃夫他们的仇我没有忘记，但我知道，现在不能杀她，否则，和魔族会结下不解的冤仇。

我皱眉道："古川今天不是已经谈好了吗，这么晚你到我们这边来干什么?还有，把黑龙还给我。"

墨月撇了撇嘴，道："黑龙嘛，我是不会还的。它现在跟人家可好了，天天吃香的喝辣的，比跟着你受苦强多了。至于我过来干什么——"她脸色骤然一变，寒着脸道："上回你打伤我的事还没和你算账呢，你总要给我个说法吧;而且，你还冒充我父亲的私生子。我真是看不透你啊，上回帮助龙神帝国和我们作对，这回又帮助兽人，难道我们魔族和你有仇吗?还有，为什么你可以堕落天使变身?"

我冷哼一声，道："你来这里就是为了问我这些问题吗？我是不会回答你的。你的胆子不小啊，敢到我的地盘来找我报仇，难道你也变了四翼堕落天使?上回你派人杀死了我十八名兄弟，我还没有和你算账，你居然还敢来这里挑衅？我给你最后一个机会，立刻在我眼前消失，否则，我不能保证我不会做出什么事来。"

墨月撅嘴道："你好凶哦，人家只是问问而已，好奇不行吗？"

我冷声道："好奇的人一般死得都比较快。看在即将和你们魔族签署互不侵犯条约的分上，我放你走，立刻离开斯坦拉城。"

墨月仰起头，嗔道："我就不走，你能把我怎么样？"

我怒道："你……好，不是我不给你机会。"我右手一挥，一道黄色斗气直袭墨月胸腹。

没想到我会突然动手，墨月惊呼一声，身体一闪，险之又险地避开了我的攻击。她小脸涨得通红："你，你好……黑暗凝聚灵魂，堕落方能自由，觉醒吧，沉睡在我血液中无尽的魔力。"她身上发出强烈的暗黑气息，两只黑色羽翼冲破了夜行衣的束缚，原本棕色的大眼睛顷刻间变成了黑色。

我本来就没想要伤害她，只是吓唬她一下，让她知难而退而已，没想到反而激怒了她。

压力越来越大，我现在并不适合变身。我对自己有信心，即使不变身，我也能支撑一段时间，道："你这个疯丫头，到底想干什么？"

墨月身体急晃，暗黑魔力从她体内涌出，原本罩在身上的夜行衣完全碎裂，像蝴蝶般片片飞舞起来，露出了她贴身的皮甲，她的双臂、没有一丝脂肪的小腹、修长圆润的大腿完全暴露在空气中，充满了惊人的诱惑力。

她邪邪地一笑："连我父皇都没有打过我，你以前竟然敢伤害我，今天还想再次打我，我是绝对不会原谅你的。"

我冷冷地看着她，运行着暗黑魔力保持着自己的清醒，只有这样，我才不会被她惊人的魅力所迷惑："你不原谅我又能怎么样？别忘了这里是我的地盘。如果你现在走，我当什么都没有发生过，否则的话……你说我要是扣住你再和魔皇换点东西会怎么样呢？"

说完这番话，我本以为墨月要么逃走，要么愤怒，可是，她的表现却大大出乎我的意料。

她脸上挂着一丝浅笑，看上去很阴险，完全没有了先前娇俏可爱的神情："是吗？如果你那样做的话，你会后悔的。"

我饶有兴趣地看着她："我为什么会后悔呢？"

"看看这个，你就明白了。"墨月伸手入怀，从贴身的皮甲中掏出一块白色的手帕，轻轻一抖，手帕像锋利的刀刃一样直飞过来。

我凝神运气，用狂神斗气包裹着手指小心地接住了那块白色的手帕。

她身体飘然后退出十米，我看了看墨月。她张开双手，示意她绝不会偷袭我的，我这才低头看去，那是一块白色的方型手帕，上面透着一股淡淡的清香，我想，这应该是墨月的体香吧。想到这里，我心中微微一荡。

　　当我向下看去时，顿时心神狂震，再也不能保持灵台的清明，手帕的左下角绣着几朵淡紫色、含苞待放的百合花，在百合花下面刺绣着两个精美的小字——紫嫣。

　　虽然我没见紫嫣用过这条手帕，但紫嫣的字我却是认得的。她写"紫"字的时候总是不写最右下方的一点。除了最亲近的人，这个秘密别人是不知道的，所以我断定，这必然是紫嫣之物。

　　我手中紧紧攥着手帕，身体猛然前冲，直袭墨月，想要抓住她，但激动的我却忘记了现在的差距，墨月冷哼一声，身前黑气大涨，顿时将我的攻势化解了。

　　她一振翅膀，飞了起来，传音道："想知道她的下落吗？那就跟我来吧。"说完，她头也不回地向高空飞去。

　　我再也顾不得在什么地方，赶快念出咒语："黑暗凝聚灵魂，堕落方能自由，觉醒吧，沉睡在我血液中无尽的魔力。"

　　我的身体骤然膨胀，转瞬变成了堕落天使，凭借变身后增强的眼力，我在空中捕捉到墨月的身影，赶忙拍打着黑色的羽翼追了上去。

　　墨月飞的速度并不算快，再加上我本身的功力就比她高上一些，很快我就追上了她。

　　墨月发现我后立刻全力加速，身体由上升变成了向下俯冲。我不敢怠慢，慌忙跟上。我大吼道："紫嫣在哪里？"

　　墨月扭头嫣然一笑，道："跟着来吧。"

　　由于心绪杂乱，我已经无法分辨方向，只能紧紧跟随在墨月的身后。即使这是个陷阱，我也认了。紫嫣对我来说比什么都重要。

　　终于，墨月不再跑了，她在一片密林中停了下来，看着我落在她对面，眯着眼睛有些陶醉地道："哇，你是我见过变成堕落天使后最帅的人。"

　　我恶狠狠地看着她，身体一晃就要冲上去。

　　墨月赶忙身体后移，惊叫道："你不要乱来哦，否则，你的紫嫣就没有了。"

　　我强压心中的怒气，恨恨地道："快把紫嫣交出来，否则我杀了你。"

　　墨月看我发怒的样子嘻嘻笑了起来，一边向我走来，一边道："我就不交，你杀了我呀，你杀了我以后就永远见不到她了。"

我的手已经举了起来，但就是无法落下去。我叹了口气，泄气地道："你到底想怎么样?到底怎样你才能放了紫嫣?"

墨月转过身，背对着我，晃着头道："放了她吗?也可以考虑啊，不过，你要先回答我几个问题。我满意的话，也许会告诉你她在哪里。"

把柄落在她手里，我还能说什么，咬着牙道："你问。不过，如果紫嫣掉了一根汗毛我要你百倍偿还。"

墨月微笑着转过来，一只手搭在我的肩膀上，轻轻向我脸上吹了口气，一股兰花的香味扑面而来。

我瞪着她道："你问啊?"

墨月在我胸肌上一撑，贴近我道："你先告诉我，你到底是什么人?还有，为什么你可以变成堕落天使?"

我就知道她会问这些，但为了紫嫣，我丝毫没有犹豫，痛快地答道："我是一个人类、魔族、兽人族混血儿。"

墨月惊讶地看着我道，"啊!原来你还有人类和兽人的血统，看不出来啊。"

我横了她一眼，道："比蒙王雷奥是我父亲，我叫雷翔。说起来，我应该算是兽人，这也是我为什么会帮助兽人对付你们的原因。由于我有魔族的血统所以能修炼天魔诀。行了吧，快告诉我紫嫣的下落。"

墨月抬着头好像在思索着什么："你说得不详细啊，既然你是兽人，那为什么上回在龙神的部队中看到你?"

我不耐烦地道："我在龙神卧底不行吗?你快告诉我紫嫣的下落，我的忍耐可是有限度的。"

"你很爱她吗?"

"当然，紫嫣是我最爱的人之一。"

墨月撇了撇嘴，道："心一点都不诚，还之一呢，要是让人家听到多伤心。"

我狠狠地瞪了她一眼，吼道："伤心不伤心用不着你管，你到底想怎么样?"

墨月脸色一沉，冲我道："当初你打了我，这件事不能就这么算了。这样吧，你自己卸两条臂膀下来，我就告诉你紫嫣的下落。"

我冷哼一声，道："你在做梦吗?在没有确保紫嫣安全之前，我绝对不会伤残自己的，那样，我就更没有救紫嫣的机会了。"

墨月怒道："怎么，你不相信我?"

我仰头望天，淡淡地道："你值得我相信吗？"

"你……好，既然你不相信我，那你永远也别想见到你的紫嫣了，哼！"

我看向墨月，眼中寒芒四射，全身散发着冰冷的杀意，身后的翅膀缓缓张开。"噌"的一声，我抽出了墨冥，眼露凶光一步一步向墨月走去。

墨月看到我凶恶的样子，一步一步地向后退着，色厉内荏地道："你，你想干什么？"

"哼，我先抓了你，然后再去管魔皇要人，我就不相信，魔皇会为了一个无关的人而不救自己的女儿。"

墨月抽出自己的窄剑，用剑尖指着我，道："你不要乱来啊，紫嫣的事情是我自己做的，除了我没有人知道她的下落。"

我停住脚步，疑惑地看着她。

墨月的眼中虽有一丝慌乱，但却清澈透明。我知道，她说的是实话。

我怒吼一声，猛地一剑劈落，一条黑色能量带贴着墨月的身体重重地击在地上，劈出一条沟壑，墨月吓得"啊"了一声，闪到了一旁。

"你想知道的我已经告诉你了，请告诉我紫嫣在什么地方？"为了能知道紫嫣的下落，我不得不低声下气起来。

墨月微微一笑，知道自己又重新占了上风："你刚才好凶哦。就冲你的态度，我能告诉你吗？"

我扛起墨冥，不耐烦地道："那你想怎么样？"

墨月嘻嘻一笑，道："刚才我不是说了吗，自己卸两条手臂，我就告诉你。"

"你……我怎么知道我卸掉手臂后你就会告诉我真话。对于你们魔族，我是绝对不信任的。"

墨月哼了一声，道："不信？那就算了。我要走了。"说完，轻轻拍打着翅膀，身体向空中冲去。

我大喝一声："别走。"纵身追了上去。

眼看就要追上她了，墨月猛然回身，一点寒星从她胸前直刺过来，当我看清那是她的窄剑时，剑芒已经到了我的胸前。由于我上冲得太猛，根本无法闪躲，慌乱中，我一横墨冥，挡在身前，墨月的窄剑"丁"的一声，刺在墨冥上。她借着反弹之力身体上翻，同时，手中窄剑也在我肩头上留下了一道伤口。

墨月在我上方使出漫天剑影，虽然她的天魔诀没有进步，但暗黑魔力的应用却更加熟练了。

在她连续的攻击下，我顿时有些手忙脚乱，墨冥在身前舞起一层剑幕，抵挡着她的进攻。

虽然她的攻击力算不上强，但仍然给我造成了很大的麻烦，毕竟她也是堕落天使，仅仅比我差一个层次而已。

尽管我完全挡住了她的攻击，但也被她发出的暗黑魔力攻得气血翻涌。

可能是后力有些不济，墨月手上一缓，趁此机会，我一扇翅膀，身体向后迅速飞退，脱离了她的攻击范围。

墨月娇笑一声，全身突然涌出大片幽蓝色的光点罩住了方圆十丈，使我根本无法闪躲。

我赶忙用暗黑魔力布下一层防御结界。但令人吃惊的是，那些幽蓝的光点好像没有受到任何阻碍似的，继续以原有的速度向我扑来。

在生死存亡面前，我发挥出了巨大的潜力，墨冥猛然挥动，在身体前划出一个旋涡似的力场，狂神斗气和暗黑魔力骤然迸发，顿时将那片袭来的幽蓝光点引得偏了一偏。我骤然收起翅膀，让自己像自由落体似的向下掉，终于脱出了那片幽蓝光点。

但在我放松的一刹那，右肩膀突然有些发麻，我顿时大惊，知道自己中招了。

不敢再理会墨月，我一边运功封住伤口周围，一边加速下落。

墨月丝毫不放松对我的追击，掉转身体，身剑合一，头下脚上地向我扑来。

在落到地面之前，我张开双翼减缓了下降的速度，剑交左手，运足功力猛然上撩。

这一下我用上了狂战天下的功法，浓浓的黑色能量迎向了扑来的墨月。墨月没有想到受创的我依然有能力还手，惊呼一声，全身黑芒大涨，挥动窄剑迎向我发出的黑芒。

第四十九章 暗黑融合

"轰"的一声，墨月被我发出的强大能量击得飞了出去，她一收翅膀飘落在我身前十丈。

由于发力，我感觉右肩上伤处的那股入侵能量仿佛活了一样，拼命地想往我体内钻，我将狂神斗气压缩成球才勉强抵住了那股进攻能量。

那股能量不但可以自动攻击，同时，它还带有一股强烈的灼热感。我自己的右肩膀逐渐肿胀了起来。正是这种灼热感使我无法集中精神将那股异种能量逼出去，在拼力抵抗的情况下，我头上已经出现了一片细密的汗珠。我脑中现出一个念头——毒。

"不要白费力气了，那是最霸道的幽蓝鬼针，是我父皇好不容易才弄到的，送给我防身，没想到，还挺好用。这种幽蓝鬼针不光可以破除任何结界和护身斗气，还具有强烈的毒性。怎么样？是不是很舒服啊？嘻嘻。"她的笑一点都不可爱，在我眼里，她简直就是魔鬼的化身。

真倒霉，一不小心，还是上了她的当。

正在此时，我右胸突然传来一股淡淡的能量，那是一种清凉的感觉，缓慢地移到了右肩。这股清凉的能量顿时减缓了那如烈火般剧毒的蔓延速度，使我感到全身一轻，压力大减。

墨月并没有着急收拾我，显然在等着我的剧毒发作。她悠然自得地看着我，一步一步慢慢地向我走来，显然是想给我造成心理压力。

我巴不得她这样，死死地看着她，拼尽全力向外逼着那所谓的幽蓝鬼针。

墨月浅笑道："怎么样，大高手，这下不行了吧。没想到你只有我们魔族四分之一的血统，就可以将天魔诀修炼到这个地步，已经很不错了。可惜啊，可惜，今天你就要葬身于此了。"她用左手捏住自己窄剑的剑尖，饶有兴趣地看着我痛苦的样子。

我体内那股清凉的气流已经将体内的剧毒完全压制住，虽然无法将它们驱除掉，但已经不能影响我向外逼针了。

为了逼出体内的异物，我丝毫不敢动弹，只能希望她不要太早向我动手。

墨月走到我身前，从我攥紧的手中抽出那块白色的手绢，温柔地擦拭着我脸上的汗水，眼中流露着迷醉的神色："你好有型哦。不过，你再也见不到你的紫嫣妹妹了，剧毒攻心的滋味怎么样啊，哈哈。"

我努力地运转暗黑魔力，对她的话充耳不闻。

墨月用窄剑的剑尖在我胸口划出一道血痕，用手指沾了点我的鲜血，轻轻放到自己嘴中。她的眼神突然变得无比阴狠，冷冷地道："从小到大，所有的人都捧着我，宠着我，就连统治整个魔族的父亲对我也只有万分疼爱。而你，不过是一个混血儿，人不人，兽不兽的，竟然敢对我无礼。虽然你很英俊，属于我喜欢的类型，但是，我还是要毁了你。至于紫嫣的下落，我是不会告诉你的，就让你做一个糊涂鬼好了。"

说完，她举起手中的窄剑一点一点地向我心脏逼来，眼中露出的都是兴奋的光芒。

窄剑一分一分地近了。

"啊!"我狂吼一声，右肩向外射出三道蓝光，我终于在她窄剑即将临身的时候将幽蓝鬼针逼了出去。

墨月脸色一变，还没来得及推动窄剑取我的性命，整个人就被一股强大的力量打得飞了起来。疯狂的暗黑能量破坏着她的身体，一口逆血从她口中狂喷而出。

我变成黑色的头发已经散乱了，站在那里，微微喘着粗气。为了逼出那至毒的暗器，耗费了我大量的能量。

被我震飞的墨月，用窄剑勉强支撑着自己的身体，惊疑不定地看着我："怎……怎么可能，你怎么能逼出幽蓝鬼针的？连父亲对它都有所畏惧，你……"

我身体骤然前冲，墨冥连抖，先是挑飞了她的窄剑，然后用暗黑魔力封住了她体内的经脉。

墨月蹲在那里无法动弹，眼神中出现了恐惧。

我喘着粗气坐在一旁，嘲笑道："原来你这个比蛇蝎还毒的女人也有怕的时候。"

墨月反驳道："谁说我怕了，我会怕你这个杂种吗？"

我眼中怒气一闪而过，猛地一把掐住她的脖子，阴森地道："别让我再听到那两个字，否则，我不保证不会立刻捏碎你的脑袋。"

墨月哼了一声，沙哑着道："有本事你就杀了我，那样的话，你永远都见不到你的紫嫣了。"

我松开她的脖子，将她甩到一旁，伸手入怀，在马甲的右胸部位掏摸起来。出现在我手中的，是两块橘红色、如同果冻一般的宝石。啊，原来是它们——极品田黄石，在关键的时刻，救了我一命。

墨月睁大眼睛看着我手中的田黄石："这，这是什么？"

我瞪了她一眼，没有理她，用左手将右肩膀的衣服撕了下来，露出中针的创口，三个紫黑色的小孔出现在那里，发出阵阵难闻的味道。

我用一颗田黄石贴到创口上，既然它们可以帮助我逼毒，那是不是也能帮我把毒吸出来呢？

我将狂神斗气注入田黄石，一团黄澄澄的光芒顿时出现在我手中。我缓缓催动着斗气，一股清凉的气流涌入我的肩头。我感觉到体内的毒素正在逐渐向外流淌，右肩轻松了许多。

"原来你只是逼住毒而已，并不是不怕，是我太大意了，早知道，我就一剑杀了你。"墨月懊悔不已地看着紫色的毒汁渐渐流了出来。

终于，毒素被我完全逼出，我一把扯掉自己的上衣，露出如同钢铁一般的双臂，释放出一个小水球，将上衣浸湿，擦拭着自己的身体。

我看了看手中的田黄石，对这些漂亮而有用的宝石，心中充满了感激。

小心翼翼地，我将田黄石放回了原位。

处理完这些，我感觉到全身虚弱无比。站起身，我走到墨月身旁，一把抓住她的头发，贴近她的面庞，道："告诉我，紫嫣在哪里，否则，我就撕掉你的翅膀。"

对于这个差点置我于死地的魔族公主，我完全失去了耐性。

墨月看着我森冷的眸子，丝毫没有惧怕的表情，嗔道："你唬我啊，你敢把我怎么样？有本事，你杀了我呀，父皇会替我报仇的，你们兽人族以后将别想有一天安宁。父皇一定会杀到你们灭族为止。"

我被她气得差点喷血，确实，我根本拿她没有办法。如果杀了她，魔族肯定知道是我们兽人干的。说实话，对待女人，我的心始终要软一点；而且，就算我真的下得了手，但却仍然未必能知道紫嫣的下落。

墨月的倔强脾气我可是领教过了，突然，一个邪恶的念头在我脑中一闪而过。

我嘴角挂着一丝饱含深意的笑容，捏着墨月柔嫩的面颊，道："你真的不说？"

墨月看到我的笑容，没来由地心中一紧，但嘴上仍然强硬地道："不说。"

我猛地抓住她上身的皮甲，右臂压在她的锁骨上，低下头，脸对脸地问道："我再最后问你一遍，说，还是不说？"

墨月的神情有些惊慌，我身上散发出强烈的男人气息熏得她有些发晕："你，你要干什么？"

我诡异地一笑，不怀好意地上下打量着她曼妙的胴体："你说，男人对女人能干什么呢？你派人杀掉我那么多兄弟，又劫持了紫嫣，我承认，我现在确实拿你没什么办法，我不能杀了你，也不能伤害你，但是，我却可以毁掉你最珍贵的东西。现在你告诉我紫嫣的下落还来得及。"说完，我左手搂住她的柳腰，感受着她全身那惊人的弹性。

剧烈的身体接触使她俏脸变得通红，墨月眼中流露出了恐惧，咬了咬嘴唇，道："好，我告诉你，不过，你要先放开我。"

我见自己的计谋得逞，心中不由得一阵得意，我就知道没有女人是不在乎自己的贞操的。

我站起身形，一把将墨月从地上提了起来，将她按在树上，看着喘息急促的她。

"说吧。"

"你先放开我啊。"

我伸了伸双手，道："我又没绑住你，谈什么放？"

墨月满脸怨恨地瞪着我吼道："解开我身上的禁制啦。"

我伸手按住她的肩膀，将她体内的禁制解开，警惕地看着她道："你最好别耍什么花样，否则的话……"

墨月一边活动着有些僵硬的身体，一边狠狠地瞪着我，"你这个下流的无赖，竟然这么对女孩子。你是流氓。"

我冷哼一声，道："为达目的，不择手段，向来是我的座右铭。我就是流氓，你能拿我怎么样？快说，紫嫣在哪里？"

墨月叹了口气，道："我认栽了，没想到，用了幽蓝鬼针仍然奈何不了你。哎……你要保证，我告诉你她的下落后不能伤害我。"说着，她脸上流露出凄然的神色，好像真是我欺负了她似的。

我心中一软，道："我答应你，只要你说出紫嫣的下落，绝不伤害你一根毫毛。"

墨月嘟着小嘴，委屈地道："紫嫣，她就在……"她后面的声音很低，我不得不把耳朵贴过去，"什么？你说清楚点。"因为急于得到紫嫣的情况，让我放松了警惕。

墨月把嘴凑到我耳朵旁，低声道："紫嫣，她就在……你去死吧。"我感到腹部一阵剧痛，一股大力传来，将我猛地抛飞。

我感觉自己的肠子仿佛都纠结在一起似的，剧烈的疼痛使我脸色变得苍白。

真是最毒妇人心啊！我赶紧催动起狂神斗气，调理着体内的气息。这才舒服了一点。

墨月当然不会就这么放过我，抓起自己的窄剑就冲了过来，但由于刚才曾被我打伤了，她的速度慢了许多。

我一手捂住肚子，一手用墨冥连续抵挡着她的进攻。

由于肚子的剧痛，我无法使用狂神拳法，万不得已的情况下，我吟唱起了暗黑魔法咒语："伟大的黑暗之神，请您将无穷的力量降临人间，化为无尽的魔力束缚住眼前的敌人吧——暗之束。"

随着吟唱，我的身体逐渐散发出浓厚的黑色雾气，一圈圈地罩向墨月。

墨月突然感觉到自己的速度逐渐变得慢了下来，每挥出一剑都需要耗费巨大的力量。

终于，被我抓住机会，墨冥一下横扫，将她的窄剑打得飞了出去。

我一脚踢倒墨月，奋力扑上去，压住她的身体。对于这个狠毒的女人，我再也没有一点怜惜之情。暗之束的能量使她移动越来越困难，只能在我身下扭动挣扎。

强烈的恨意从我心底狂涌而出，淹没了我的理智。我几下将墨月身上的皮甲扯了下来，露出里面月白色的内衣，我猛然吻住她的芳唇，她的眼睛瞪得大大的，瞳孔逐渐散乱。

一股兰花的清香从她的樱桃小嘴中传来，使我本身就迷乱的神志更加混浊。墨月虽然尽力地挣扎着，但她发现自己根本没有力量抵抗我的进攻。

我的吻不断落在她的脸上、脖颈上，从我身体里传出的热量，使她全身一阵阵发软。

墨月呻吟着喊着："别，别这样，我告诉你紫嫣的下落。我根本就没有抓到她，饶了我吧，我没抓紫嫣。"

我猛地抬起头，一把抓住她的头发，恨恨地道："你以为，我还会相信你的鬼话吗？我要为因你而死的兄弟们报仇。"

在墨月的惊呼下，我将她身上的衣物完全撕扯掉，露出了她完美的身躯。

如此香艳的景象强烈刺激着我的大脑，我再也顾不上什么后果，在强烈的恨意和欲望的催使下，毫无顾忌的我向着墨月发起了最原始的进攻。

虽然我还是第一次，但原始的欲望和本能不断地催动着我的身体。

在墨月的哭喊声中，我们两个堕落天使合为了一体。

强烈的肉体刺激，加上报复的快意，使我的身体无比地兴奋。我紧紧地抱着墨月完美的娇躯，完全沉浸在与墨月的交合之中。在这一刻，仿佛世间的一切都再也与我无关。

撕裂般的疼痛使墨月全身痉挛起来，虽然有暗之束的约束，但她的双手仍然抓破了我后背的皮肤。

大滴大滴的眼泪不断从她眼中流出，随着我的冲击，她发出一声声惨叫。

渐渐地，她的惨叫声逐渐弱了下来，呻吟声逐渐取而代之，她的呻吟中包含着痛苦、绝望、懊悔，也包含着……

夜色弥漫，在这荒无人烟的树林里奏响了原始的乐章，浓浓的春意为这寂寞的荒林带来一股暖意。

终于，在一阵强烈的攻击后，我和墨月同时痉挛起来，达到了欲望的巅峰，在那一刻我们的脑中都出现了暂时的空白。

当从没有过的舒爽感逐渐退去的时候，我突然感到一股无可抵御的巨大暗黑魔力从墨月体内狂涌而出，瞬间充斥着我的身体。我想将她推开，但是，却软绵绵的，一点力量也使不出来，强大的暗黑能量和我体内本身的能量瞬间融为一体，在我体内的经脉中疯狂地肆虐着。

墨月和我的情况好像差不多，脸上一阵阵发青，强大的能量一次又一次地冲向我们的心脉。

墨月突然痛呼一声，昏了过去。我脑中一惊，现在的情况根本是我无法想象的。

那股我见过的最强大的能量不断在我和墨月的身体里进进出出。由于经脉的超负荷，细密的血珠逐渐从我们的皮肤中渗出。我知道，再这样下去，我们只有心脉爆裂而亡。

强大的暗黑魔力虽然快将我逼入死境，但也使我的头脑更加清醒，我突然想到墨晶对心脉有保护作用。

时间已经不允许我多思考，我勉强运起体内的狂神斗气，将飞速运转的暗黑魔力挡了一挡。趁此机会，我迅速抬起右手，从怀里掏出两颗墨晶，一颗塞进墨月的嘴里，另一颗塞进自己的口中。

我刚把墨晶塞入口中，暗黑魔力已经将我的狂神斗气完全冲散，巨大的能量使我再一次陷入了僵卧的境况。

但我的努力并没有白费，墨晶入口即化，一股温暖的能量流入我的经脉中，使我体内的经脉暖融融的，暗黑能量仿佛也不再那么凶猛了。墨月的俏脸也有了一丝血色。

我最后的行动拯救了我和墨月的生命。墨晶有洗筋易髓的功效，在它的作用下，不但护住了我们的心脉，也使我们体内的经脉更加坚强。

我突然发现，那股暗黑魔力在运转中能量越来越强，每一个循环它都能积聚更多的能量。

当暗黑魔力膨胀到我再也无法承受的时候，我感觉到自己仿佛爆炸了似的，眼前一阵空白，昏倒在墨月身上。

我和墨月发生的事，即使是天魔诀的创始者路西法亲临，恐怕也无法搞清原因。

天魔诀本身只能由男子修炼，而魔皇由于对自己爱妃的惨死伤痛欲绝，将全部的爱都转移到了墨月身上。为了能让女儿变得强大起来，他不惜损耗自己的功力，利用墨晶为自己的女儿改造了身体，强行帮墨月打通了经脉，使她的体质可以修炼天魔诀。

但这毕竟是逆天而行，墨晶虽然具有超凡的魔力，但仍然不能将墨月的经脉完全改变，虽然墨月在魔皇的帮助下修炼到了第四层天魔诀，完成了堕落天使变身，但是，她也只能停留在这个地步，永远无法前进。

而我从很小的时候就开始修炼天魔诀，凭借着天生的体质和奶奶的死对我的刺激，修炼非常刻苦，经过了六年的勤勉苦修，使得体内的暗黑魔力非常精纯，也让我在小小年纪就达到了天魔诀第五层境界。

这次我和墨月的合体，是天魔诀功法诞生以来第一次出现由两名异性修炼者结合的情况，而且我们都具有异变堕落天使的能力。

墨月虽然改变了经脉，但她毕竟还是女性，又是处女，属于纯阴之体；而我可以修炼狂神斗气本身就决定了我必然是纯阳之体，而又阳气未泄。我们的纯阴、纯阳之体在阴阳交合达到顶点之下，体内的暗黑魔力骤然融合为一体，暗黑魔力以几何倍数瞬间增长着，由于阴阳互补产生的巨大能量根本就不是我们所能承受的。

在暗黑魔力的巨大冲击下，我保持了一丝清醒，及时和墨月吞服了墨晶，将经脉护住，这才保住了我们的性命。

这次奇遇，也使得我和墨月在天魔诀的修炼中达到了无可比拟的突破，墨月体内的经脉也完全被暗黑魔力改造成可以继续修炼的体质。

墨月被一阵胀满的疼痛惊醒，发觉身上压着一个死沉死沉的身体，猛然尖叫出声，双手猛推。

她的惊叫唤醒了我，从墨月手中传来一股巨大的能量，我的身体猛地和她分开，连续撞倒几棵大树，停在百米之外。

墨月捂着自己的下体蹲了下来，看到地上的片片落红，她脸上一阵发红，骤然的分离带给她强烈的疼痛。

而我又何尝不痛，而且是全身都痛。我发现，我们已经恢复了本来面貌，不再是堕落天使的形象。

墨月看我的眼神有一些迷惘，就那么怔怔地盯着我。我也发现了自己的窘境，除了那件马甲以外，我全身都赤裸着。

我发现，虽然刚才墨月将我推出去的一击很重，但我却只是一阵疼痛而已，并没有受伤。

看着墨月，我大脑一阵空白，一时间根本无法思考，但我知道，我对她，再没有了恨意……我的衣服就在墨月旁边，本能驱使着我向她走去。

只是轻轻向前迈出一步，我没有变身的身体竟然飘了起来。墨月顿时惊叫道："你别过来！"

我也很奇怪为什么会出现这种情况，赶忙定住身形，但用力过猛，使我一个趔趄，险些摔倒在地。

我苦着脸道："我，我的衣服在你边上。"

墨月"啊"了一声，粉面通红，一把抓起我的衣服向我扔了过来。一团轻飘飘的衣服在墨月的投掷中竟然向一颗能量弹般向我飞来。我大惊之下，赶忙双手抬起，运转能量。能量一动，我惊讶得差点叫出来，体内的狂神斗气处在最佳状态，而暗黑魔力竟然比以前强大了不知多少。当衣物飘到我眼前的时候，我觉得它的速度非常慢，也毫无威胁，只是轻轻一伸手，就将它们抓了下来。

我顾不上理会暗黑魔力的变化，飞快地穿上衣服，而远处的墨月仍在愣愣地看着自己柔嫩的小手。

我悄悄地走过去，捡起她的皮甲，递到她面前，柔声道："来，穿上吧。"

墨月身体一震，看到是我，顿时怒喝道："你滚开。"一把将自己的衣服抢了过去。

我转身走到一旁，背对着她，我为什么会做出这种禽兽行为，这是为什么？我这么做如何对得起等待我的紫雪和紫嫣。

而且，就算墨月再不对，我也不应该毁掉她的清白啊，一个女孩子最珍贵的东西被我无情地夺走了，我真是个畜生……

我痛苦地抓住自己的头发，不知道如何是好。

我突然听到身后脚步声响起，回头一看，墨月正蹒跚着一步一步向外走去。

"墨月——"我叫了一声。

墨月停了下来，慢慢地转过身体，看我的眼神中充满了恨意，咬牙道："我恨你。"说完，仍然一步步向外走去。

我飘身上前，一把拉住她的手臂："墨月，我……"

墨月眼中噙满了泪水，扭头盯着我，嘴唇颤抖地道："你，你还想怎么样？我的一切都毁在你手里了，我知道我打不过你，但总有一天，我会报复的。你的紫嫣我根本就没有动过，手帕是我第一次抓住她时，从她身上拿到的。松开我。"难道她昨晚来找我就是为了报复吗？

在她仇恨的注视下，我不自觉地松开了手。

墨月仍然一步步蹒跚地向前走去。

看着她的背影，我心中没来由一阵阵绞痛。我对这个女孩并没有感情，但是，我却和她发生了肉体关系，我以后要如何去面对她？如何面对紫嫣姐妹？我……

墨月的身影已经消失了，我一步步朝着另一个方向走去。虽然我知道自己的能力提高了很多，但我现在没有任何心情去追究它提高的原因，我只想重新回到昨天晚上，狠狠地将昨天那个侵犯墨月的自己毁灭。

我不知道自己是如何回到斯坦拉城的。刚到城下，就被城上的比蒙士兵发现了，他及时通知了猛克。还好，我是从斯坦拉城的侧门进来的，否则，我现在这狼狈的样子被其他几族的兽人看到，真不知他们会怎么想。

猛克亲自打开城门迎了出来，一把拉住我，急道："四弟，你跑到哪里去了，我都找了你一早上了。你怎么这么狼狈？是不是遇到敌人了，还是魔族派人袭击了你?"

我摇了摇头,道:"三哥,我好累,我想休息一下。"

猛克关心地问道:"四弟,你怎么了,你的精神很不好啊。"

我叹了口气,道:"三哥,别问了,好吗?我不想说,现在只想先休息一下,正午不是还要和魔族签合约吗?"

猛克点头道:"好吧,签合约的时候我再叫你吧。"

墨月回到魔族大营,悄悄地回了自己的营帐换了一身干净的衣服。

她心中的感觉五味杂陈,说不出是什么感觉。雷翔在她心里的形象越来越难以琢磨。

从最开始的印象到昨晚的情景,墨月到现在都没有弄清楚雷翔在她心中的地位。

走出营帐,墨月看着正在冉冉升起的旭日,心中一阵迷惘。

"啊,我的小祖宗啊,你上哪里去了?快急死我们了。"古云和古风跑了过来。

墨月看了他们一眼,有点心不在焉地道:"哦?找我干什么?"

古风没好气地道:"小祖宗,你昨晚给我们玩了个失踪,我爸差点没吃了我们两个。他可是把你交给我们保护的,如果你再不出现,恐怕整个魔族大营都要翻过来了。快,走,跟我们去见父亲,我可不想让他老人家给吃了。"

墨月冲两人探了探身子,道:"对不起了,两位古哥哥。"

她的话引得古风兄弟面面相觑,向来调皮捣蛋的墨月公主什么时候变得这么有礼貌了。

古云小心翼翼地问道:"小公主,你没事吧?"

墨月淡淡一笑,道:"我没什么,不是要去见古叔叔吗?咱们走吧。"

来到帅帐,古川看到墨月平安归来,大大地松了口气:"月儿,告诉叔叔,你昨天晚上到哪里去了?急死叔叔了。"

墨月低头道:"对不起,叔叔,给您添麻烦了。"

古川和他两个儿子反应一样,也被温和的墨月吓了一跳,关切道:"月儿,你是不是有什么不舒服?"

墨月抬起头,勉强一笑,道:"我没什么不舒服,叔叔,您放心吧。我只是有些想念父皇,想现在就回魔都去,行吗?"

一向玩心极重的墨月会想念魔皇?古川甚至怀疑自己是不是听错了:

"乖月儿，这样吧，今天正午和兽人谈好了协议咱们就回魔都，你要现在走的话，叔叔怎么能放心呢?"

墨月看了看古川，点头道："好吧，那我回营帐等您的消息。我先走了，叔叔、两位哥哥再见。"说完，一转身，出了帅帐。

古川三父子大眼瞪小眼地互相看着，对于墨月的变化，谁也说不出个所以然来。

正午，在斯坦拉城和魔族军营的中央，我、父亲、金银、盘宗、猛克傲然挺立在这片空旷的平原上，对面是古川以及他的两个儿子古风和古云。

在来这里之前，我发现自己的暗黑魔力跳过了第六层，已经进入了第七层的境界，也就是说，我现在可以和古川一样，进行四翼堕落天使变身了。

第五十章　得胜而归

虽然功力大进，但我却没有丝毫喜悦，墨月的事始终像一块大石头压在我心头。

当古风和古云看到我时，两人并不是太惊讶，只是眼中全是询问的目光，我只能回给他们一个无奈的眼神。

对这对重情重意的兄弟，我还是很有好感的，以后有机会，一定要向他们解释清楚。

古川有些疑惑地看了看表情丰富的我，又回头看了看他两个儿子。

古风和古云噤若寒蝉地低下了头，显然对自己的父亲非常惧怕。

古川冲我父亲道："这位人类小伙子和你们兽人有什么关系？"

父亲一愣，道："素察没告诉你吗？他可不是人类，他叫雷翔，是我的第三个儿子。由于他母亲是人类，所以具有人类的血统和外表，但他也同样具有我比蒙一族的优秀血统。"

古川惊讶地上下打量着我，从他的眼神中不难看出他心中的疑惑："原来是你的儿子。听素察的残部说，我们先前的二十万大军被破，和他有很大关系啊。"

父亲点头道："当然，我比蒙一族都是最英勇的战士。不怕告诉你，此次突袭都是由雷翔主持的。我老了，今后，他会继承我的职位成为兽人族的最高统帅。"说到最后，父亲脸上流露出一丝沧桑和疲倦。

不光古川吃惊，连我也大吃一惊，上前一步，急道："父亲，您……"

父亲抬手阻止我发问，对古川道："古兄，咱们开始吧。"说着，从怀中拿出两份早已准备好的和约。

古川接过和约，大概看了看，点头道："好，在天地万物的见证下，我古川代表魔族——"

"我雷奥代表兽人族——"

两人齐声喝道："签署这两族之和平条约，如有违背，天地厌之。"

两人分别咬破自己的手指，在空中画出一个血符。两个血符在空中交融，闪烁着白色的光芒。两人同时举起手中的和约书，白光分别在合约书上印上了一个华丽的印记。

光芒渐渐消失了，古川冲父亲伸出右手，父亲弯下腰，同样伸出右手和古川对击三下。

"好，我的部队已经准备好了，回去后，我们会立即后退五十里。"

父亲点头道："我们兽人一定会遵守自己的诺言。那个总督，我会把他留在他自己的府邸内，你们自己处理。"

古川满意地笑笑："青山不改，绿水长流。雷兄，咱们后会有期。"说完，带着他的两个儿子转身朝自己的营地走去。

古风和古云临走时，还盯着我看了几眼。我传音给古风道："古大哥，以后有机会再向你们解释吧。"

我说话的时候，发现古川耳朵动了动，难道我逼音成线他都能窃听吗？

父亲道："咱们也回去吧。"

盘宗叹了口气，道："终于结束了，我从出生到现在从来都没有像这两个月这么累过。"

金笑道："我却觉得结束得太快了，我们都没玩过瘾呢。"

父亲看了看金，道："以后有的是机会，大陆上的战争是不会停止的。"说完，第一个向斯坦拉城走去。

自从上回父亲帮金银和盘宗恢复体力后，金银已经不再那么仇视他了，闻言耸了耸肩膀。金把胳膊搭在我肩膀上，道："走，回家喽。"

我看了看魔族大营，墨月仿佛在那黑色的营盘中用怨恨的眼光注视着我，唉……强烈的愧疚感在我胸口蔓延着。

难道我要向父亲对母亲那样对待墨月吗？不，绝不，虽然她是我的敌人，但我绝对不能这样伤害墨月，可是，我该怎么办呢？

"走吧。"

虎人、熊人、豹人、半人马四大种族还没有参战就被命令撤退，当然有点不满意，但有父亲压着，他们也无话可说。

就这样，我们四大军团和其余四种族从斯坦拉城开始撤离。

父亲把我叫到他身旁，道："雷翔，你今天的气色好像不太好，昨天晚上你干什么去了？"

我低着头道："我去城外走了走，一晚没睡，所以精神有点不好。"

"抬起头和我说话。"父亲的声音威严有力。

我抬起头，父亲眼神凌厉地瞪着我道："你是不是和古川那两个儿子有什么关系？今天签署和约的时候你一直和他们眉来眼去的，临走还传音过去。"

"啊！"父亲的洞察力让我惊讶，"我和他们没什么关系，只是以前在龙神的时候见过。说起来，我还救过他们一次，当时编谎话骗了他们，自然认识了。"

"这件事我可以假装不知道，不过，以后不要和魔族有太多的瓜葛。我们两族已经交恶，陛下是很敏感的。虽然现在他对你很好，但如果你做出了对他不利的事，他会毫不手软地除掉你。暂时有我在，他不会拿你怎么样，但兽人族在一天天强大，他手中的实力也在不断增强，等我死了以后，就再没有人能制约他了。他将会像龙神帝国的国王一样真正地统治整个兽人，所以，你一定要小心，知道吗？"

"父亲，您把心里的话说出来吧，如果有什么事，说不定我可以帮得上忙呢。"

父亲摇了摇头，道："以后你会知道的。好了，咱们也该回自己的家了。"

魔族大营。

"报，兽人已经开始撤退了。"

古川挥手让侦察兵退下，转首看着古风、古云道："老比蒙是个信守承诺的人，这点不需要咱们操心了，总算完成了陛下交代的任务。古风、古云，你们两个是不是认识那个叫雷翔的年轻人？"

"啊！不，不认识。"

古川眼中射出两道凌厉的光芒，皱眉道："是吗？别以为我不知道，在我和比蒙王和谈时，你们与那小子眉来眼去的，说，是怎么回事？虽然你们是我的儿子，但如果你们危害到魔族的利益或者危害到陛下，我会毫不犹豫地大义灭亲。"

从小的积威使得古风兄弟对古川极为惧怕。在他逼问下，古风战战兢兢地道："是这样的，我们以前遇到过他，您还记得上回我们说有个神秘人帮我们杀掉了素察派来的四个堕落天使吗？就是他。回去后因为他不让我们泄露他的身份，我们才没告诉您，不过，我们确实不知道他是兽人啊。所以刚才我们看到他的时候非常惊讶，想问他是怎么回事，可是您在和比蒙王谈正事，我们又不好说……"

古川脸色稍微缓和了一点："希望你们说的是实话，那个小子给我的感觉很可怕。刚才我仔细打量过他，看不出深浅。如果以后我们再和兽人作战，他必将是我们最大的威胁，能够杀掉四个堕落天使，那他的实力……好了，你们下去准备一下，我们要去接收敦德行省了。"

"是，父亲。"古风兄弟同时松了口气，他们宁愿面对千军万马，也不愿意面对自己这位严厉的父亲。

当我们回到皇都的时候，整个兽人都城完全沸腾了，大街小巷都挤满了人群，欢迎我们凯旋。

我和父亲走在最前面，我们身后是九百多名比蒙巨兽战士，我们是第一批进入皇都的部队，在我们后面分别是猛克率领的狂狮军团、盘宗率领的蟒蛇军团、金银率领的迅狼军团。

虽然这次战役四大军团都有一定的损失，但胜利归来的战士们各个昂首挺胸，不可一世。

我们经过的街道两旁响起一阵又一阵的欢呼声。

一个居民问旁边的人道："咦，比蒙王大人身边的那个人是谁啊，怎么好像是个人类？"

"不知道了吧，那是比蒙王大人的第三个儿子，雷翔大人！由于他有人类的血统，所以长得像人类，但他可是地地道道的比蒙。听我一个狼族的朋友说，这次战斗多亏了他的有效指挥才能胜利归来的。打得魔族那群堕落天使哭爹叫娘的，真是太痛快了。"

"是吗？不过我好像听说这次战斗是比蒙王大人指挥的啊！"

"名义上是，不过，雷翔大人是总军师，听说好多事都是他决定的。陛下已经收雷翔大人为干儿子，并赐封为睿亲王。有了比蒙王大人和雷翔大人，咱们兽人国一定会越来越兴盛的。比蒙王大人万岁，雷翔大人万岁。"

"比蒙王大人万岁，雷翔大人万岁。"

…… ……

"啊，后面蛇人前面带队的是什么人，怎么有九个蛇头？好恐怖啊。"

"你懂什么，那是蛇族的九头圣大人。听说，他一个人就退了魔族十万大军呢。"

"这么厉害？"

"当然了，还有，后面那个双头狼，是狼族的狼神大人，也是非常厉害的高手，这回袭击魔族敦德行省，主要就是靠他们带领的蝰蛇军团和迅狼军团辅助比蒙王大人率领的比蒙、狂狮两个军团，才能这么快取得胜利。咱们兽人现在也有高手了，再也不用怕人类的龙骑士和魔族的堕落天使了。"

"啊，太好了，我也要参军……"

父亲感慨地对我道："我记得上一次接受这种欢迎还是我继承比蒙王位的时候，胜利对咱们兽人来说太重要了。"

我点头道："是啊，只有不断的胜利才能让咱们兽人迅速地发展起来。以后，咱们再也不用担心被魔族压迫了。"

"儿子。"

"嗯。"

"我决定了。"

"啊！什么？"

父亲郑重地道："我决定听你的建议，将比蒙王的位子传给你大哥雷龙。当然，不是现在，但我会向陛下请求，等我死了以后让雷龙继承我的爵位。"

我心中一喜，道："是什么让您这么快决定的呢？"

父亲深深地看了我一眼，道："是你。"

"我？"

"是的，因为，我相信你的眼光。以前，我从来没有想到过，原来我最出色的儿子竟然会是你这个不具有比蒙形象的小子。但这次从前线归来，我知道，光靠勇力是无法让兽人强大起来的，以后你大哥接替了我的位子，你要好好帮助他。"

我点头道："我会的，父亲。可是，雷虎怎么办？"

父亲眼中闪过一丝寒光，道："如果他能够改掉自己的毛病，我自然很高兴，他仍然是比蒙军团副统领，否则……他的事你就不用管了，我会处理的，他让我太失望了。"

"上次杀了他母亲，我现在也有些后悔，那时的我太冲动了。"

父亲看了我一眼，没有说话。

兽皇宫宫门前铺了一里多的红地毯，两旁张灯结彩，鼓乐喧天；狂狮军团的士兵整齐地排列在两侧，高举着手中的长刀向我们致意。

"兽人的英雄们，欢迎你们凯旋。"兽皇亲自带着百官在皇宫门前迎接我们。

我们赶快上前一步，刚要跪倒，兽皇一把搀住我和父亲，道："别多礼了，我可受不住英雄们下跪，哈哈。走，咱们里面说去。"

我们的胜利使兽皇异常兴奋，他终于快要得到自己最想要的东西了。

兽皇亲自将我们这些功臣迎进了大殿。这里，早已经备好了丰盛的宴席，整个大殿到处都充满了喜庆的气氛。

兽皇让我、父亲、盘宗、金银、猛克以及到前线支援我们的四大族族长和他坐在一桌，其余低层将领则由文武百官陪同着。

兽皇端着酒杯站了起来，大声道："来，让我们敬凯旋的英雄们一杯。"

我们赶忙站起，一同喝掉了杯中酒。

兽皇频频亲自布菜。他的样子就像一个刚刚结婚的新郎一样，兴奋之情，溢于言表。

酒席进行到一半，父亲低声对兽皇道："陛下，臣有些累了，想先回去休息，这里让雷翔他们陪您吧。"

兽皇放下酒杯，愕然道："贤弟，今天是大快人心的日子，这么高兴，为什么不多喝几杯呢？"

父亲叹了口气，道："常年征战，让我感觉很疲惫，您就饶了我吧。"

兽皇释然道："贤弟，这些年真是辛苦你了，为了兽人族，你付出的太多了。好吧，你就先回去早些休息，待会儿我会让人给你送些补品过去的。"

"谢陛下。"父亲转头嘱咐我道："你陪陛下多喝几杯，我回府了。"

"父亲？"

父亲摆了摆手，站了起来。

兽皇也跟着站了起来，大声道："为了我们兽人的胜利，雷奥贤弟付出了非常多的努力，如果没有他，就没有兽人的今天。常年的征战让我们的英雄有些疲惫了，大家一起欢送我们的比蒙王回府。"

"恭送比蒙王殿下。"

酒宴进行了很久，直到深夜才结束，有些微醺的兽皇拉住我道："雷翔，你等会儿再走，父皇有话对你说。"

"是，父皇。大哥，你们先回去吧。"

盘宗看了我一眼，冲我使了个眼色，一把抄起已经喝得烂醉的金银先离开了。

我搀扶着兽皇回到他的寝宫。兽皇坐在椅子上，抓住我的手道："孩子，这回你为兽人立下了汗马功劳，告诉父皇，你有什么想要的，父皇一定满足你的要求。"

"父皇，您有点醉了，早些休息吧，有什么事明天再说。"

兽皇醉眼蒙眬地道："谁说我醉了，那点酒能让我喝醉吗？本来今天我想邀请你母亲也过来的，可她说有你父亲在她不想来，我也没勉强她。孩子，谢谢你啊，我已经命人给你在皇宫北面建造睿亲王府，以后，你就有自己的地方住了。不过，王府大概还要些时候才能完成。"

"谢谢父皇，可是，我在这里已经住得很好了，不用耗费……"

"唉，这是你应该得到的，我真的有点醉了。其他的事明天再说吧，明天早上你来御书房见我。"

"是，父皇，那您早点休息，我先回去了。"

"嗯。"

我转身出了兽皇的寝宫，已经两个月没见母亲了，不知道她怎么样。

我离开后，兽皇站了起来，他的眼神变得很清澈，刚才的醉意仿佛在顷刻间消失了。他看着我离开的方向，低声叫道："影子。"

一个黑影闪了出来："陛下。"

"查得怎么样了，雷翔有什么异动吗？"

"我查过了，他没什么异动。不过，现在他好像非常受欢迎似的，他回皇都时，整个街道上都喊着他和比蒙王殿下的名字。而且，听我们的人说，在和魔族谈判时，比蒙王殿下曾经表示雷翔将接替他以后兽人统帅的位子。"

兽皇哼了一声，道："这是他能做主的吗？不过，我看雷翔这孩子不错，确是兽人的栋梁，以后统帅这个位子迟早是他的，有他在，说不定我能一统大陆呢。"

"我也认为雷翔是个人才，他能以六万人拖垮魔族素察亲王二十万大军，必然有过人之处，而且也很忠心。不过，您最好现在不要给他太大的权力，也不要让他在兽人中的影响太大，否则，以后不容易控制。"

"嗯，这个我早就考虑过了，我知道该怎么做。雷翔我信得过，我会尽力让他为我兽人效力的。即使在龙神帝国，恐怕也没有几个像他这样的人才吧。人才难得啊，暂时他还在我的控制之下，我会重用他的，我最喜欢像他这样没有什么野心的人。只是，他的玩心太重，曾经向我提出过兽人国统一后要离开。"

"离开？"

"嗯，我是不会让他轻易离开的，否则，如果被别国所用就麻烦了。"

回到母亲居住的院落，静悄悄的，熟悉的花草气息让我又找到了回家的感觉。母亲正坐在院子里等着我。

我快步走到母亲跟前："母亲，我回来了。"

"嗯。"母亲踮着脚帮我梳理了两下有些散乱的头发，"我早就听说了，我的英雄儿子。累了吧，你比走的时候瘦了。"慈母温馨的话语让我眼圈一阵阵发红。

"母亲，我不累，我走的这段时间您好吗？身体怎么样？"

母亲微微一笑，道："我很好，你看。"说着，母亲左手一挥，一层淡淡的柔和的粉色光芒出现在她手上，气流波动虽然很微弱，但很明显，母亲修炼的斗气已经有成果了。

我惊讶地道："母亲，您真是个练武的天才啊，才不到一年的时间您就有了这么大的进步。"

母亲得意地一笑，道："现在我才知道修炼这东西并不难，只要你明白了法诀的内涵，按照诀窍慢慢来，自然而然就能进步。"

"恭喜您了。啊，对了，大哥他们呢？"

"他们啊，都喝多了，已经睡了。天都这么晚了，你也早点休息吧。"

"母亲，我有点事想告诉您。"

"嗯，你说吧。"

"这次突袭魔族，我发现父亲他好像有点不对……"

母亲猛地抬头怒视着我，提高声音道："不要在我面前提他，我不想知道他的任何事。"

"母亲，我……"

"行了，不要说了，你早点去休息吧。"说着，母亲拂袖而去，回自己房间去了。

看来，她对父亲的仇恨丝毫没有回旋的余地。我叹了口气，回自己的房间休息去了。

清晨，我来到兽皇的御书房见他。

"儿臣参见父皇。"

兽皇慈祥地道："来了，坐吧。"

"在您面前我怎么能坐呢？昨天您说有事找我，您吩咐吧。"

兽皇显然很满意我的态度，点头道："是这样的，你这一阵子太辛苦了，兽神教已经逐渐上了轨道，国内的大部分地方已经开始推行耕作和生产，我已经和虎人、豹人、熊人、半人马四个种族商量过了，他们决定支持我推行兽神教。我决定待会儿就宣布兽神教为国教，并在各个行省设立兽神殿，你看怎么样？"

我想了想道："我觉得没什么问题。这次咱们成功地打败了魔族，您的威信已经达到了一个前所未有的高度，趁这个机会加速发展兽神教是个很好的选择。有了四大族的支持，加上狼人族和蛇人族，您现在已经可以完全控制整个兽人国中的大部分实力了。"

"是啊，多亏你当初的好主意，我从来没有像现在这样感觉到整个兽人国完全在我的控制中。我想，兽人国强大起来，只是时间问题而已。能有现在的境况，你的功劳最大。你也累了，最近多休息休息，剿灭盗匪的事，我会让其他手下去做。"

我心中一惊，难道兽皇对我有什么猜忌不成？否则，他为什么停止我的任务呢？

心中一动，顿时明白是因为我的声望在飞速提升的原因。

我不动声色地道："谢谢父皇对儿臣的关爱，我也想多陪陪母亲呢。如果您有什么用得着我的地方，尽管吩咐。"

兽皇笑道："你是我兽人国中最优秀的人才，你的用武之地有的是。不要怀疑父皇的目的，父皇只是觉得让你继续剿匪太大材小用了。你的府邸再有两个月就可以完工了，到时候你就带你母亲住进去。对了，你觉得你手下那个猛克怎么样？"

"猛克？很好啊，他为人憨厚老实，功夫也不错。他不是我的手下，现在我们结拜了，他是我的三哥。怎么，父皇想重用他吗？"

兽皇沉吟道："以前他在秘密训练中表现一直不错，这次又有你的推荐，我想让他代替你去剿灭盗匪，你看行吗？"

兽皇要重用猛克当然是好事。我知道，以后我如果带着母亲回龙神的话是不能带着猛克的，趁此机会让他表现一下，将来一定可以平步青云的，于是说道："我觉得只要不遇到像大哥、二哥这样的对手，猛克完全可以胜任剿灭盗匪的任务。"

"好，那就这么决定了。"

"父皇，既然我没什么事可做，您是否能让我带着母亲离开这里？说实话，如果不是为了能让兽人国强大起来，我真的不愿意入朝，我是一个野惯了的人。"

兽皇皱眉道："雷翔啊，你还是生父皇气了吧，是不是对父皇的决定不满意？在这个关键时刻你怎么能离开呢？我不是说过吗？还有许多需要你的地方。"

我赶忙摇头道："父皇，我绝对没有生您的气，我说的都是真心话，当官真的不适合我。"

兽皇道："既然你不愿意当官，以后就住在你的亲王府里不是也很好吗？何必非要离开呢。这件事先不要提了，我是不会批准的，一切等兽人国稳定下来再说吧。"

兽人国现在确实还比较动荡，而且我和母亲约定的是三年，现在还早得很，于是我也不再坚持，躬身道："是，父皇。"

兽皇听我答应了，顿时恢复了笑容："走，跟父皇上朝去，我要宣布几件事。"

…… ……

"陛下万岁、万岁、万万岁。"

兽皇端坐在皇座上，我站在他身侧，本来我也应该在下面参拜，但兽皇执意要我在他身边，我也只好从了。

"众爱卿平身。昨天，我们兽人族的英雄们已经凯旋，我非常高兴。从现在起，我们兽人国再也不用臣服在魔族脚下了。今天我要在这里宣布几件事，第一，从今天开始，兽神教将成为我兽人国的国教，并且会在各个行省设立兽神殿，以便平民们参拜。而我，将是兽神教第一任教主，雷翔、猛克为副教主，由猛克负责日常教务。大家有什么意见吗？"

我心中一惊，我可没想到兽皇会直接把猛克推上这个高位。

这里几乎都是兽皇的亲信，再加上新近归顺的四大种族，当然不会有人反对了。

看来，兽皇肯定是对四大种族许以厚利，否则，这种剥夺权力的事他们怎么会轻易同意呢？

兽皇满意地看了看下面的臣子们："好，第二，从现在开始，兽人的各个种族开始全力发展耕作和生产，我会命令兽神教派遣各种技术人员帮助你们，就从虎人、豹人、熊人、半人马四个种族开始。四位族长，你们应该都看到了皇都周围的情况。如果想让你们的种族发展壮大，就必须先让你们的子民富裕起来。"

四族族长同时上前躬身道："是，陛下。"

顷刻间，我明白了兽皇的意图，他是想笼络兽人中最大的四个种族，再加上蛇人和狼人两族的力量，就可以控制整个兽人国绝大部分的实力，然后再利用新收的四个种族去剿灭那些不听命令的。

那样，整个兽人国将会在最短时间内归于一统，虽然这样做可以在短时间内达到最终的目的，但是，我总觉得不如慢慢渗透来得踏实。

这样做的结果只会产生一个强权，而不是真正的万众归心，可兽皇既然已经这么做了，即使我反对也是没有用的。

算了，不管怎么说，兽人国一统也是好事，兽皇也是个不错的君主，以后我再多劝他施行仁政也就是了。

这一切都要等兽皇帮助四大种族先发展起来才可进行，总还需要一段时间，希望其他种族能够在这段时间内看清形势吧。

"在昨天，我们尊敬的比蒙王向我表示，希望在他百年归老后，能由他的长子雷龙接替他的爵位，我已经同意了。同时，他决定正式让出自己现在的职位，而比蒙王的三子也是我的干儿子雷翔将成为我兽人国部队的总指挥官，今后的一切军事将由他主持。"

兽皇的话像晴天霹雳一样惊得我呆住了。回过神后，我赶忙上前一步，跪倒在地，道："父皇，此事万万不可。"

父亲是什么时候和兽皇沟通的，我可是一无所知啊，这么重要的位子怎么会落在我身上呢？

兽皇皱眉道："为何？"

我解释道："首先，儿臣年小德薄，不足以服众。其次，我……"

兽皇站起身形，怒道："别说了，这件事我已经决定了。"

他抬起头，环视着下面的兽人国重臣们："相信大家都知道，这次对魔族发动的突袭，正是雷翔出的主意，也是由他一手运作的。我相信，他有能力支撑起这个位子。所以，希望大家能支持我这个决定。同时，雷翔将不再兼任皇家近卫副统领一职，此职位交由猛克代理。"

我见已经没有回旋余地，只得无奈地道："谢陛下恩典，臣定当鞠躬尽瘁。"

兽皇哈哈笑道："翔儿，回去好好休息吧，总指挥官并不累，只要不打仗，你就是最闲的。其余的军政事务我会让别人去打理，这样可以了吧？好了，今天就到这里吧，退朝。"

"是，父皇。"

原本以为兽皇要削减我的权力，可没想到，他竟然任命我为兽人国军队的最高统帅，也就是将兵权交给了我，这可绝对是一人之下、万人之上的高位。

父亲为什么现在就让出这个位子呢？没道理啊，他正是春秋鼎盛的时期，这是为什么呢？

第五十章

得胜而归

第五十一章 乔迁之喜

"母亲。"我冲着正在修剪花草的母亲叫了一声。

"嗯，回来了，兽皇找你什么事？"

我走到母亲身旁："兽皇任命我为兽人国全军总指挥官。"

母亲手中的剪子"当"的一声，掉在地上，脸色大变，急道："什么？你当了兽人全军总指挥官？"

"母亲，您别吓我，怎么了？"

母亲稍微平静一下，道："我不是吓你，还记得你当初对我的承诺吗？永远不带兵攻打龙神帝国，如果你坐上了兽人最高军事指挥的位子，怎么可能不带兵攻打龙神？"

我松了口气，解释道："母亲，您放心吧，我答应您的事一定会做到的。这个总指挥官现在是没有任何权力，现今的兽人国只是在不断地发展而已，绝不会轻易地出兵。也许以后会吧，不过，那时候我们已经远在龙神了，可以再也不理这些打打杀杀的事，任由他们自己打个死活好了。今天，我本来已经向兽皇请辞，可被他拒绝了。他说兽人国现在发展不稳定，需要我为他出谋划策，我决定暂时先留下，等时机成熟的时候，咱们可以不告而别嘛。母亲，您放心吧，我永远都不会违背您的意思。"

说实话，选择暂时留下不光是为了帮助兽皇，还有一个更重要的原因，就是怕见到紫嫣和紫雪，因为，我现在真的没有脸去见她们。我还没有想好如何面对她们，对于这件事，我必须做出一个决定。

世界上是没有后悔药可吃的，我到底该怎么办？我也曾经想说服自己就当没发生过这件事，可事实上，我根本受不了自己良心的责备。

听了我的话，母亲脸色缓和了很多："这样就好，我一定会加紧修炼你教我的斗气的，绝不会拖累你。"

我收回思绪，道："母亲，您这说的是什么话！保护您是我应该做的，您放心吧，除非我死了，否则，绝对没有人敢动您一根毫毛。对了，大哥他们干什么去了？"

"哦，早上你走了以后他们就出去了，金和我说他们去找自己的部下，让他们撤回领地什么的，我也不太清楚。"

我点了点头，心想，估计是金银和盘宗不想自己的部队被兽皇收编，所以让他们回去了吧。

这回虽然狼人、蛇人两族在物资上得到了不少实惠，但也损失了不少优秀的战士，不说普通士兵，光蜂蛇、迅狼两个精锐军团就分别损失了一两千人，原本加起来八千人的队伍现在还不到五千。

我知道，金银和盘宗对这些手下都是很有感情的，心里真感觉有些对不起他们。

比蒙王府邸。

"为什么，父亲？"雷虎站在比蒙王雷奥面前大吼着："我什么都比大哥强，为什么您让他继承您的爵位？还让那个杂（在雷奥的怒视下，他收回了第二个字）……老三继承你的职位，可我，却什么都没有得到！"

雷奥看了他一眼，淡淡地道："为什么？这你应该比我更清楚，一直以来，我从你身上看到的只是嚣张、跋扈，虽然你的功夫要强过你大哥，但那是我给你开小灶的结果。我已经把你修炼过的功法全部教给你大哥了，我相信，他将来一定会是一个优秀的比蒙族长。"

雷虎眼睛瞪得快要掉出来了，他充满了滔天恨意，双手攥得咯咯作响："为什么，父亲？我不是您最喜欢的儿子吗？可是，为什么您什么都没有给我，为什么？"

"我给你的还不够多吗？我将没有教你大哥、三弟的都先教了你，我对你的关爱比他们要多很多，可是你呢？我在你这个年龄的时候已经技压群雄，可你连自己瘦弱的弟弟都打不过，我从你身上没有发现任何成就。你没有资格在这里跟我叫嚣，滚，你给我滚出去。"

"父亲。"

"滚。"

看到雷奥的坚决，雷虎猛然转身，刚要离开，雷奥喊道："且慢。"

雷虎以为父亲改变了决定，转回道："父亲，您……"

雷奥皱眉道："我提醒你，不要去招惹雷翔或者是你大哥，否则，我就打断你的腿，听清楚了吗？"

雷虎这回是完全绝望了，颓然走出了雷奥的房间。

"为什么？这是为什么？老天，你对我太不公平了，啊——"雷虎在院子里仰天怒吼着，他抬起自己的拳头，恨恨地道："雷翔，这一切都是你造成的，咱们的前仇旧恨，我一定会和你算个清楚。"

两个月后。

我们站在刚建好的睿亲王府门口，看着高耸的大门，都愣住了。

从外面看，这座府邸占地面积竟然不小于父亲的比蒙王府邸，院墙高达两丈，门口站着十六名狂狮军团的卫兵。在正门两旁十米处各有一个侧门，这是仆人出入的地方，按照兽人的规矩，只有主人才能走正门。

不知道谁喊了一声："亲王殿下到。"

大门缓缓地敞开了，里面是宽阔的由青石铺成的石路，路的尽头是一座两层高的大殿，看来应该是王府的正殿了。

在石路的两旁，分别站着护卫和仆人，仆人完全是由白狐族少女组成，而护卫则都是狂狮军团的人。

"欢迎亲王殿下回府。"

金愣愣地道："不用这么夸张吧？"

我看了看金银和盘宗，又看了母亲。兽皇为了笼络我真是费了不少心力啊，即使和皇宫的建筑相比，这里也不遑多让。

母亲微笑道："既来之，则安之。走，咱们进去吧。"说完，拉着我就往里走。

院子共六进，第一进是正堂，是接待宾客的地方；第二进是仆人和护卫休息的地方；第三进是宽阔的广场，用来练习武技；第四进是书房；第五进是我们休息的地方；最后一进是花园，在花园里还有一个别致的小湖。

当我们坐进正堂后，我和母亲坐了主位，盘宗和金银分别坐在两侧，这时，一名白狐少女走了过来。

此女即使以人类的标准来看，也可以算得上绝色。她有着一头银白色的长发，容貌秀美，如果不是两只尖尖的狐耳和背后的一只巨大狐尾，我一定会以为她是人类。但尽管如此，我相信，她也必然有着人类血统。

"参见亲王大人。"白狐少女的声音清脆动人，她在拜见我的时候还忍不住偷看了我两眼，显然没想到她今后的主人竟然会是这个样子。

我愣了一下，道："你是？"

白狐少女抿嘴一笑，道："主人，我是您的管家，是陛下吩咐我带着我的族人来侍候您的。"

她的笑容看得我一呆，真是很美，即使和紫嫣姐妹相比也毫不逊色。没想到兽人中也有如此动人的绝色。

母亲掐了我一下，我这才回神。白狐少女还眼巴巴地看着我，古灵精怪的大眼睛中闪烁着好奇的光芒。

我发现，自从发生和墨月的事以后，我越来越没有自制力了。

我不禁摇了摇头，道："你叫什么名字？"

白狐少女嫣然一笑，道："我叫白剑，您可以叫我剑儿。我今年二十岁。"

母亲微笑道："白剑？怎么听起来像男孩子的名字？"

白剑冲母亲施礼道："见过夫人，我的名字是父亲取的，我父亲本来希望我是个男孩，所以在我出生前就给我取了名字，后来就没改。他希望我能够多学习武技，带领我们白狐一族出人头地。"

可以带领白狐族，这个女孩的身份不一般啊。我不禁问道："你父亲是什么人？"

"回禀殿下，我父亲是白狐族族长白灵。"

我顿时大惊，虽然我猜到她的身份可能不一般，可也没想到居然会是白狐族族长的女儿。一族族长之女来我这里做管家，这个玩笑兽皇也和我开得太大了，要是白狐族来管我要人怎么办？

我忍不住问道："什么？你是白狐族公主，那为什么到我这里当管家？"

看到我惊讶的样子，白剑低头道："是陛下安排的，我父亲也同意了，所以我就来了。"

我和母亲对视一眼，母亲有些心疼地道："你父亲怎么舍得让自己的女儿出来抛头露面呢？让你在这里做管家你不觉得委屈吗？"

白剑眼中闪过一丝泪光，凄然道："我白狐一族在兽人中是非常弱小的，我们不擅长战斗，经常有其他种族的强者想抓我们做玩物。父亲一是为了我的安全，二是为了能讨陛下欢心，就把我送给了兽皇陛下。"

还有这样的事，居然舍得把亲生女儿送出来。

我皱眉道："剑儿，你不要难过，只要你愿意，我随时可以恢复你的自由之身，不用委屈在我这里。"

白剑摇了摇头，道："不，我愿意服侍亲王殿下。我看得出，您是个好人。如果您不要我，陛下也会把我送给别人的。您就让我留下吧。"说着，她盈盈下拜，眼泪顺着脸颊流了下来。

母亲走过去将她扶起来，为她把脸上的泪水擦掉，痛惜道："好孩子，你就留在这里吧。在这里，绝对没有人会欺负你的。"

白剑眼圈又是一红："谢谢夫人。"

母亲慈祥地笑道："傻孩子，我就翔儿一个儿子，如果你愿意的话，我可以收你做干女儿。"

白剑显然没想到自己的命运在第一次拜见主人的时候就会这样改变，一时间有些无法适应。

"怎么？不愿意做我女儿吗？"

白剑慌忙道："不，不，只是，我不配……"

母亲佯怒道："什么配不配的，我说行就行，在这里，我最大。"

白剑偷偷看了我一眼，我微笑道："母亲说得没错，在这个家里面，母亲是最大的。我也希望能有你这么个姐姐，以后母亲就不会那么寂寞了。"

白剑再一次跪了下来，泣道："拜见母亲。"

母亲这次没有扶她，任由她拜了三拜："剑儿，起来吧，以后，这里就是你的家。"

白剑站了起来，道："谢谢母亲。"她从怀里掏出一张纸道："这是府内的清单，我给您和殿下念念吧。"

母亲笑道："还叫殿下吗？雷翔今年十八岁，以后你就是她姐姐，叫他名字就行了。"

看到母亲如此高兴，我心里的阴郁也去了不少，从座位上站起来，一步跨到白剑身前，躬身道："小弟见过剑儿姐姐。"

白剑顿时手足无措起来，不知道如何是好，小脸憋得通红："亲，亲王殿下，这怎么可以？"

我道："有什么不可以？在这个府里，我们说了就算，哪儿来的那么多规矩？你年龄比我大，自然是姐姐了。"

白剑嗫嚅道："您还是叫我剑儿好了，叫我姐姐，我感觉……"

我摸了摸我的脸，愣道："我有那么老吗？"

盘宗和金银顿时狂笑起来，我瞪了他们一眼，对白剑道："那好吧，以后你就叫我雷翔，我就叫你剑儿，这样你总不会那么拘束了吧？"

白剑飞快地轻点下头，为了掩饰自己的尴尬，念着："睿亲王府共有仆

人三十二名，皆为白狐人族，管家一名，白狐人族；卫兵一百二十名，狮人族……"

我打断道："他们不都是狂狮军团的人吗？怎么跑我这里当护卫来了？"

白剑道："这是陛下吩咐的，陛下让他们脱离了军籍，以后就是亲王府的护卫了，俸禄从国家领。"

我点头道："原来如此，陛下对我还真是好得没话说啊。剑儿，我给你介绍一下。"我指着盘宗道："这是我结拜大哥盘宗，你不要被他的样子吓到，他可是很善良的。"说到这里，我自己先忍不住笑了起来。

盘宗横了我一眼，站起来道："剑儿妹妹，你好。"

白剑冲盘宗施了一礼，看了母亲一眼。

母亲递给她一个鼓励的眼神，白剑低声道："你，你好，盘宗大哥。"

我把金银拉了过来，指着金道："这是金，他们是双头狼，有两个性格。你叫他金大哥就行了。"

金看白剑的眼神有些呆滞。

金突然痛叫一声，道："唉哟，你掐我干吗？"

银恶狠狠地看着金道："见到漂亮小姑娘就露出一副色迷迷的样子，不掐你掐谁？剑儿妹妹，我是银，你以后叫我银姐姐就行了。"

金有些尴尬地瞪了银一眼，道："剑儿妹妹，你别听她乱说，我是最善良的。"

我失笑道："你善良？没搞错吧。"

金瞪着我威胁道："怎么？我不善良吗？"

我赶忙道："善良，你最善良了，哈哈。"

金抬手向我扔出一个火球，怒道："你小子敢取笑我？"

我一伸手，一个黑色的小结界出现在手中，将火球包住，黑芒一闪，火球消失了。

金、银同时一愣，银道："老四，你功夫进步了。"他们本来以为，在猝不及防下，那个火球怎么也会给我制造一点麻烦，可却被我轻易地化解了。

白剑看到我们显示的功夫，大眼睛眨了又眨。

我道："二哥，咱们这可是新搬的府邸，你想烧了它不成？剑儿，我们刚才用的叫魔法，以后有机会让你银姐姐教你。"

白剑喜道："真的吗？"

银笑道："当然是真的了。"

我从怀里掏出最后一块紫水晶，冲白剑道："剑儿，这颗紫水晶送给你，对你以后学习魔法很有利的，算是我和母亲送你的见面礼吧。"

紫水晶在我手心上闪烁着柔和的光芒，看上去有一种迷离的美。

白剑看了看我，摇头道："我不能要，太贵重了。"

我微微一笑，道："拿着吧，你不要的话，我和母亲会生气的。"

白剑眼中闪烁着犹豫的光芒，刚要说话，突然外面传来了一声巨响，好像有人在拆房子似的。

我脸色一变，将紫水晶塞到白剑手中，冲母亲道："母亲，我出去看看。"转身向外走去。

金银和盘宗跟上我，金道："外面这是干什么呢？弄这么大声响。"

走出正堂，一个雄壮的巨大身躯出现在外面的院子门口，十几个狮人护卫围着他，地上还躺着几个生死不明的护卫。

来的不是别人，正是我二哥雷虎。府门被砸了个大洞，看来是他干的。

雷虎看到我，顿时双眼通红，大吼一声就要冲过来。十几名狮人护卫挥舞着兵器想拦住他，但以雷虎的功夫怎么会将他们看在眼中？他挥舞着粗壮的双臂荡开攻击，速度丝毫不减地向我冲来。

雷虎身上闪烁的黄色光芒比以前更加浓厚了，还隐隐泛着白光，我知道，这是天雷卸甲就要进入第三层的标志。看来，自从上回被我打败后，他确实下了苦功啊。

我喝道："其他人住手。"

这些狮人护卫的攻击对雷虎是没有作用的，为了避免他们的伤亡，我必须阻止他们的盲目进攻。

盘宗沉声道："我来吧。"

我上前一步，向雷虎迎去："你们都别插手，这是我们俩之间的事。"

雷虎已经冲到我面前，巨大的身躯猛地向我扑来，一股强劲的斗气直奔我胸口。我吐气出声，左脚向左横跨半步，右拳猛然挥出，迎了上去。

我很清楚狂神斗气是不足以对抗雷虎这强力进攻的，所以我将暗黑魔力包含在狂神斗气内，一团黄黑相间的斗气出现在我拳锋。

"轰——"巨大的能量使我们俩不约而同地后退。雷虎的强悍超乎我的想象，如果不是暗黑魔力修炼到了第七层，在没有变身的情况下，我还真对付不了他。

雷虎也跟跄着后退出四五步，他不可置信地看着我，我们刚才交击的地面出现了一个圆形的大坑。

我冷声道："今天是我乔迁之喜，我不想杀人，识相的就快滚。"

雷虎大叫一声，不顾一切地猱身冲来。

刚才和他的交手中我已经探清了他的实力，对他这次进攻自然有了准备。

我身体闪电般地冲出，双手合握，高举过头，一道深厚的黄黑色斗气出现在我头顶，就像我双手握着一柄巨剑一样。巨剑在我的控制下骤然下挥，长达两丈的光芒劈向了冲来的雷虎。

巨大的能量波使雷虎生出了警惕，他赶忙力运双臂，全力上挡。

在危机中他发挥出了自己的潜力，原本黄白色的斗气瞬间变成了白色。但即使是这样，他仍然无法抵挡我全力的攻势，毕竟我的暗黑魔力进步得太多了。

金银和盘宗同时出手，在我们交战的周围布置下厚厚的结界。

随着两股能量的相撞，发出阵阵闷响，地面上的青石完全变得粉碎。

烟雾过后，雷虎被我这全力一击，双腿已深深陷入土中，鲜血从他嘴角不断地流出。

我负手而立，站在他身前五米处，眼中没有任何的感情："如果你达到父亲的实力还可以找我一拼，以你现在的能力想为你母亲报仇？结果只有一个，那就是送死。现在你可以滚了，等你有能力的时候，我随时欢迎你来找我报仇。但是，如果你敢伤害我身边的人，我会让你死得很难看。"

我并不为我自己担心，我担心的是母亲，现在有我、金银、盘宗三大高手在，她是安全的。但是，一旦我们出去办事的话，以母亲现在的能力尚不足以保护自己，所以，我必须要警告雷虎。

我对雷虎现在已经没有了恨意，毕竟他的母亲死在我手中，我也曾经把他打得骨断筋折。不管怎么说，我们也还是有血缘关系的，做得太绝不好。

雷虎将自己的腿从土中拔出，眼神始终没有离开过我的身体，嘶声道："今天要么我杀了你，要么你杀了我，我绝不会向你摇尾乞怜的。啊——"他又一次冲了上来。

对于他这样不知进退，我感到很厌烦。

当我正想再次出手的时候，一个巨大的身影挡在我身前，雷虎的进攻被完全反弹了回去，重重地镶嵌在崭新的院墙上。还好这墙是花岗岩砌成的，厚近半丈，否则，一定会被他巨大的身体撞倒。

而将他打出去的那个人，是父亲。

嵌入墙内的雷虎已经昏了过去。

父亲缓缓回头，他没有看我，而是看向母亲。才几天不见，他棕色的头发上又多了几缕花白，一脸的沧桑。

母亲见到父亲顿时脸色苍白，呼吸有些急促。

父亲明显一呆，显然没想到母亲的容貌会恢复成这个样子："你……"

我警惕地走到母亲身边，和白剑一左一右搀扶着母亲。

父亲叹了口气，道："雷虎这孩子不知进退，让你们受惊了，我回去会好好管教他。雷翔他母亲，你放心，我不会再打搅你的生活。"

说完这句话，父亲好像又苍老了几分，转身向雷虎走去，一把将他从墙里拽了出来，扛到肩膀上。

我跟过去，道："父亲，您为什么现在就把兽人全军总指挥的位子交给我？"

父亲平静地看着我道："因为，我觉得你比我更适合这个位子。好好干吧，小子，还有……好好照顾你母亲，唉……"说完，他一步步地走了出去。

我本想留他，但想到母亲，终于还是收住了伸出去的手。

原本干净宽敞的院子被弄得一片狼藉。我扭头看向母亲，她脸色依然苍白，但眼中却多了一些凄迷的神色。

"母亲，咱们进去吧。"我关切地说道。

母亲点了点头，在白剑的搀扶下走了进去。

金低声道："真晦气，刚搬进来就有人拆房。"

盘宗瞪了他一眼，阻止他继续说下去，原本大好的气氛已经被破坏无遗。

我冲白剑道："剑儿，你先扶母亲到后面休息吧。"

"是。"

她们走后，我叫来一名白狐仆人，吩咐她找人修缮院落。

盘宗道："老四，你也别太在意了。我看伯母好像和你父亲关系不太好吧？"

我苦笑道："岂止是不太好啊，和你父母一样，我母亲是被父亲掳来的，母亲一生的幸福都毁在了父亲手里。"

盘宗恍然道："女人总是最后的受害者，我以后一定要真正得到一条龙的芳心才和她结合。"

说者无意，听者有心。盘宗的话像一柄尖刀深深地刺入我心中，我已经对不起墨月，她一生的幸福是不是也毁在我手中了呢？

墨月啊，我到底应该怎么对待你？我真的不是故意想伤害你的。

银道："老四，你脸色怎么有点不好看?想什么呢?"

我惊醒道："哦，没什么，对了，大哥，你想什么时候去找老婆啊?"为了让自己心里不太难受，我转移了话题。

盘宗九个蛇头一阵乱晃，有些嗫嚅着道："我，我，这不用太着急吧。"

金不怀好意地笑道："怎么不急，你以为追条龙那么容易吗？人家到时候看不上你怎么办？还是早做准备的好。嘿嘿，追女孩子可是需要时间的。"

银白了他一眼道："你很懂吗？就跟你追过似的。不过，盘宗老大，有机会你是应该去龙谷走一趟，碰碰运气。"

盘宗十八只小眼睛眨了又眨，头忽然都垂了下来："我现在去龙谷只会有一个结果，就是被那群龙弄死。对付一两条我还可以，如果来一个长老级的，直接就可以弄死我。"

我问道："大哥，你的功力达到绝地的水平了吗?"

盘宗九个头一起摇了摇，道："还没有呢，不过已经到临界点了，只要突破这个境界，我的能力会大幅度提升的。"

我微微一笑，从怀里掏出一块鸡血石、一块田黄石递了过去："这两块石头你先用，既然已经到临界点了就要抓紧突破它，拖得越久越不容易突破。等你到了绝地的境界，我就和二哥、二姐陪你到龙谷去找老婆。咱们可以用探母的借口啊，你不是说，你母亲还活着吗?"

盘宗的十八颗小眼睛亮了起来，道："老四，谢谢你。不过，鸡血石对我没什么用，我拿田黄石好了。"一把抓过我手中的橘黄色宝石，转身向后跑去，"我现在就去修炼了。"

金大笑道："你看一说到老婆把他急成这样。不知道他要到什么时候才能突破绝地境界。对了，四弟，我觉得你的功力好像进步了很多似的，不用变身居然可以打得那实力不弱的雷虎毫无还手之力。"

我趴在金耳边道："我已经修炼到四翼堕落天使的境界了，当然实力提升了很多。"

金大惊道："什么？这么快。银啊，咱们可要努力了，现在就咱们俩功夫差。不行，我也要去闭关。"

银不屑地道："闭关有什么用，难道咱们也到了渐入的临界点要突破到了然吗？别做梦了你，练功可不是朝夕的事。"

金泄气道："唉，看来咱们只好做垫底的了。老四，我记得你应该离四翼还远得很，怎么一下子就突破了，是不是有什么秘诀？快告诉我。"

我当然不会告诉他真相，苦笑道："练功能有什么秘诀，我天天都用心苦练，当然会有进步了。你看你们，天天除了吃就是玩，能进步才怪！我觉得，虽然你们未必能突破现在的境界，但闭关练功总是好的，最起码能将修为提升，即使速度缓慢也总是在进步着。"

银道："这个道理我们也明白，只是我们俩都比较贪玩，所以功力进步得才慢。自从离开森林以后，我们的境界就一直停留在渐入上，到现在都毫无变化。你说得对，看来我们真的需要好好检讨一下了。"

我点头道："后面有的是精舍，你们也找一间修炼好了，反正最近也没什么事。等大哥突破绝地境界醒过来，我就去和兽皇说，咱们到龙神那边走一趟，为大哥选个老婆。"

金喜道："那好啊，到时候就可以吃到好吃的东西了。我们走了。"说完，金银也走了。

狂神

堕落天使

第五十二章 内心挣扎

我坐在正堂中央的主人位上，茫然地不知道自己该做什么好，我支开金银是怕他们捣乱，老拉着我玩这玩那的。盘宗的话仍然不断地回响在我耳边："女人总是最后的受害者。"

我双手抓住自己的头发，肘尖点在大腿上，愧疚感使我心里万分难受。

不知过了多长时间，一个柔和的声音响起："殿下，您怎么了？"

"啊！"我抬头一看，是白剑。我勉强微笑道："不是说过要叫我名字吗？母亲怎么样了？"

白剑脸上微微一红，低着头道："雷翔，母亲她没什么事了，已经睡下了。"

"哦，那就好。剑儿，以后有时间的话，还要麻烦你帮我多陪陪她。母亲以前受的打击太大了，我不希望她再受到任何伤害。"

白剑点头道："我会的，这个，还给你，太贵重了，我真的不能收。"她手上托起我塞给她的紫水晶。

我皱眉道："你这是干什么，既然母亲收你做干女儿，那咱们就是一家人了，只不过是一块石头而已，说不上什么珍贵，你就收下吧。而且，你不是希望能学习魔法吗？它将会对你有很大的帮助。"

白剑道："我，我……"她的脸突然变得通红。

收一件礼物而已，至于反应这么大吗？我传递给她一个鼓励的眼神："收下吧。"

白剑好像突然做了什么重大决定似的，将紫水晶收入怀中，道："那谢谢你了，雷翔。"她再次叫我的名字已经不像刚才那么生涩了。

"客气什么，你是我姐姐嘛。"

"你刚才是不是有什么事不开心？我看你的样子很痛苦似的。"

我叹了口气，道："是啊，说起来太惭愧了。"

"那你说给我听吧，说出来心里会好过很多的；而且，我也可以帮你出出主意，我们白狐族都是非常聪明的。"

我看了看她，指着边上的椅子道："坐吧，老站着多累。"

白剑"嗯"了一声，坐在我旁边的椅子上，但没有催我，只是静静地看着我。

我几次张口欲言，但都没有说出来，这种事情让我怎么说得出口呢？

"很为难吗？"白剑问。

我点了点头，苦涩地道："是很为难。大概是这样的，有一个和我毫无关系的女孩，我伤害了她，你说我该怎么办呢？"

白剑微笑道："这有什么为难的，男女之间相处难免有所伤害，解释清楚不就行了吗？你喜欢她吗？"

我苦笑道："关键是这件事我根本无法解释，我也不知道自己喜不喜欢她，我已经有喜欢的人了。我觉得和我伤害的这个女孩的关系，让我总感觉到对不起我喜欢的人，你说我该怎么办？"

白剑的脸色突然变得有些苍白："你伤害的那个女孩喜欢你吗？"

我摇了摇头，道："我们第一次见面的时候是敌对的立场，当时为了救我的一个朋友，我曾经打伤过她。后来，她手下的人又杀了我手下的人，我又把她的手下杀了，当时我挺恨她的，还想找她报仇。有一天她来找我，几次想对我不利，我一时气昏了头，就伤害了她。我没觉得她喜欢过我，她对我好像只有恨似的。"

白剑也愣了："这么复杂，怪不得你会如此痛苦。我建议你去找她一次，把所有的事情都说清楚了，这样也许会好一点。"

"她真的会听我说吗？"想起墨月离开时的眼神，我心中一阵发冷。

白剑问道："你为什么会这么沮丧，你到底怎么伤害了她，会让你这么为难？"

我看了她一眼，满脸尴尬。

白剑的眼睛突然瞪得大大的，手捂着嘴道："难道，难道你，不会吧，你……"

我看着她惊讶的样子，知道她已经猜到了。

既然这样，我也没什么好隐瞒的，我苦笑道："正是你猜的那样，我也不知道当时自己为什么会那样，你是不是觉得我很坏？"

白剑满脸的惊骇："你，你真的……"

我点点头："所以我才会这么痛苦，我真的觉得很对不起她。"

白剑的脸上血色尽退，从怀里掏出刚才我送她的紫水晶，放在桌子上，淡淡地道："对不起，你的礼物我不能收了。我先下去了，有什么吩咐您再叫我。"

白剑的举动顿时给我带来了很大的刺激，我知道，在她眼里，我恐怕已经变成了一个卑鄙无耻的流氓。连她这个刚刚认识的女孩都会这样，那紫嫣她们知道了反应岂不是会更强烈！

我没有任何挽留白剑的理由，看着她快步向大门走去。

走到门口，白剑突然停了下来，背对着我道："既然做错了，就要勇于面对，负起自己应该负的责任，否则……"她没有说完，就出去了。

我知道她要说，否则你就不是个男人。

她说得对，既然做错了就要勇敢地面对，我会和紫嫣、紫雪说清楚；我也会去找墨月，虽然我知道她恨我，但我一定会对她负责的。

至于紫嫣她们，我只能寄希望于她们能够原谅我，否则，我也只好认了。"情"之一字，真是……

魔族皇宫。

"女儿拜见父皇。"墨月盈盈下跪，向魔皇施礼。

魔皇哈哈笑着从自己的皇座上走了下来，将墨月扶起，上下看了看她，道："我的乖女儿，你怎么瘦了，是不是这趟玩得太疯了？"

墨月听父亲这问，不禁想起了森林中的一幕，脸上一红，嗔道："父亲——"

魔皇笑道："行了，别撒娇了，你先回后宫去吧，我和你古川叔叔还有话要说。"

墨月点头道："是，父皇。"转身走了。

魔皇看着她离去的样子有些发呆，这可不像往常的墨月啊，往常的她总要缠着自己不放，才不会这么听话呢。

魔皇回头问古川道："月儿这是怎么了？好像变了个人似的。"

古川苦笑道："我也不知道她是怎么回事。在我们和兽人谈判的前一天晚上，她曾经偷着跑了出去，回来以后就变成这样了。是我没有保护好公主，陛下，请您惩罚我吧。"

魔皇摇头道："这丫头太疯，别说是你了，我都管不住她。没事，只要她平安回来就行了。你也不用太自责，这回的事你办得很漂亮，我非常满意。你见到兽人那边的几个首脑了吗，真的有素察说的那么厉害？"

古川沉重地点了点头，道："陛下，看来兽人族以后再也不会受我们控制了。这次带兵偷袭我们的兽人是由比蒙王雷奥和他的三儿子雷翔以及一名双头狼人、一名九头蛇人。除了比蒙王以外，其余的几个人都有着不俗的实力，尤其是那个叫雷翔的青年，他有着人类的外表，而且，我居然无法看透他。他曾经和九头蛇、双头狼联手抵抗我的进攻，虽然重创了九头蛇，但我也受了点伤。"

魔皇哦了一声，道："这么说，他们都有着不下于堕落天使的实力了？"

古川回答道："是的。从表面上看，那九头蛇最为可怕，但我感觉，威胁最大的却是比蒙王三子雷翔，他深不可测；而且，他确实有着不下于人类的智慧，据我们的探子回报，这次的突袭正是他的主意。战斗结束后他们回到兽人国，兽皇竟然把兽人国军队总指挥的位子交给了这个还不到二十岁的少年，可想而知，他必然有着过人之处。我们必须早做准备才行。"

魔皇沉吟道："有没有收买这个人的可能呢？"

古川摇头道："兽皇为了笼络他，收他为义子，又加封他为亲王，恐怕想收买他极难。另外，陛下，我发现公主的功力好像增长了许多似的。"

魔皇惊讶道："是吗？月儿的功力已经有很长时间没有进步了，待会儿我去看看她。兽人这件事就先这样吧。对了，贤弟，你知道我怎么处理素察的吗？"

古川微笑道："他这回吃了败仗，但我想，您一定没有重罚他，毕竟他的党羽还很多，现在不是和他翻脸的时候。"

"你说得对，我没有重罚他，只是让他回家反省而已，同时剥夺了他手中的兵权。恐怕他自己也在懊恼呢。"魔皇和古川两人相视而笑。

其实，如果当初不是素察太大意的话，以他带领的二十万部队，就算无法攻破斯坦拉城也不可能会损失那么大，只能说，他上了魔皇的当。

魔皇吩咐古川去休息，自己一个人回到后宫找墨月。他一共有儿女十几个，但唯一让他这么疼惜的就只有这个月儿，虽然她很调皮，但魔皇总能从她身上找到自己爱妃的身影。

"月儿，月儿。"魔皇走进墨月的寝室。

墨月正坐在床上发呆，她脑中总是回想起在森林里的情景。她清楚地记得，有一阵自己体内的经脉仿佛要爆炸似的，好像那个人给自己吃了什么，醒来以后就发现自己功力大进。

墨月此刻心情的复杂丝毫不亚于雷翔，甚至犹有过之。雷翔是后悔和惭愧；而墨月呢，她不仅仅是恨，还有一些奇妙的感觉在里面。连她自己也说不清楚，雷翔刚毅英俊的面容在她脑海中怎么也挥之不去。

"父皇，您怎么来了？"

魔皇微笑道："我来看我的乖女儿啊，今天怎么这么乖留在房间里？这可不像你，是不是这次出去很累啊？"

墨月摇了摇头，道："我不累。"

魔皇突然抬起左手向墨月的右肩抓去，墨月一惊，下意识地身体一晃，肩头生出一股力量，将魔皇的一抓卸到了一旁，反震之力使魔皇的掌心微微发麻。

魔皇顿时心中大惊，虽然他还没有恢复到四翼的状态，但天魔诀已经恢复到了第六层，看似简单的一抓其实封死了墨月所有闪避的路线，可没想到却是这种结果。

墨月嗔道："父亲，您干什么？"

魔皇惊讶地问道："月儿，你的天魔诀练到第几层了？"

墨月摇了摇头，道："我也不知道，好像进步了不少。"

"伸手，让父亲看看。"

墨月伸出右手，魔皇将三指搭在她的脉门上，缓缓运力，用暗黑魔力探索着她的身体，发现她体内的暗黑魔力异常充盈，脉搏沉稳有力，体内的经脉宽阔而坚韧，这明明是到了第六层境界的现象。

没有人比魔皇更清楚天魔诀了，这功法的修炼只能靠循序渐进才能有进步，而且到了第五层以后修炼异常艰难，而墨月竟然在短短的一个月之内有了大幅度的飞跃，这让他感到万分惊讶。

魔皇皱着眉头道："这是怎么回事？月儿，你的天魔诀已经到了第六层的中段，这怎么可能？这怎么可能？快告诉父亲，你是不是有什么奇遇？比如吃过什么天材地宝之类的东西。"

墨月心中一痛，她非常清楚这是和雷翔交合的结果。虽然雷翔夺走了她最珍贵的东西，但也让她的功力大幅度进步，这可能是有失就有得吧。

这种事情让她怎么说得出口呢？如果她告诉父亲被雷翔强奸了，父亲可能会不顾一切地去找雷翔算账，而现在的她，并不想再伤害雷翔，这种微妙的感觉让她脸上一阵发烫。事到如今，她也只好编个谎话了。

"我，我也不知道怎么回事。那天我跑出去玩，在一个树林里突然感到很困倦，就睡了过去，醒了以后就这样了。我检查过那个森林，没有什么异样的情况。"

魔皇愣住了："难道，难道是魔神他老人家下界为你传功吗？否则，你是不可能跳过第五层直接进入第六层的。"

当时雷翔和墨月阴阳交合产生的巨大能量，一人一半，分别进入了他们的体内。雷翔的底子比墨月深厚得多，而且在开始时又比较清醒，自行疏导着融合后的暗黑魔力运转过一段时间，吸收得比墨月要多，所以才突破了第六层境界达到了第七层初段。而墨月也受益良多，相对来说比雷翔还要幸运，不但改变了自己的体质，也使暗黑魔力突飞猛进，一举突破到第六层中段的境界。

"父亲，这样有什么不好吗？"

魔皇摇头道："不是不好，而是太好了，本来我还担心你的体质无法继续修炼高深的魔功，但如今你体内的经脉已经完全适应了暗黑魔力。我相信，你一定能够成为突破第六层境界达到四翼的最小年龄的人，等你突破到四翼，父皇就宣布你为我的接班人。我相信，魔族在你手中一定会更加发扬光大的。"

墨月惊道："那怎么行？我还有好几个哥哥呢，他们不会同意的。"

魔皇冷哼一声，道："谁让他们那么废物？到现在为止，只有你大哥达到了五层天魔诀的功力，其余的，连一个突破两翼的都没有，你让我怎么放心把魔族交给他们？放心吧，孩子，在皇族中力量就是一切。本来这个皇位也不应该是我的，素察才是上任魔皇的嫡子。但是，上任魔皇在自己身体衰老的时候让所有可以变堕落天使的皇族进行了一场公开比赛，比赛的最终胜利者就是我，而素察连前三都没有进。正是因为如此，我才能够坐到现在这个位子上，这就是为什么素察一直跟我捣乱，我却不对他动手的原因，毕竟这个皇位应该是他的。等再过几年，我也会学习上任魔皇那样举行一个同样的比武。你古川叔叔对这个位子没什么兴趣，而且他岁数比我还大，而年轻一代中达到六层的几乎很少，所以，只要你技压群雄，没人会说什么的。不过，你现在要保守这个秘密，以后，你就是父亲的秘密武器了。"

"可是，父亲，我是女的呀，魔族历史上还没有女性当过魔皇，而且，我对权力的欲望也不强，如果坐了您的位子，我以后还怎么玩啊。"

魔皇哈哈一笑，道："傻丫头，这还不简单，你在咱们皇族中找一个如意郎君，到时候让他来做魔皇，你辅佐他不就行了吗？就像你古川叔叔辅佐我一样。让我想想咱们皇族中有谁配得上我的好女儿。"

为了保持血统的纯正，魔族往往是同族通婚，只要不是自己的亲兄妹，没有任何限制。

墨月小脸通红，内心不断地翻涌。她想，自己已经失去了宝贵的贞操，谁还会娶她呢？何况，在皇族中还真没有她看得顺眼的人。

不自觉地，她拿皇族中这些可以变身的青年和雷翔比了起来，最后竟然发现，没有一个能比得上那卑鄙下流的混血儿。可她知道，自己和雷翔是两个种族的人。以前，魔兽两族还可以通婚，可是现在，两边互相仇视。

墨月捂着自己发烫的脸，心道：我怎么会这么想呢，他当初是强迫我的呀，而且，他还有自己喜欢的人。

想到这里，墨月心中一片黯然。

魔皇以为自己的女儿在害羞，哈哈笑道："傻丫头，结婚生子是人生大事，放心吧，父亲一定给你找一个最好的。"

墨月喃喃地道："父皇，我不嫁，我要陪着您。"

魔皇心中一暖，慈祥地道："那怎么行，父亲知道你孝顺，可是女孩子总是要嫁人的。而且，你嫁人以后也可以陪在父亲身边啊，父亲一定会让你成为世界上最幸福的人。父亲答应你，除非你看上了眼，否则绝不勉强你，这样总行了吧。"

听魔皇这么说，墨月暗暗松了口气，歪着头道："让我嫁也行，我有两个条件。"

魔皇感兴趣地道："哦，说来听听。"

墨月掰着手指道："第一，我要求他年龄要和我相当。"

魔皇笑道："这个容易。下一个是什么。"

墨月道："第二嘛，我要求他必须有等同于四翼堕落天使以上的实力。"

魔皇惊讶地道："什么？这怎么可能？"

墨月道："怎么不可能？如果没有强大的实力他怎么保护我？而且，如果他的功夫连女儿都不如，您让我怎么能甘心嫁给他呢？"

说完这些，墨月心中暗想：不知道雷翔功力进步了没有。啊！我怎么老是想起他，我这是怎么了？

墨月试图将雷翔的影子扫出去，但是，那张人类的面孔却始终萦绕在她心头，怎么扫也无法驱除。

魔皇挠了挠头，道："我的乖女儿啊，你这不是给父亲出了个难题吗？这样的人让我到哪里给你找，别说咱们魔族没有，恐怕连龙神都没有。你想想，他们那几个龙骑将，都是五十岁以上了，一直没听说有什么新生代的高手出现。"

墨月撅嘴道："我不管，反正我坚持这两个条件，否则，我就一辈子不嫁。"她凄然想到，自己已经不是处女之身了，不嫁也许是自己最好的选择吧。

想到这里，墨月的眼圈一红。

魔皇最看不得自己女儿哭，赶忙哄道："好，好，好，反正你现在年纪还小，咱们不急，不急。"

墨月扁着嘴点点头，道："那您可不能逼我哦。"

"当然了，父亲刚才不是说了嘛，除非你愿意，否则，父亲绝对不强迫你。走吧，你饿不饿，我让他们给你准备了你最爱吃的食物。"

墨月破涕为笑道："好啊！"抱住魔皇的胳膊向外走去。

三个月过去了，盘宗和金银都还没有出关，这些日子我也没有闲着，白天修炼狂神斗气，晚上修炼天魔诀，我体内的暗黑魔力已经非常充盈了。

在这段日子里，我已经可以成功掌握七级以下的暗黑魔法，同时，水、火、土、风四系魔法我也可以掌握到六级左右，虽然还不能使用高级魔法，但也让我的实力向前迈进了一大步。不过，直到现在我都没有实验过四翼变身的威力。

因为，每当我想进行四翼变身的时候，就会想起墨月，如果没有她。我也不可能有这第二次质的飞跃。

自从那天知道我的事以后，白剑总是躲着我，我也不好意思再找她。我们之间始终保持着距离，仿佛一层拆不掉的阻隔似的。

直到现在我都不明白，为什么当初我会把自己的事告诉她？虽然她很聪明，但如果没有我之前的话，她也不会明白的。

也许，是我太需要一个倾诉的对象了吧。

还好，白剑并不是一个多嘴的人，虽然她一直和我保持着距离，但始终没有将这件事说出去，这也成了我们两个心中的秘密。

"雷翔，母亲叫你过去一趟。"正想着她，她就来了，站在我房间门口。她的声音虽然仍然清脆而柔和，但却有种距离感。

我抬起头，看了她一眼，点头道："我知道了，马上就过去。"

白剑冲我点了一下头，转身离开了。

我整理了一下自己的衣服，来到母亲的寝室，轻轻敲了敲门："母亲，是我。"

"进来吧。"我推开房门走了进去，突然听母亲喝道："看招。"一颗小水弹向我飞来。

我心中一惊，身体表面浮现出一层淡淡的黑雾，当小水球闯入黑雾中时，便静静地消失了。

母亲愣道："你这是什么功夫，是魔法吗？"

我微笑道："是魔法。母亲，恭喜您，您已经能够使用魔法了。"

这次母亲叫我来，显然是想向我展示自己的成果。

母亲得意地道："我的领悟力还可以吧，我现在已经可以使用水系、风系的一级魔法了。"

我走到母亲身边，在她脸上亲了一口，道："母亲是世界上最聪明的人，学习魔法还不快吗？用不了多长时间您就能超过我了。"

母亲笑骂道："行了，你少给我灌迷汤。你知道吗，白剑的天赋更好，她现在已经可以使用火系二级魔法了，其他几系也都能用一级的。她学得可认真了，每天除了在这里陪我说说话，照顾大家的饮食起居以外，几乎都在修炼。"

"哦，这么说，她很希望自己能够得到力量了。"

母亲点头道："应该是吧，他们白狐族肯定经常受到欺负。这孩子定是想以后凭借着自己的力量帮助族人强大起来。"

如果她接受了我的紫水晶，也许进步会更快。但是，我现在已经不能再给她了，我不想让自己再被拒绝一次，我知道，她是一定不会要的。

这时，白剑走了进来，她手里端着一盘水果。

看到她进来，我对母亲道："母亲，您吃水果吧，我回去修炼了。您修炼魔法的时候最好只选一系，这样比较容易专注，进步也会快得多。"

母亲"嗯"了一声，叮嘱道："修炼不要太急躁了，知道吗？"

"您放心吧，我自己会小心的。"

"那就好，你走吧，这里有剑儿陪我就行了。认了这个女儿是我最高兴的事，有了剑儿经常陪我说话，我都感觉自己年轻了许多。"

我冲白剑点了点头，道："母亲就拜托你了。"

看着我离去的背影，白剑眼中有些失神。以母亲的聪明，自然捕捉到了这片刻的异常，她微笑道："最近你和翔儿怎么了？好像有些不对劲似的，我认了你做女儿，你们自然就是姐弟了，那么生分可不好。翔儿这孩子，自幼孤苦，我一直都没能给他母亲的温暖……"

"殿下。"我刚走出母亲的房间不远，一名护卫拦住了我。我问道："怎么了？"

"宫里来人了，说陛下要见您。"

"哦，知道了。"

兽皇要见我，能有什么事？按说，现在不应该有需要我的地方啊，难道猛克出事了？自从上回兽皇宣布了猛克接替我剿匪的任务以后，猛克就带了一批人走了，到现在都没有回音。

我换了身衣服，带了四名狮人护卫进了皇宫："父皇，您找我。"

兽皇放下手中的奏章，道："这么快就过来了，坐吧。"

自从被兽皇封为亲王以后，他要求我见他时不要有太多礼数。我坐到旁边的椅子上问道："父皇，出了什么事吗？"

兽皇微笑道："不出事父亲就不能找儿子来看看吗？真是个傻小子。"

我恭敬地道："是儿臣不好，我应该多来宫里给您请安的。"

兽皇道："这次叫你来，确实有事需要你亲自去做。据我们在龙神帝国的探子回报，龙神帝国境内最近晚上经常会出现五彩霞光，仿佛有什么宝物要出世似的，探子说龙神帝国已经派人开始寻访霞光出现的地方了。而魔族也有了动静，他们已经派人前往龙神了。那就证明确实有吸引他们的东西。所以，我希望你去龙神跑一趟，看看到底是什么引得龙神和魔族如此重视。我知道在龙神境内想得到这个东西几乎是不可能的，我只是想让你去看看，如果只是宝石之类的，对咱们没什么影响就算了；如果有影响的话，你要想办法毁灭掉它，一定不能让他们利用这件东西对我族不利。本来不想让你亲自去，可我想了又想，只有你最适合这个任务，你就跑一趟吧。"

我正在家里待得憋闷，能出去一趟也好。既然这次去龙神，我正好可以顺便和紫嫣、紫雪说清楚，如果她们不能原谅我的话，等以后我把母亲送回到公爵身边就再也不见她们了。

她们都还年轻，没有我的打搅，也许会有一个更好的选择吧。

墨月是我不能放弃的。等这次完成了任务，我要亲自去一趟魔族，如果她不原谅我，我宁可死在她手里；如果她肯原谅我，我一定会让她做我的妻子。

白剑说得对，自己做的事情就必须负责，想清楚了这些，我心中轻松了许多。

第五十三章 重返龙神

"父皇，没问题，我一定会尽力完成任务的。知道大概在什么地方吗？"

兽皇微笑着道："孩子，你记住，即使任务完不成也不要紧，你一定要平安地回来，兽人族不能没有你，明白吗？据探子说，这个五彩霞光出现在龙神帝国皇都附近一个叫白烟山的地方。"

"白烟山？"好熟悉的名字，我脑中灵光一闪，那不是当初我第一次闭关修炼，突破第三层天魔诀达到两翼堕落天使境界的地方吗？还是庄老师告诉我的。"好的，您放心吧，我什么时候出发合适？"

兽皇正容道："尽快。你需要什么人配合你吗？"

我摇了摇头，道："我自己去就行了。父皇，我走这段时间，我家里那边您帮我关照一下，行吗？"

兽皇微笑着点头道："我知道上回雷虎到你那里去闹事，可我要给你父亲个面子，所以不能掺和进去。你放心去办事吧，你家里那边有我呢。你不用你那两个结拜哥哥跟你一起去吗？他们可是很强的助力。"

我摇头道："不用了，他们现在都闭关修炼呢，我不想影响他们，而且他们的形象也不适合与我一起执行任务。"

如果只是去龙神玩玩，带着他们倒无所谓，可我有这么多事情要做，以金银的性格，说不定给我闹出什么乱子来呢，还是让他们在家里修炼的好。

"嗯，那好吧，你准备什么时候走？"

我沉吟一下，道："明天早上吧，清晨我就走，现在我回去收拾一下。您还有什么其他吩咐吗？"

兽皇满意地点点头，道："只有一个，就是你一定要注意安全，给我平安回来，我兽人的百万雄师还要靠你指挥呢。你走之前到财务大臣那里支取需要的钱，多准备点，有的时候，可以用钱就不要用武力。龙神毕竟是人家的地界，一切小心，父皇等你的好消息。"

"是。父皇，那我先告退了。"

"嗯，明天走的时候不用过来了。啊，对了，这个给你。"兽皇从案子上拿起一小块用锦缎包着的东西递给了我。

我接过来，惊讶地问道："这是什么？我不能收。"

兽皇道："你这个总指挥官啊，连自己的印信都不要了吗？"

我打开锦缎，里面是一块用玉石雕成的印信，上面刻有一只可爱的小狮子，下面有四个字——总指挥印。印章浑然一体，显然是整块玉石雕刻出来的，上面好像还有一股淡淡的白光在缓缓流转。

既然是自己的东西，我也不再推却，揣入怀里，道："儿臣告退。"

兽皇道："必要的时候，只要你出示印信，我兽人大军可以任你调遣。"

回到王府，我直接去找母亲，母亲正在和白剑一起练习魔法。

"母亲，我回来了。"

母亲停止练习，问道："兽皇找你什么事？"

"母亲，我可能又要有一段时间不能在您身边侍奉了。这次我要去龙神帝国完成一个任务，走的时间恐怕要长一些。"

母亲皱眉道："你要去龙神吗？去干什么？"

我微微一笑，道："您放心吧，我绝不会做什么损害龙神帝国的事。我这次去，只是因为龙神境内出现了些奇怪的东西，兽皇让我去探个究竟而已，谁让我有着一张人类的面孔呢。而且，我也有些事情要去解决一下。母亲，您在家好好修养，等我回来以后，会再试试向兽皇请求离开的，好吗？"

母亲听我不是到龙神去破坏，明显地松了口气，毕竟那里才是她的故乡："就你一个人去吗？"

我点了点头，道："大哥、二哥他们都在闭关，我不想吵了他们；而且他们去也不方便，他们的模样即使想化装都无从化起，还不如我一个人过去好。您放心吧，我会一切小心的。"

母亲点了点头，道："你大概要去多长时间？"

我摇头道："我也不知道，此行的目的地距离颇远，而且那边的情况还不很明朗，恐怕需要一段不短的时间吧。母亲，我不在的时候您一定要保重身体。我已经和兽皇说好了，他会加派人手保护王府的。"

母亲叮嘱道："你就放心地去吧，家里你就不用担心了，早去早回，一定要注意安全。"

我一边答应着母亲，一边看向旁边的白剑，由于和母亲学习了斗气和魔法，她的气色看上去比以前要好多了，小脸红扑扑的。

我冲她鞠了一躬道："剑儿姐姐，我不在的这段日子就要靠你照顾母亲了。如果大哥他们清醒过来，让他们在家里等我，说我去执行任务了。"

白剑点了点头，淡淡地道："我知道。我会照顾好母亲的。"

我勉强一笑，道："谢谢。"转头对母亲道："母亲，那我先回去收拾东西了，明天一早出发。"

母亲惊讶道："这么急啊！那好吧，让剑儿去帮你收拾吧。你们男孩子总是粗心，走了以后就该想起忘这忘那的了。"

我看了一眼白剑，摇头道："不用麻烦，我自己就行了。我每次出去也没带过什么东西，就拿两件随身衣物就可以了。"

母亲佯怒道："翔儿，不听话是不是？听我的，剑儿，你去帮他收拾一下，别缺了什么。我去给你们做点好吃的，就当给翔儿饯行吧。"

母亲已经说到这个分上了，我也不好再反驳，看白剑也没有什么愠意，就点头答应了。

白剑跟在我身后走进了我的房间。我向来是个不修边幅的人，由于一直在修炼，禁止仆人来打搅我，所以屋子里乱得很。

我尴尬地道："你坐，我自己收拾点东西就行了。"我把地上杂乱的衣服拢到一起，从柜子里随便拿了几件换洗的衣物用布简单地包了一下。

白剑走过来，低声道："我帮你吧。"

我摇头道："不用了，其实，我什么都不拿也无所谓，带的东西多了反而累赘。"

白剑一边帮我叠着衣服，一边不经意地道："你这次出去危险吗？"

我自嘲地笑笑，道："我哪次出去不危险呢？已经习惯了，无所谓。不过，你可不要告诉母亲，我不想让她担心。"

"嗯，安全比较重要，小心一点。上回你说的那件事你准备怎么处理？"

我看了她一眼，她脸上没有带着一丝表情。

我叹了口气，道："我已经想清楚了，我会去找那个被我伤害的女孩子的。虽然不知道她现在是怎么想的，但我会尽力去做我应该做的事。"

白剑停下手中的活，看着我道："那你喜欢的人怎么办？"

我心灰意冷地道："还能怎么办，我只能去请求她们的原谅。如果她们不原谅我，我就只有离开，以她们的条件，一定能找到一个比我更好的归宿。谁让我做错了呢！我现在已经不指望她们能原谅我，这种事不论是谁都是无法接受的。"

白剑眼中闪过一丝怜意，低声道："其实，以你现在的成就，三妻四妾也是很正常的。"

我摇了摇头，道："本来，我只想有一个爱人，可是，有的时候这种事不是我自己能够控制的。说来惭愧，我喜欢的人是一对姐妹，到现在我还不知道她们准备如何接受我。我现在对这些事情已经有些意兴阑珊了，感情的事为什么对我来说这么难！"

说到这里，我感到全身一阵颓然，仿佛力量都失去了似的，一屁股坐在椅子上，呼吸有些急促。

白剑道："该面对还是要去面对的，逃避不是办法。也许，事情并不像你想象的那么坏呢。"

我苦笑道："我根本无法向好处想，谁希望自己的男人是一个禽兽不如的东西，而我现在就觉得自己属于禽兽不如一类，否则也不会做出那种事情。我不奢求她们的原谅，只是希望她们以后能过得好一些，我就满足了。这里没什么需要弄的了，你去帮母亲做饭吧。我想一个人待会儿。"

白剑将包裹打了个结，道："那我先出去了。"

我看着白剑走了出去，心里一阵莫名的烦闷。

我现在真的很想找个地方好好发泄一下自己内心的痛苦，可是，我又不知道该如何去发泄，堵在心头有种喘不过气的感觉。

我真的很爱紫雪和紫嫣，但我也明白，她们绝对不会那么容易原谅我的。

清晨，我背着包袱，一个人悄悄地上路了，走的时候我没有惊动任何人。我不想母亲再经历一次离别的痛苦，那是我不希望见到的场面。

没有黑龙，我只能一个人步行，我很明白，兽皇对我这次的行动并没有抱什么希望，毕竟，那里是龙神帝国的地盘。

我自己更是没把这当做是任务，对于我来说，这只是一个散心的机会而已。

静静地，我走了，带着一身的疲惫。

我决定先去找紫嫣、紫雪说清楚，然后再去找那所谓的五彩霞光，否则，我根本没有心情去做任何事。

出了皇都，我轻车熟路地向着龙神的方向走去。由于我这张人类的面孔在兽人中很有些名气，所以，我再一次戴上了斗笠。

在官道两旁，满是绿油油的各种植物，看来，像是要丰收的样子，看到这些，我心里舒服了一些，毕竟，这是我的主意。

和上一次去龙神不一样，我这一路上竟然没有遇到一拨盗匪，所有的兽人好像都改邪归正了似的。

看来，兽皇命令的力度还真是很大。我相信，没有盗匪的兽人国，一定会兴盛起来的。

斯特鲁要塞像一条盘踞的巨龙静静地卧在那里，没有了战争时弥漫的硝烟，取而代之的是一片寂静。

要塞前十几公里的地面上寸草不生，估计与长年累月的战争有关。

又一次回来了，我要怎么进入要塞呢？也许里瓦正在这里陪伴他父亲守卫要塞吧，他心爱的紫嫣已经变成了我的心上人。

我不能随便泄露身份，毕竟在龙神我还是天都学院的学生，虽然我的学籍恐怕已经被取消了。

为了避免不必要的麻烦，我决定偷偷潜入斯特鲁城。

在漫长的等待中，夜幕终于降临了，我盘腿坐在地上，催动体内的暗黑魔力，将六感发挥到极限，聆听着周围的动静。在确定没有任何生物的情况下，我站了起来。

我将包裹摘了下来，把上衣脱掉塞进去。

我潜入的办法很简单——凭借堕落天使的翅膀飞进去。虽然我已经可以使用风系魔法飞行了，但那实在太耗费魔法力，我无法保证自己的能量是否能支持到我飞进安全地界。

而且，斯特鲁要塞的上空是有龙骑士巡逻的，想避开他们，就必须要有超过他们的速度，这一点是风系魔法无法办到的，因此，我选择了变身，这也是我天魔诀修炼到第七层后的第一次变身尝试。

我集中精神，吟唱道："黑暗凝聚灵魂，堕落方能自由，觉醒吧，沉睡在我血液中无尽的魔力。"

咒语念完后，我感觉全身的血液迅速沸腾起来，眉心处传来一点冰凉，脑中"轰"的一声炸开了。

周围的事物仿佛都不一样了，无数似乎能看得见的暗元素疯狂地向我聚集，并通过毛孔进入我的身体，它们不断融合到我飞速运行的暗黑魔力中，一种全新的感觉向我袭来。

额头猛地一凉，我下意识地向后仰头，那缕冰凉的感觉从头到脚。我的头发开始变色了，体内的暗黑魔力由于过度地吸收凝结，现在已经形成液体，无数蜿蜒的河流在我的经脉中流动着。

猛地，背后传来强烈的撕裂感，全身骨骼啪啪作响，比起第一次变身成两翼堕落天使时要痛苦得多。

浑身好像被强大的暗黑魔力撕裂了一样，一个硕大的紫色六芒星静悄悄地出现在我脚下，我忍不住长啸一声："啊——"

四只比原来更大的羽翼从我身体里逐渐钻了出来，更多的暗元素从崭新的黑暗羽翼中不断地向我汇集，充斥着我的身体。

浓浓的黑雾将我包裹起来，再逐渐融入我的身体。那是一种很奇特的感觉，仿佛我变成了另外一个人，一个无比强大的魔神。

终于，一切都渐渐平静了下来，黑雾消失了，我原本古铜色的皮肤变得异常白皙，淡淡的光晕在皮肤下不断地流动。如果没有黑色的头发、眼睛和羽翼，也许我会以为自己变成了一具雕刻的玉像。

我知道，我已经成功地变成了四翼堕落天使。

世界在这一刻变得清晰起来，我可以轻易看到、听到很远的地方。

斯特鲁要塞的帅府中，正在看地图的里沃龙骑将猛地一惊，一股寒意瞬间传遍他的身体，他警觉地自言自语道："好强的黑暗气息，难道魔族来偷袭了不成？"

想到这里，他惊出了一身冷汗，大喝道："来人。"

"元帅，您有什么吩咐？"

"立刻召集所有龙骑士出城巡逻，看看有没有什么异常情况。"

"是，元帅。"

卫兵退了出去，里沃叹了口气，道："希望是我过于敏感吧，刚平静了没几天，我可不想再打仗了。"

一会儿工夫，一个清朗的声音响起："父帅，发生了什么事，你要召集大家。"英俊的里瓦穿着一身银色甲胄走了进来。

里沃看了看自己争气的儿子，脸上露出一丝笑容，道："我刚才突然感觉到一股强烈的黑暗气息，所以让你们出去巡逻一下，看看有没有什么异常。"

里瓦笑道："父亲，您是不是太谨慎了些？魔族刚刚和兽人开完仗没几天，哪里有余力来攻打我们？"

里沃正色道："小心驶得万年船。叫你去你就去，哪儿那么多废话？你要多学着点，作为一个统帅，战略战术固然重要，但谨慎小心也是必不可缺的重要素质，明白吗？"

里瓦收起笑容，正色答道："是，父帅。我立刻就去。"

"嗯，小心些，如果有什么异常，立刻用信号向要塞汇报。"

"知道了。"

变身后的我，感觉更加敏锐，周围百米之内纤毫可见；随手一动，都会有一股暗黑能量随之流动，体内的液态暗黑魔力更是随着我的每一个动作积极调动。

我拉过崭新的羽翼，上面漂亮的黑色羽毛比以前的大了，也更加有光泽了，轻轻一弹，发出铮铮的声音。

我脸上露出满意的笑容，抬手一吸，将墨冥和包袱抓入手中，意念一动，身体已经飘入空中。

以我现在的实力，即使里沃亲自来，在没有神龙的帮助下也未必是我的对手。

我轻轻拍打着翅膀，身体扶摇直上，冲入高空。

正在这时，我发现从斯特鲁要塞冲出几十条光影。定睛一看，竟然是几十名骑着各种颜色神龙的龙骑士。一下出来这么多龙骑士干什么？难道都是巡逻的吗？

那群龙骑士在空中停了一下，转瞬分散开，缓慢地向要塞外移动着。

我心中一惊，虽然有夜色的掩护，但他们这样地毯式搜寻，我难免不被发现，何况，神龙对暗黑气息是非常敏感的。

真是倒霉，难道我要冲过去不成。

还是算了，虽然四翼的我并不惧怕他们，但毕竟人家人多势众，还是不要找麻烦的好。

想到这里，我身体后飘，随着他们的移动而移动，始终保持着他们无法发现我的距离。我倒要看看，他们这个搜寻要持续到什么时候？

我现在一点也不担心自己的暗黑魔力匮乏，不断摄入的暗元素比我消耗的还要多，完全可以支持我长时间飞行。

这倒不错，以后不用走路了，这样飞可比骑着黑龙跑还快上许多。

龙骑士的巡查足足持续了一个小时，直到斯特鲁要塞前三十里，真是仔细啊。他们不会天天都这样地毯式搜索吧，否则，岂不是很累吗？

看着渐渐撤退的龙骑士们，我悄悄地跟了上去，直到他们全进了要塞，我才逐渐接近。

我尽量飞得更高一些，虽然高空的空气稀薄，而且很寒冷，但对我几乎没有什么影响，我小心地用黑雾包裹住自己的身体，慢慢地飘了过去。

我没敢进城，而是直接越过了斯特鲁要塞。夜凉如水，让我的精神有些兴奋。

借着夜色，我催动着自己的身体，朝着龙神皇都的方向飞去，脚下不断有森林、村庄飞速地后退。我现在比以往任何时候都强大，我知道，自己距离绝世强者的目标又迈进了一大步，但是，这强大的力量却来源于卑鄙的行径。

就这样，我白天休息，晚上变身飞行，只用了五天的时间，我就来到了皇都。

越接近这里，我的心情就越沉重，因为，我马上就要面对我最不想面对的人——我心爱的紫家姐妹。

走进皇都，一切依旧，街道上仍然那么熙熙攘攘。龙神的繁荣始终是魔族和兽人族无法比拟的，这点我不得不承认，但我现在根本没心情去欣赏这些。

找了家旅店先住了下来，我将自己关在房间里，想着对紫雪、紫嫣的说辞。

三天的时间就这么过去了，可我仍然没有想到一个万全的办法。这种事，无论怎么解释也是徒劳的。

算了，我一咬牙，决定今天晚上就夜探公爵府。该来的总是要来的，越这么拖下去，我坦白的决心就会越薄弱。我心爱的人，你们到底会怎么对我呢？

又是夜晚，空中的明月阴晴各半。我穿好一身夜行衣，将墨冥绑在背上，悄悄地出了旅店。

轻车熟路地来到公爵府邸，我感到自己的心跳在不断地加速，我心爱的人儿和我现在只有一墙之隔。

我将暗黑魔力加速运转，使自己保持在最佳状态。双脚点地，我纵上了院墙，公爵府的防守依然严密，但这对我来说却毫无作用。

我小心地移动着，先来到紫嫣的房间。

看到门前那些典雅的摆设，我心中涌起了浓浓的柔情。

紫嫣的房间黑着灯，她不会这么早就睡了吧！

我看了看周围没人，轻轻飘落到院子里，没有带出一点声息。走到紫嫣门前，我惊讶地发现，她的门竟然锁着。即使她不在房间，门也不应该锁啊，这是她自己的家，锁门是没有必要的。

怀着忐忑的心情，我又绕到离此不远的紫雪住处。结果是同样的，房门也锁着。

难道，她们搬家了？不应该啊，堂堂公爵，哪儿有随便搬迁的道理？而且，府里还有那么多护卫，只有公爵府才有如此的防御措施。

她们姐妹到底干什么去了？我现在反而不再惧怕见到她们，更多的，是对她们的殷殷思念。

强烈的思念驱使着我来到公爵的房上，这里的防卫更是严密，我无法落到院子里，只能悄悄地伏在房顶。

我小心翼翼地揭开一片琉璃瓦，一束灯光从瓦片的缝隙中透出。偷眼看去，公爵正坐在那里写意地喝着茶，公爵夫人在他旁边坐着。

我功聚双耳，就听公爵夫人道："老爷，您今天心情好像不错啊。"

公爵点了点头，道："是啊，最近海内升平，我的心情当然好了。我们的探子回报说，魔、兽两族确实发生了火并，双方都有不小的损失，这下，我们可以多过些太平的日子了。在我看来，五年之内不会有什么大的战事发生。我当然高兴了，连陛下最近的心情都不错。"

公爵夫人显然对这些并不感什么兴趣，没有追问为什么不趁机攻打魔、兽两族，只是道："这样就好，我最怕打仗了，上回，咱们大女儿上战场就吓得我要命，还好，她平安回来了。我就这么两个女儿，她们要是出什么事，我也……"

公爵皱眉道："别说这种不吉利的话。"

公爵夫人赶忙住嘴，看来，她对她的夫君还是很尊重的。

我仔细看着公爵，心中有着一股奇异的感觉。

这位让母亲思念的林风，年轻的时候会是什么样子呢？

"老爷，您能不能答应我以后都不要再让女儿们参加战争了？我真的很怕。"

公爵明显有些不耐烦，点头道："知道了。"

公爵夫人道："紫嫣今年二十，紫雪也快十八了，您是不是该给她们找个婆家？女孩子要是岁数太大就不好嫁了。"

公爵看了公爵夫人一眼，哂道："我的女儿会嫁不出去吗？先不说我们显赫的家世，单是她们的美貌，就早已经是整个都城年轻贵族们追逐的对象了，只是她们自己不想而已，这有什么好担心的。"

听到他这么说，我松了口气，看来，紫雪她们真的一直在等待我。

公爵夫人叹道："自从上回紫嫣回来说那个雷翔下落不明后，紫雪这丫头一直魂不守舍的，我怕她以后会不接受其他人。而紫嫣就更让我担心了，里瓦那孩子明明非常出色，可她就是看不上人家。尤其是她从前线回来这段时间，里瓦曾经找过她两次，每回都把人家赶回去，真不知道她到底想找个什么样的。"

公爵道："雷翔那孩子确实不错，也难怪紫雪这样，如果他就这么死在战场上还真是可惜了。可据我观察，那孩子并没有夭折相，为什么这么久都没有消息？我派去找他的人一直都没有找到他，难道他真的就这么完了？阿雪的心太重，我有好几次都看到她一个人在那里发呆。最让我奇怪的是，她姐姐有的时候竟然和她一起发呆。本来这次我是不想让她们出去的，但考虑到让紫雪散散心，我才同意了她们的请求。"

公爵夫人有些埋怨道："这事您决定得太草率了，要是万一她们受伤怎么办？"

公爵微怒道："她们都已经不是小孩子了，自己会照顾自己的，何况我还拜托了她们的副院长，能有什么危险？真是妇人之见。"

原来紫雪她们出去了。拜托副院长？这么说是和学院的人一起，会去干什么呢？

公爵真是知道我的心意，接着道："不就是去西伦城参加那个什么四大学院友谊交流吗？有什么危险的？紫雪只是负责治疗；紫嫣虽然参加交流，我们的乖女儿现在的光系魔法可是非常厉害的，何况，她那么漂亮，会有人舍得伤害她吗？别瞎担心了，时间不早了，休息吧。"

公爵说完，放下茶碗，向内室去了。

公爵夫人叹了口气，站起来跟着去了。

她们去参加学院之间的交流了。原来庄姐姐好像说过，四大学院每隔一段时间有一次比武交流。

既然她们去了，我也去一趟，西伦城在哪儿，需要打听一下了。

知道了紫嫣她们的下落，我顿时心情放松，右脚无意一动，瓦面顿时轻轻发出"咯"的一声。

我吓了一跳，赶忙伏下身体不敢乱动。

半晌，好像没有人发现这轻微的响声，我这才松了口气。刚想离开，一阵微风吹过，身前多了一人。

原来，公爵刚准备回屋就寝，就听到房顶有动静，他对自己的功夫很有信心，不动声色地悄悄出来，提气上房，将我抓了个正着。

由于我并没有蒙面，顿时被他认了出来，他惊讶地道："是你？"

我尴尬地看着他，点头道："是我，公爵大人，您好。"

下面的护卫已经发现了状况，一名护卫喊道："大人，什么事？"

公爵低声喝道："没事，回到你们自己的岗位去。"遣走了属下，他皱着眉头道："你这段时间到哪里去了？这么晚了，偷偷摸摸地来我府邸做什么？"

我心中一动，道："我是来找您的，这里不是说话的地方，您看……"

公爵自恃功夫强过我，上下打量了我一遍，点头道："你跟我来吧。"

我随着他下了房。他将我带到上回那间书房里，反手关上门，点燃两盏油灯，将亮度调节得比较柔和，背对着我道："说吧。"

我坦然道："公爵大人，我是刚从兽人国回来的。"

公爵猛然回身，惊讶地道："兽人国？你到那边干什么去了？"

图书在版编目(CIP)数据

狂神 2·堕落天使/唐家三少著.-南昌：百花洲文艺
出版社，2005
ISBN 7-80647-930-9

I.狂...　　II.唐...　　III.长篇小说-中国-当代
IV.I247.5

中国版本图书馆 CIP 数据核字（2005）第 150109 号

书　　名/ 狂神 2·堕落天使
作　　者/ 唐家三少
策　　划/ 张　越
责任编辑/ 张国功　吴晓晓
封面设计/ 大象工作室
插图绘制/ 原石工作室
封面绘制/ 任贝黎
出版发行/ 百花洲文艺出版社
　　　　　江西省南昌市阳明路 310 号
　　　　　（邮政编码 330006）
经　　销/ 全国新华书店
印刷装订/ 北京盛兰兄弟印刷装订有限公司
版　　次/ 2005 年 12 月第 1 版
印　　次/ 2005 年 12 月第 1 次印刷
开　　本/ 700mm×1000mm　1/16
印　　张/ 18.25
插　　页/ 2
字　　数/ 300 千
印　　数/ 00,001—10,000 册
书　　号/ ISBN 7-80647-930-9/I·581
定　　价/ 22.00 元

《狂神》读者调查卡

2004年11月，唐家三少开始在幻剑书盟连载《狂神》。让他没有想到的是，《狂神》取得了前所未有的成功，不光近一年的时间名列幻剑排行榜的第一名，而且图书在台湾出版后也获得了很好的反响。

为答谢众多读者对《狂神》的关注，凡填写该读者调查卡并按地址回寄的朋友，均可参加"《狂神》每月读者抽奖活动"。奖品包括：唐家三少签名版全套《狂神》、精美光电鼠标套装、品牌U盘、MP3、彩屏手机等时尚礼品。每月产生四名获奖读者，当月获奖名单及奖品将在"当当网上书店"和"幻剑书盟"同时公布。活动有效期：2006年9月30日止。

1. 你在网上阅读过《狂神》吗？
a. 读过，并在网上读完了；b. 读过，没有读完；c. 没读过，但听说过该书；d. 完全不知道网上有这部小说。
2. 你是通过什么方式购买该书的？
a. 书店；b. 网络书店；c. 邮购；d. 其他。
3. 你最想参加《狂神》的哪些活动？
a. 每月抽奖活动；b. 唐家三少签售图书；c. 与唐家三少网络聊天；d. 其他（请写明）

_____。

姓名：_____   性别：_____   通信地址：_____
邮编：_____   电子邮箱：_____

本调查卡邮寄地址：北京朝阳区左家庄西街力鸿花园 2-1906，王苹收，邮编：100028。

本活动网络协助：

网络阅读第一选择